W9-CHB-614

За чужими
окнами

Читайте повести и рассказы
Марии Метлицкой
в серии «За чужими окнами»

Наша маленькая *жизнь*

То, что *сильнее*

Машкино *счастье*

Беспокойная жизнь
одинокой женщины

Второе *дыхание*

Испытание
медными трубами

Всем *сестрам...*

И шарик *вернется...*

Дневник *свекрови*

Мария Метлицкая

Дневник свекрови

ЭКСМО

Москва

2013

Художественное оформление серии *П. Петрова*

Метлицкая М.

М 54   Дневник свекрови : роман / Мария Метлицкая. —
М. : Эксмо, 2013. — 320 с. — (За чужими окнами. Проза
М. Метлицкой).

ISBN 978-5-699-60480-7

Ваш сын, которого вы, кажется, только вчера привезли из роддома и совсем недавно отвели в первый класс, сильно изменился? Строчит эсэмэски, часами висит на телефоне, отвечает невпопад? Диагноз ясен. Вспомните анекдот: мать двадцать лет делает из сына человека, а его девушка способна за двадцать минут сделать из него идиота. Дада, не за горами тот час, когда вы станете не просто женщиной и даже не просто женой и матерью, а — свекровью. И вам непременно надо прочитать эту книгу, потому что это отличная психотерапия и для тех, кто сделался свекровью недавно, и для тех, кто давно несет это бремя, и для тех, кто с ужасом ожидает перемен в своей жизни.

А может, вы та самая девушка, которая стала причиной превращения надежды семьи во влюбленного недотепу? Тогда эта книга и для вас — ведь каждая свекровь когда-то была невесткой. А каждая невестка — внимание! — когда-нибудь может стать свекровью.

УДК 82-3
ББК 84(2Рос-Рус)6-4

ISBN 978-5-699-60480-7

Я человек доброжелательный, придираться по пустякам точно ни к кому не буду. Правда, подлости и предательства не прощу — здесь я тверда как скала.

Подруги у меня с детства и на всю жизнь, а приятелей — вообще море. С людьми схожусь быстро и легко. Правда, потребности в новых знакомствах с годами все меньше и меньше. Что поделаешь, наверное, душевная усталость. Такое тоже бывает. Все больше хочется побыть наедине с собой. Помолчать. Почитать книжку, подумать о вечном.

У меня своя спальня, личное пространство я заслужила. Как я хочу покоя и отдыха! Но... покой, как известно... Я предупреждаю домашних, плотно закрываю дверь в свою комнату — и меня дома нет. А еще на ручку двери вешаю табличку, вынесенную из заморского отеля, «Просьба не беспокоить».

Но если честно, мои на табличку плюют. Каждые десять минут дверь в комнату открывается. Когда резко — это сын. Плавнее — муж. Он, видимо, лучше воспитан. Сын считает, что доступ ко мне для него открыт всегда. Что поделаешь, сама виновата — так приучила. И это правда — его я готова принять и выслушать всегда. Невзирая на головную боль, интересную книгу, телефонный разговор с подругой или нежно накрывающий меня теплой волной подступающий сон.

Сын просто уверен, что он — главный человек в моей жизни. И здесь он прав. Сама это ему всегда внушала.

Раньше гостей я любила. Дом наш, несмотря на тотальный дефицит всего и вся, был радушным и хлебосольным. Из «ничего» я накрывала обильные столы. Не гнушалась самым трудоемким — холодцами, пирогами, заливным. К чаю пекла «Наполеон». В двенадцать слоев. Мама дорогая! Вспомнить страшно. Неужели я все *это* делала?

Сейчас многое изменилось. Стоять по двое суток у «мартена» нет ни желания, ни сил. По-моему, в гости вообще люди ходить перестали. Проще встретиться в кафе. Деньги — те же. Зато удовольствие и свобода.

Но сегодня — не тот случай. Сегодня я должна, просто обязана, принять гостей дома. И стоять у плиты. И накрывать на стол. И общаться — даже если мне совсем неохота.

Потому что сегодня у меня необычные гости. Вернее, гости-то обычные (даже думаю, что чересчур). А вот ситуация отнюдь не рядовая.

Дело в том, что мой горячо обожаемый и единственный сын Данила собрался жениться.

В двадцать три года. Дурачок, конечно, но что поделаешь? Любовь, что называется, до гроба.

Жить друг без друга не могут. Дышать не могут. Всю ночь слышу перестук эсэмэсок. Под перестук и засыпаю. К пяти утра.

У Данилы к двадцати трем годам уже довольно богатая и бурная личная жизнь — просто рано начал. Он горячо убеждает меня (и себя в том числе), что Нюся — его пара. По всем параметрам. По всем — это, конечно, очень важно. Потом, если честно, мне надоело не спать по ночам. Ждать его с гулянок. Так что в его ранней женитьбе есть, наверное, что-то положительное и для меня. Может, угомонится, с надеждой думаю я.

Да и к любви я отношусь с большим почтением. Не всем дано, между прочим.

Итак, они решили пожениться. Я предлагала горячо и, как мне кажется, убедительно, гражданский брак. Почему не попробовать для начала без материальных, так сказать, затрат?

Нюся на меня смертельно обиделась. Можно подумать, я ее оскорбила! В общем, моих вполне разумных доводов она не приняла. Дулась недели две. Отказывалась от ужина. У двери сухо прощалась. Я — и так и сяк. Честно говоря, испугалась. Портить отношения с невесткой на этой стадии рановато. Еще успею. Сын говорит, что Нюся — человек ранимый и чувствительный. Правда, мне так не кажется. Но это был первый урок, преподанный мне. Я его усвоила. Я, в общем-то, из понятливых. Поняла, что приспосабливаться буду я к невестке, а не она ко мне. Это дело, безусловно, усложняет. Но — как есть, так есть. Ради сына я и не на такое способна.

7

Свадьба так свадьба. Расходы, в конце концов, потянем и переживем. Ну, не поедем в этом году на море. На мое обожаемое море... Встречу с которым я жду весь холодный и тяжелый год. Которое дает мне силы как-то проползти год следующий.

Ладно, хватит капризничать. Хотя что может быть нелепей свадьбы в ресторане? Со всеми ее обязательными атрибутами. Непременно дурацкими и крайне затратными. А Нюсе, я поняла, именно все это и нужно. Белые скатерти с голубыми бантами. Придурок ведущий, трындящий, как попугай, заученными фразами. Платье в пол. Фата. Букет невесты. Белые голуби и черный лимузин.

Всем девочкам хочется этого? Неправда, не всем. Мне, например, никогда не хотелось. Я всегда считала, что это глупо и пошло. В мое время еще прикрепляли пупса на капот машины новобрачных. Сейчас не лучше — машину украшают как катафалк — искусственными цветами.

Данька, кстати, тоже всегда над этим посмеивался. Говорил, что у него *так* никогда не будет. Будет тихий семейный ужин в приличном, но не пафосном ресторане и свадебное путешествие в Венецию, например.

Но ночная кукушка, как известно, дневную перекукует. Я — дневная. На мое мнение все забили. Но что я поняла точно — Данька действительно влюблен. Как бы иначе он согласился на весь этот очевидный бред и пошлую белиберду?

И вот сегодня настал час «икс». К нам едут Нюсины родители. Для знакомства и обсуждения теку-

щих и предстоящих вопросов и расходов. Знакомство с Факерами, одним словом.

Я вяло предложила встретиться в ресторане. Данька развопился и сказал, что мы обязаны сватов принять. Хорошо у этой Нюси получается компостировать моему сыну мозги. Снимаю шляпу. И кстати вспоминаю анекдот: «Мать двадцать лет делает из сына человека, а его девушка способна за двадцать минут сделать из него идиота».

Маленькая такая, худенькая. В чем только душа держится...

И вот, пожалуйста.

Муж, к слову, Даньку поддержал. Предатель. Правда, в чем дело, я знаю — муж ненавидит рестораны. А дома у него всегда есть прекрасная возможность свалить. Под уважительным предлогом, конечно. Дескать, к завтрему надо сдать статью. И шмыг к себе. А я мучайся до конца и по полной программе. Разве это честно? Справедливо разве? Что поделаешь, у нас всегда и за все отдуваются тетки. В смысле — женщины. В смысле — слабый пол. Вот это я с иронией. С горькой, кстати. По поводу «слабого пола».

Со вчерашнего дня я стою у плиты. Сын предварительно очень придирчиво обсуждал меню. Как будто он женится на датской принцессе и мы принимаем королевскую чету.

А фамилия у наших свеженьких родственников, между прочим, Ивасюки. Красивая фамилия. А главное — аристократическая. У меня почему-то возникают ассоциации с селедкой иваси — той, что из советского прошлого.

Я, конечно, не права. При чем тут фамилия? Я в девичестве Петракова. А в замужестве — Сергеева. Тоже не Нарышкины и не Понятовские. Но все же смешно — Ивасюки. Мой крайне остроумный муж предложил взять Даниле фамилию жены. Сын обиделся. Обычно он ржет вместе с нами. Мы сделали вывод, что ситуация тяжелая. И тяжело вздохнули — одновременно.

Данька накрывает на стол. Смотрит на просвет бокалы и рюмки.

— О-хо-хо, — вздыхаю я и задумчиво удаляюсь на кухню.

— Холодец застыл? — кричит из комнаты сын. — А заливное?

Я из вредности не отвечаю. Режу соленую семгу.

— Мам, ну оковалки просто! — возмущается он. — Режь элегантней! — приказывает мой мальчик.

— Пошел к черту! — огрызаюсь я. И угрожаю: — Лучше меня не заводи!

Угроза действует, и он, слава богу, смывается.

Слышу гул пылесоса.

Сынок взялся за пылесос?!

«Плохи наши дела», — думаю я.

Все гораздо серьезней, чем мы предполагали.

Ивасюки появляются минута в минуту. Ясное дело: глава семьи — подполковник. Я не успеваю докрасить второй глаз и снять передник. Данька бросает на меня испепеляющий взгляд. Выходит муж. Жмет руки и улыбается. Я точно знаю, о чем он мечтает. Чтобы вся эта канитель закончилась побыстрее. Я злобно на него смотрю и усмехаюсь, побыстрее получится вряд ли. Это я чувствую.

Муж предлагает гостям тапки. Новые, между прочим. Подполковник надевает свои. Жена вытаскивает их из пакета.

— Гигиеничней! — объясняет нам, бестолковым и плохо воспитанным.

Я злюсь, но, по сути, он прав. Ивасючка вытаскивает лаковые туфли. Крутится перед зеркалом. Орошает себя духами. Духи резкие, тяжелые. Меня начинает подташнивать. Нюся с Данькой скрываются в его комнате. Гости проходят в гостиную, она же — столовая. Оглядывают комнату.

— Зал у вас большой! — одобрительно кивает Ивасючка.

Кстати, представилась она как Зоя Ивановна. Я ответила:

— Лена.

— А по отчеству? — поинтересовалась она.

— Просто Лена, — жестко повторила я.

Ивасюк оказался Валерием Петровичем. Мой муж, кандидат исторических наук, профессор и заведующий кафедрой, — просто Павел.

— Ну, я так не могу, — расстроилась Зоя Ивановна. — Мы же еще совсем не близко знакомы!

«Хотелось бы не ближе», — подумала я. Недобрая я. Не снисходительная. Нетерпимая. Все, что написала про себя выше, обман. Что плохого сделали мне эти люди? Да, не нашего поля ягода — это очевидно. Простоваты и провинциальны. А что, они виноваты? Всю жизнь — по гарнизонам. В Москве всего шесть лет. А напыщенные, так это от смущения. И что я привязалась к этим тапкам? Вместе с тапками, между прочим, Ивасючка принесла собственноручно испеченный сметанный торт. Говорит — «Дон Кихот». Шутит, наверное. Или серьезно? Возможно, Дон Кихот и Санчо Панса для нее слились воедино. В один, так сказать, образ. Да и ерунда все это, ей-богу!

Кстати, эта Ивасючка довольно хорошенькая. Если бы не травленые соломенные волосы, собранные в «башню», заколотую тряпичным фиолетовым георгином, и очень перламутровая помада. И еще — сиреневые тени на веках. Ну что я к ней привязалась? Тоже мне, столичная цаца. У всех свои представления о прекрасном. Да, но этот костюм с обильным люрексом...

Сели на диван. Муж пытается завести светскую беседу. Я выскальзываю на кухню перекурить. Представляю, что скажут на свадьбе мои подруги. Змеи-интеллектуалки. Остроязычные и ироничные московские фифы.

Зоя Ивановна стучит в кухонный косяк.

— Тук-тук, к вам можно?

Видит меня с сигаретой. Глаза полны ужаса.

— Курите? — не верит она своим глазам.

Я вздыхаю и пожимаю плечами — дескать, грешна. Уж не судите строго. Будьте милосердны, наимилейшая Зоя Ивановна.

Она хихикает.

— Я тоже балуюсь. Иногда, — доверительно шепчет она. — Муж, разумеется, не в курсе. У нас полнейший патриархат и домострой, — тяжело вздыхает подполковница. — А у вас? — интересуется она.

Заметно, что этот вопрос ее сильно волнует.

Я пожимаю плечами:

— Нет, у нас партнерский брак. Все на паритетных началах.

— А-а, — разочарованно тянет она.

По-моему, я ее огорчила. Мы выносим тарелки с закуской в комнату. Я предлагаю сесть за стол, видя, что светская беседа у мужа не клеится.

Муж явно растерян, а подполковник вперился в телевизор. Там предвыборные дебаты. У подполковника набухли брыли. Сейчас что-то будет, с ужасом думаю я, понимая, что наши политические воззрения вряд ли совпадут.

Рассаживаемся за стол и зовем детей. Те выходят не сразу — довольно всклоченные и смущенные. Вижу, как подполковник смотрит на Даньку. Взгляд не обещает ничего хорошего.

Нюся похожа на отца. Выпуклые карие глаза, крупные зубы. Мелкая и тощая, скорее всего, в мать. Правда, сейчас Зоя Ивановна тело нагуляла. Видимо, с возрастом. Что, безусловно, меня радует.

Муж осведомляется, что будут пить гости.

— Беленькую, — бросает подполковник.

— Винца, — смущается его жена.

Он чуть сдвигает густые брови.

У мужа хватает ума не предлагать алкоголь Нюсе. Не слишком сообразительный в подобных вопросах, он, видимо, нутром чует, что может вызвать гнев будущего родственника.

Когда Нюся у нас в гостях, она с удовольствием пьет пиво и красное вино. И не отказывается от мартини.

Я начинаю раскладывать по тарелкам закуску.

13

— Огурчики ваши? — с полным ртом осведомляется подполковник.

— Не-а, — окончательно роняю свой авторитет я. — Соседка угостила.

— А моя все сама, — гордо объявляет он. — По триста баллонов закрывает. Помидоры, огурцы, грибы, варенье, компоты.

Я с уважением и жалостью смотрю на бедную Ивасючку.

Она рдеет под, видимо, не частой мужниной похвалой.

Балагур и острослов Данька молчит, как в воду опущенный.

Нюся тоже помалкивает. Добрейшая Зоя Ивановна нахваливает плоды моего труда. Подполковник важно кивает, соглашается. «Не мои» огурцы он, кажется, с трудом, но пережил. Восстановили мою репутацию холодец и пирог с капустой.

Видно, что подполковник не дурак поесть и выпить. Начинает потихоньку «плыть». Перехватываю тревожный взгляд его супруги.

— К делу! — объявляет Ивасюк и откидывается на стуле.

Мы подтягиваемся и выпрямляем спины.

— Свадьба в ресторане, — заявляет он тоном, не терпящим возражений.

Мы с мужем переглядываемся. Данька смотрит в тарелку.

— В Москве — дорого, — объясняет нам подполковник. — У моего друга, начальника части, жена — директор ресторана. В Новомосковске. Сделают все, как положено. Не обманут.

— А как гостей расселять? — Я, мягко говоря, обескуражена. — Ну, туда еще доедут. А обратно? Снимать гостиницу?

— Автобус, — поясняет Ивасюк. — Автобус от воинской части. Всех отвезут в Москву. До метро. А там все сами. Доберутся.

Я представляю своих друзей. Ресторан в Новомосковске. Лангет, оливье, селедка «под шубой». Старый «пазик» с рваными сиденьями. Нет. Нет! Не будет такого! Что, Ивасюк будет распоряжаться моей жизнью? И жизнью моего горячо обожаемого и единственного сына? Комфортом моих друзей и родственников?

— Нет! — почти выкрикиваю я. — Нам это не подходит!

У подполковника брови медленно ползут вверх, а Зоя Ивановна вжимает голову в плечи.

Данька и муж с испугом смотрят на меня.

— Значит, так, — жестко говорю я. — Свадьба будет в Москве. В приличном и недорогом ресторане. Сейчас таких навалом. Не на окраине. Чтобы всем было удобно добираться. Я люблю и уважаю своих близких. И себя, кстати, тоже.

Ни в какой Зажопинск мы не поедем.

— Решать надо коллегиально, — тихо вставляет мой мягкий и либеральный муж.

Подполковник растерян. Пожимает плечом. К отпору он, видимо, не привык. Придется привычки менять.

— Ну-у, — тянет он, — можно рассмотреть.

Зоя Ивановна с явным облегчением вздыхает. Я понимаю, что победила.

15

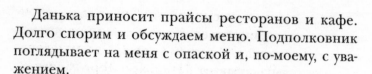

Данька приносит прайсы ресторанов и кафе. Долго спорим и обсуждаем меню. Подполковник поглядывает на меня с опаской и, по-моему, с уважением.

Обсуждаем десерт.

— А что такое тирамису? — осторожно спрашивает Зоя Ивановна.

Нюся кривит губки. Стесняется. Ей хорошо известно, что такое тирамису. Благодаря моему сыну, кстати.

Я терпеливо объясняю подполковнице все про итальянские десерты.

Она расстраивается и предлагает испечь три торта.

— Пожалуйста, — великодушно разрешаю я.

Дальше считаем число гостей с обеих сторон. Получается почти поровну. Ивасюк предлагает расходы нести пополам. Что заморачиваться, у кого сколько человек? Благородно. Не жлоб. Мое отношение к нему немного меняется. По крайней мере он способен к диалогу. Значит, не безнадежен. Обсуждаем Нюсино платье. Папаша невесты настаивает на фате. Матушка мечтает о платье в пол, пышном и белом, со стразами, кружевом и рюшами. Нюся капризничает и заявляет, что платье будет узкое, кремовое и «без всяких там цацек».

Я поддерживаю Нюсю и киваю.

Зоя Ивановна расстраивается до слез — кремовое? Узкое? Без фаты?

В общем, лишили человека светлой и заветной мечты.

Но Зоя Ивановна смиряется. Она, видимо, привыкла со всем мириться. Хорошая будет теща, думаю я. Не вредная. С тестем хуже. Он всем недоволен и опять накатывает беленькую. Горе заливает. Потом начинается рассказ про долгую и трудную службу. С ужасом узнаем, что он был вертухаем в лагере. Охранял политзаключенных. С гордостью говорит, что, будучи мальчишкой, видел самого Солженицына. Не просто видел — конвоировал.

Мы в шоке молчим. Я вспоминаю мамин рассказ, как ее родители принесли в дом «Архипелаг». Ей, девчонке, дали его прочитать. Потом искали место схрона. Она предложила своего плюшевого медведя Степаныча с кармашком и «молнией» на брюхе. Так и прожил «Гулаг» до самой перестройки в изрядно потрепанном и потертом Степаныче.

Потом подполковника потянуло на политику. Вот этого я боялась больше всего. Понимала, что наши взгляды разойдутся наверняка. Улыбаться, кивать и соглашаться в этих вопросах я точно не умею. У меня жесткая гражданская позиция. «Вот сейчас начнется», — подумала я. И никакой свадьбы не будет. А может, это и к лучшему? И родственников Ивасюков тоже не будет. Какие родственники? Скорее идеологические враги. Куда может занести подполковника, я, в принципе, довольно отчетливо представляю.

Оказалось, что Ивасюк не одобряет всех. Без исключения. И правых, и левых. Уже легче. Не такой уж он долдон. А я думала, что начнутся сопли по сталинским временам. Брежневские я бы еще пережила. Но сталинские — нет. Сталин — тиран и истребитель собственного народа. Главное, военной элиты. Молодец, Ивасюк! Пятерка! Брежнев — ничего плохого, в смысле — хорошего больше, чем плохого. Я не спорю. Доля истины в этом есть. Ну, не доля, а долька. Крошечная совсем.

Я почти расслабилась. Оказалось, зря. Начались наезды на Гайдара. Я мягко вступила в спор. По-моему, была достаточно убедительна. К концу моего жаркого спича Ивасюк сказал:

— Ну, не знаю, не знаю...

Про Чубайса я разговор не поддержала, побоялась, честно говоря.

Уже победа! Какой-то он неустойчивый, этот подполковник. Быстро соглашается. Или это я — убедительный и замечательный оратор?

Муж делает «большие глаза» и неодобрительно качает головой. Осуждает. Меня, разумеется. Да нет, он прав — собрались мы не для этого. Вечно меня тянет не туда! Ну, какая мне разница, за кого голосовали Ивасюки? Это их личное дело. Их, не мое.

Нам бы хорошо совпасть по другим вопросам — дети, внуки.

Муж потребовал чаю. Я со вздохом пошла на кухню. Зоя Ивановна взялась помогать. «Нормальная тетка», — подумала я. Нюся задницу от стула не отодрала. Данька нежно держал ее за руку.

За чаем подняли вопрос о проживании молодых. Я сказала, что удобнее жить у нас. И квартира больше, и институт рядом. Ивасюки вздохнули и согласились. Не отдавать же моего ребенка в казарму! Нюся, правда, немного скривила ротик.

Ивасюк с удовольствием выпил на дорожку лимонного ликера. Когда его супруга протянула свою рюмку, он грозно сверкнул очами, и Зоя Ивановна плавно опустилась на стул.

У двери прощались долго. Ивасюк покачивался и грозил мне пальцем:

— Все-таки Гайдар — нет!

Я пожала плечами.

— Вот здесь ты, мать, не права! — икнув, добавил Ивасюк.

Вот мы и перешли на «ты».

Зоя Ивановна жала руку моему мужу и Даньке. Потянулась ко мне — чмок в щеку. Я ее приобняла.

— В следующую субботу — у нас! — твердо заявил подполковник и опять почему-то погрозил мне пальцем.

Нюся с Данькой не могли разлепиться.

«Нет, все-таки любовь», — подумала я.

Значит, придется в следующую субботу...

Я вздохнула и отправилась мыть посуду. Сын пошел провожать гостей до такси.

Муж присел на кухонную табуретку и жалобно спросил:

— А можно как-нибудь избежать следующей субботы? Я этого не выдержу!

— Нет! — рявкнула я. — Выдержишь. Никуда не денешься. Ради единственного сына.

Муж тяжело вздохнул и поплелся в столовую за оставшейся грязной посудой.

Вернулся Данька. С замутненным взором.

«Не в себе, — подумала я. — Ребенок точно не в себе».

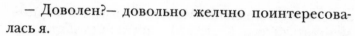

— Доволен?— довольно желчно поинтересовалась я.

Он кивнул.

— А спасибо где?

— Спасибо, мам! — сказал он как-то устало. У двери обернулся. — Хотя можно было обойтись без Гайдаров и Чубайсов, — язвительно и недовольно добавил он.

— Без Чубайсов обошлась. Скажи спасибо.

Он махнул рукой и пошел к себе.

Я наконец закончила уборку и присела на стул. Взяла сигарету и телефонную трубку. Знаю, что мама нервничает и ждет моего звонка.

Трубку она взяла после первого гудка.

— Ну?

— Могло быть и хуже, — вяло откликнулась я.

— Понятно, — вздохнула мама. — А подробности?

— Завтра, мамуль. Устала ужасно.

— Понятно, — повторила мама. — Я другого и не ожидала, — сказала она и повесила трубку. Обиделась.

Я включаю повторный набор.

— Не сердись, — прошу я.

— Вот странно, — кипятится мама, — а то ты не знаешь, что я весь вечер жду твоего звонка! Можно подумать, ты мне не дочь, а Данька не внук!

И я приступаю к подробностям. На сорок пять минут. Но маме кажется, что я что-то упускаю. Или опускаю. И она моим отчетом довольна не очень. Закончили. Я ползу в спальню. Залезаю под одеяло и блаженно вытягиваю ноги. Как я устала! И фи-

20

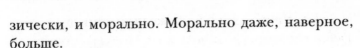

зически, и морально. Морально даже, наверное, больше.

Заходит муж.

— Может, обойдется? — жалобно спрашивает он.

— Не поняла вопроса, — вредничаю я. — Что именно?

— Все, — тоскливо вздыхает он. — Или хотя бы что-то.

— Вряд ли, — припечатываю я и отворачиваюсь к стенке.

А я-то надеялась, что в моем возрасте я уже имею право не приспосабливаться к чужим людям!

Ошибалась!

И я уговариваю себя заснуть.

* * *

Всю неделю я думаю о предстоящем ответном визите. На душе такая тоска! Делюсь с подругой Танюшкой. Она успокаивает, что все *это* надо пережить. И все *это* — не самое страшное в жизни.

Я и сама это понимаю. Но почему мне так не хочется тащиться в субботу в Братеево? Ведь неплохие люди! Наверняка хлебосольные. Искренние. Все от чистого сердца!

Муж молчит и вздыхает, как больная корова. Сынок тоже не весел.

Ладно! Я пытаюсь себя убедить, что все это — временное явление. После свадьбы мы вряд ли будем плотно общаться. Живем друг от друга далеко. С мая по ноябрь они на даче. Парники, грибы и триста баллонов консервов. К ним на дачу мы не поедем — сто двадцать верст и сортир на улице. У нас своя дача — полчаса от Москвы, сосновый лес и никаких грядок. И вообще, в сентябре мы уезжаем на море. А Новый год часто встречаем у друзей в Лиепае — у Ольги и Игоря там квартира. Ребята всегда нам рады. А дни рождения мы отмечать не любим, так у нас заведено. «А у них?» — пугаюсь я.

А если внуки? Общие, между прочим...

В субботу тащимся в Братеево. По дороге молчим. Настроение — хуже некуда. Какие мы все-таки непростые. С вывертами! Все — проблема. Все — не так. Все — с напрягом.

А вот Ивасюки нам искренне рады! Пахнет пирогами — вкусно пахнет! Зоя Ивановна проводит экскурсию по квартире. Гордится коврами на стенах и хрусталем в стенке. В общем, всем гордится. Сетует, что плохо взошло тесто. Нервничает и теребит бретельку фартука.

Нет, все-таки противные мы, москвичи! Снобы и задавалы! Чем гордимся? Что родились в столице? Что нам были доступны музеи и театры? А что видела она? Сопки и гарнизоны. Перебои с продуктами и невозможность достать детские колготки и польский шампунь. Самодеятельный ансамбль «Ромашка» и кружок макраме. И в этом она виновата? Простая девчонка из уральского городка. Кто ей объяснял, что ковры на стенах пошло и негигиенично? Что советский штампованный хрусталь — безвкусный привет из прошлого? Что, она виновата, что ее мама — сортировщица на заводе, а папа — крановщик?

Мне становится стыдно, и я хвалю ее ковры и посуду. Рассматриваю фотографии на стене. Зоя — тоненькая девочка с толстой русой косой. Красавица! Ивасюк — стройный, поджарый с густым, кудрявым чубом. Тоже симпатяга. А его служивая доля? Солдат служит там, где ему прикажет Родина. Стыдно, Лена!

Нас приглашают за стол. Все очень обильно и очень вкусно — и своя картошечка — белая и рассыпчатая. И свои соленые помидоры. И крепкие грузди с налипшим укропом. И пироги! С черемухой, между прочим! Такое мы едим в первый раз. Потрясающе вкусно!

Зоя жалуется, что не может привыкнуть к Москве. Шумно, грязно и все недобрые. Чужие какие-то. С тоской вспоминает свою жизнь в военном городке. Хозяин сдержан. Пьет немного. Видно, что женой доволен. Потом Зоя предлагает попеть. Мы растерянно переглядываемся. Она тоненько и чисто заводит: «Там, где клен шумит над речной волной...»

Эту песню я знаю. Подпеваю. Включается Ивасюк. У него приятный баритон. Поют они отлаженно и складно. Видно, что любят это дело. Становится светлее на душе. Потом пьем чай. Никаких разговоров о политике и о свадьбе. С собой Зоя заворачивает нам пироги, дает банку вишневого варенья и соленых грибов. Ивасюк идет в гараж, где устроен погреб, и набирает нам мешок картошки. Мы шумно и активно отказываемся, но все бесполезно. Нас провожают на улице. Мы обнимаемся с Зоей. Они машут нам вслед.

— Хорошие люди! — говорю я.

— Простые. Без второго дна, — откликается муж. — А может, и хорошо, что люди простые, без прикрас?

Я на этот вопрос не отвечаю. Почему, не знаю сама. Не знаю, хорошо или нет. Все-таки мы очень разные. Не плохие, не хорошие — разные. Ведь не зря раньше «брали» невесту из своего круга, своей песочницы. Ей-богу, не знаю. На душе опять тревога. Нюся не такая, как ее родители. Немного их стесняется. А это плохо. Что-то из себя строит, капризничает. Такая жена, как Зоя, из нее точно не получится.

Данька улыбается и смотрит в окно. Сегодня он нами доволен.

Вовсю готовимся к свадьбе. Выбрали ресторан — качественный и с вполне приемлемыми ценами. По ресторанам шастаем с моей подружкой Лалой. Лала соображает в таких делах — будь здоров! Ее, в отличие от меня, точно не надуют. В каждом ресторане она пробует закуску и горячее. Только пробует. Доедаю я. Лала следит за фигурой. Хотя весит пятьдесят килограммов. Данька говорит, что это вес барана. Лала тоненькая, как струна, с прямой спинкой и походкой носочками врозь. Когда-то она занималась балетом. У нее густые и длинные, вьющиеся мелким бесом волосы. Конечно, она не похожа на барана, но от милой овечки что-то в ней определенно есть. Лала моя ровесница, а выглядит лет на пятнадцать моложе. У нее нет мужа, но есть любовник. Младше Лалки на двенадцать лет. Он ее обожает и мечтает на ней жениться. Лалка не хочет. Говорит, что привыкла к свободе. К тому же женщина она не бедная, у нее два обувных магазинчика. Это сейчас. А начинала она в Луже, прилавок на улице. И торговала тогда сама — и в дождь, и в мороз.

Лалка за рулем. Мы объехали пол-Москвы. Наконец она довольна. Обсуждает с управляющим, как украсить зал. Я устала и плохо соображаю. Пью пятую чашку кофе за день. Сердце бухает, словно литой колокол.

В машине говорю Лалке спасибо. Без нее я бы пропала. Без конца названивает Лалкин хахаль и гундосит, что соскучился.

Лалка вздыхает, смотрит на часы и говорит ему, что дома будет через два часа.

— Неужели у тебя есть силы? — удивляюсь я, мечтая о валокордине, чашке горячего чая и подушке с одеялом.

Лалка пожимает плечами. Говорит, что сейчас встанет под ледяной душ, выпьет морковного соку и будет готова к дальнейшим подвигам.

Я вздыхаю и думаю, что молодой любовник — точно, подвиг. Здесь бы сына женить и не рухнуть!

Лалка довозит меня до дома, резко газует и тютю!

Я, еле волоча ноги, шаркаю до лифта. Надеваю ночнушку и залезаю в кровать. Зову мужа, чтобы поделиться впечатлениями. Он сидит у себя, естественно, за компьютером. Нехотя отрывается и заходит ко мне. Слушает вполуха. Ему не терпится свалить. Я обижаюсь и упрекаю его в том, что его не волнуют семейные дела.

Он тоже обижается, машет рукой и уходит к себе.

Вечером я рассказываю о своих успехах жениху. И он отсутствует — весь в своих мыслях. Я опять обижаюсь и говорю, что все это, по-моему, больше всех нужно мне.

Данька отвечает, что ему это тоже как-то не очень нужно, а нужно это в основном Ивасюкам и Нюсе. Значит, я бью ноги и стараюсь угодить семейке подполковника. Мило.

А мне это, кстати, и вовсе не нужно. Я еще раз думаю с тоской, что в этом году не увижу море. Грустно.

В воскресенье едем за платьем и туфлями для Нюси. Я, Данька, Ивасючка и, собственно, сама невеста. Едем на Лалкиной машине. Подруга меня не бросает.

В салоне Зоя кидается к сверкающим камнями и люрексом платьям с пышными кринолинами. Замечаю: чем на платье больше мишуры, тем Зоя счастливей. Нюся шипит: «Ну, мам!» — и краснеет.

Женишок сидит на диване и забавляется с телефоном.

Лалка испуганно смотрит на меня.

— Я тебя предупреждала, — шепчу ей я.

Она очень растеряна — такой моя подруга бывает нечасто. Я подталкиваю ее вперед. Пусть она, а не я советует Нюсе. Чтобы Нюся на меня не обозлилась. Лалка берет себя в руки и начинает действовать. Она выуживает достойные вещи и командует, чтобы Нюся чесала в примерочную.

Нюся, кстати, слушается ее неукоснительно. Я сижу на диване рядом с сыном и листаю журнал. Выплывает Нюся. В платье цвета увядшей чайной розы. С корсетом и струящейся узкой юбкой. На корсете — элегантная и скромная вышивка и нежный бутончик из кружева.

Удивительно, но Лалка сразу попала в цель. Какая же она умница! Я бы ковырялась полдня как минимум.

Нюся довольна. Что бывает, как мне кажется, очень редко. Она крутится перед зеркалом и перед Данькой. Данька смотрит на нее глазами, полными любви и восхищения. Мы с Лалкой переглядываемся. Мы совсем забыли про Зою. Я оглядываюсь. Зоя стоит в углу с глазами, полными слез. Я испуганно бросаюсь к ней. Теперь она уже просто рыдает. Минут через двадцать, после валерьянки и горячего сладкого чая, мы узнаем причину ее расстройств.

Всхлипывая, Зоя объясняет нам, недоумкам, что не о том она мечтала. А мечтала она увидеть свою дочь принцессой. Королевной. А видит ее сиротой казанской. Будто денег на единственную дочку пожалели. В убогом выдают. Не нарядном.

— А скромность в этом деле ни к чему, — всхлипывает бедная Зоя. — День ведь святой. Единственный в жизни. Праздник главный, можно сказать.

Ну, насчет «единственного» это, возможно, она погорячилась. Но первый — точно.

Потом она говорит, что мужа хватит кондрат, когда он увидит «дочу в этом».

27

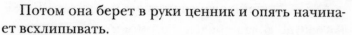

Потом она берет в руки ценник и опять начинает всхлипывать.

— И это вот за это?!

Лалка смотрит на меня с неподдельным ужасом. Нюся красная от злости и стыда.

— Мы курить! — объявляет Лалка и тянет меня на улицу. — Пусть сами разбираются, — шепчет она.

Данька порывается выскочить с нами, но Лалка гавкает на него:

— Сидеть!

Он покорно опускается на диван. Сын смотрит на меня такими глазами...

«Так тебе и надо! — думаю про себя я. — Женишок, блин!»

Мы закуриваем, и Лалка произносит:

— Жесть!

Этим все сказано. Точнее не выразишь.

Я вяло усмехаюсь. Мне совсем не смешно. Это все, конечно, мелочи, но мы вряд ли поймем друг друга и в остальном.

— Хорошо, что у меня нет детей! — заключает Лалка.

Я не комментирую.

Платье выбрано. С минимальными уступками — белое, с кружевом и узкой юбкой. Компромисс найден. Зоя не очень, но все же довольна. Это радует. Хотя бы мы не передрались. Потом мы покупаем туфли и веночек на голову. Зоя опять разочарована — не фата!

Данька едет их провожать — в руках пакеты и коробки. Зоя скорбно прощается с нами. Нюся отводит глаза. Данька счастлив, что все закончилось.

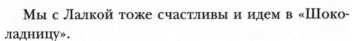

Мы с Лалкой тоже счастливы и идем в «Шоколадницу».

— Знаешь, я тоже буду блинчики с шоколадом и чизкейк, — говорит Лалка.

Я смотрю на нее с ужасом.

— Углеводы нужны, — объясняет она. — Сильный стресс.

«Покупки мы пережили, — думаю я. — Осталось пережить свадьбу».

А дальше — все остальное. Я тяжело вздыхаю и отрезаю кусок блинчика с яблоком.

* * *

Накануне свадьбы я, разумеется, не сплю. Какой уж тут сон? Хотя все готово и проверено тысячу раз. Муж тоже не спит. Ворочается. Я выхожу на балкон и встречаю рассвет. В роще, что в пяти минутах ходьбы от нашего дома, поют соловьи. Пахнет сиренью.

Думаю о том, что зря не приняла снотворное. Буду теперь как сонная муха. Правда, после снотворного — эффект почти такой же.

В семь утра, измученная и разбитая, встаю под ледяной душ. Варю очень крепкий кофе. Становится чуть легче. В девять должна прийти моя парикмахерша Оксана. Я стригусь у нее уже добрый десяток лет. Ей не надо ничего объяснять, за столько лет мы понимаем друг друга без слов.

Я захожу в комнату сына. Даюсь диву — мой мальчик, который женишок, спит как младенец. Рот приоткрыт, одеяло на полу вместе с одной ногой. Меня разбирает смех.

Я сажусь на край кровати и смотрю на него. Очень хочется погладить и поцеловать. Очень!

— Дурила ты мой! — вздыхаю я. — И чего тебе не хватает? Чего спокойно не живется? Ни о чем не думаешь. Никаких проблем. Все вопросы решают родители. Кроме одного — устройства твоей сексуальной жизни. И ты надумал решить ее таким способом, такой ценой. Глупый ты мой воробей! Ведь вся эта история надоест тебе месяца через три. Ну в крайнем случае, через четыре.

А могли бы поехать на море! Все вместе, втроем. Ей-богу, удовольствия было бы больше, а хлопот меньше!

Наверное, наш либерализм и демократия до хорошего не доведут. Наверное, как любая демократия и либерализм. Ну, не умеем мы грамотно этим распоряжаться. Не научились еще!

Вот другие родители показали бы тебе, сына, большую и жирную фигу. И были бы правы! Пошли бы на любой конфликт, лишь бы не допустить подобную глупость.

Мы же — нет! Какие запреты и условия у интеллигентных людей? Мы уважаем твои решения и твой выбор! Как мы можем попрекнуть тебя зависимостью от нас? Это ведь означает попрекнуть тебя куском хлеба! Еще мы уважаем твои чувства.

Может быть, хоть так ты научишься за что-нибудь отвечать? Ну, если мы не научили...

Хотя способ жестковат, прямо скажем. А может, все вообще будет хорошо? Ну что я каркаю как ста-

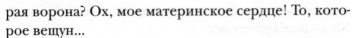

рая ворона? Ох, мое материнское сердце! То, которое вещун...

В общем, брак — как легализация интимной жизни! Вперед и с песнями!

Я, кстати, первый раз вышла замуж в восемнадцать лет. Может, гены?

— Вставай, женишок! — Я щекочу ему пятку.

Он дергается и отворачивается к стенке.

Скоро за пятку его будет щекотать жена... А я буду стучать в дверь и спрашивать, можно ли войти.

Ладно, пусть еще поспит полчаса.

Муж тоже крепко спит. Похрапывает. Видимо, как и я, поздно заснул.

Я достаю из шкафа свой наряд. Синяя шелковая блузка в белых лилиях и белые брюки. Думаю, подойдет жемчуг. Бусы, серьги, кольцо. С ужасом смотрю на новые босоножки на высоченном каблуке. Такой каблук я не ношу уже лет десять. Поддалась на уговоры Лалки. Дура, конечно. Надо будет взять с собой балетки! Переобуюсь в случае чего. К тому времени уже никто и ничего не заметит. На градуснике двадцать четыре градуса. И это в такую рань! Что же будет к обеду? У Ивасюков серьезные планы — гуляние на Ленинских горах и легкий променад по Лужковскому мосту. С фотоаппаратом и камерой, разумеется.

Я осторожно уточнила:

— Зачем?

Зоя посмотрела на меня как на умалишенную.

— Как зачем? Себя показать. На других посмотреть.

В смысле — невест и женихов. Ну, чтобы убедиться, что «наша лучше всех». Посыл такой. Ладно, пешие прогулки, в конце концов, полезны. Пусть гости аппетит нагуливают.

Оксанка приходит минута в минуту. Хорошо, что мои еще дрыхнут. Болтались бы под ногами.

Быстро и четко она выполняет свою работу. Болтаем, конечно, о свадьбе. Оксанка утешает и успокаивает меня:

— А может, все ничего?

— Может, — тяжело вздыхаю я. За столько лет мы стали подругами, хотя она намного младше меня.

Оксана пританцовывает вокруг меня на легких и стройных ногах и делает мне расслабляющий массаж головы. Я закрываю глаза и... действительно расслабляюсь.

Потом она делает мне «выходной» макияж. Обсуждаем с ней, сколько он продержится на такой жаре. Выпиваем по чашке кофе и выкуриваем по сигарете. Я провожаю Оксанку и чувствую, что меня немного отпустило. Полегче как-то стало.

Спасибо ей! Всегда легче после разговора с хорошим человеком.

Теперь уже без шуток и прибауток я бужу своих мужиков. Накрываю завтрак. У мужа совсем нет аппетита, что не скажешь про сына. Яичница из трех яиц. Три сосиски. Два бутерброда с «Маасдамом» и два овсяных печенья с вареньем. Ну, и две чашки чая.

Это я к чему? Я не считаю за сыном куски, не приведи боже! Это я о его спокойствии и расслабухе. Хотя некоторые так трескают на нервной по-

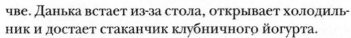

чве. Данька встает из-за стола, открывает холодильник и достает стаканчик клубничного йогурта.

— На закуску! — поясняет он.

— Проверься на глисты! — рекомендует ему остроумный папаша.

Потом они уезжают за букетом невесты, заказанным накануне. У меня есть время перевести дух. Я звоню маме.

— Нервничаешь? — Этот вопрос мы задаем друг другу одновременно.

— Я нервничаю и по менее значительным поводам, — резонно напоминает она.

— Все будет хорошо! — вяло подбадриваю ее я.

— Не слышу в голосе убедительности, — констатирует моя умная мама.

— Прими успокоительное, — напоминаю я.

— Ты тоже, — откликается мама.

В нашей семье все очень чувствительные. Кроме Даньки, по-моему.

— Я решила подарить ей кулон, — говорит мама.

«Ей». Понятно. Не могу не согласиться.

— Кулон золотой, — добавляет мама. — В форме ключика.

Помню я этот ключик. Маме его подарили на пятидесятилетие. Она еще возмущалась тогда, что подарок не по возрасту. Подарила, кстати, моя свекровь. Еще и поэтому мама реагировала так бурно. У них не очень получилось полюбить друг друга. Даже не понятно почему. Дамы одного круга, одного возраста. Видели бы они моих Ивасюков. Впрочем, сегодня увидят. Я немного побаиваюсь за маму — она сердечница.

— Мам, а если Тамара увидит? — Я имею в виду ключик и мою свекровь.

— Что она, узнает? — возмущается мама. — Она давно уже в маразме. Не помнит день рождения своего единственного внука.

Мама — человек аргументов, с ней не поспоришь. Когда Даньке было три года, свекровь его спрашивала: «Мальчик, а как тебя зовут?»

Он радостно отвечал: «Даня».

Далее следовал вопрос: «Мальчик, а сколько тебе лет?»

Сын честно отвечал и на этот вопрос.

Дальше был вопрос третий и последний: «Мальчик, а как твоя фамилия?»

Сын полностью удовлетворял ее любопытство.

Нет, ничего страшного в этом не было. Я не вредничаю и не придираюсь. Просто дело в том, что три этих сакральных вопроса она задавала ему лет до двенадцати. Он тихо зверел. Она бы продолжала интересоваться этим и дальше, пока взбешенный Данька не выкрикнул ей: «Бабушка, ты что, думаешь, за эти годы что-нибудь поменялось? Или, может, я взял псевдоним?»

Мы с мужем заржали. В голос. Тамара Аркадьевна обиделась. Сильно обиделась, надо сказать. Она вообще человек без чувства юмора. А это, на мой взгляд, полная катастрофа.

Конечно, она заявила, что сына мы воспитываем ужасно. Что он не уважает старших. Хамит и издевается. После этого, когда ее сын звонил ей — каждый вечер, кстати, она полгода не спрашивала, здоров ли ее внук.

34

Кстати, думаю, что назло моей маме она страстно полюбит семейство Ивасюков. Почему назло? Потому что ей, по большому счету, наплевать, как складывается у внука жизнь. И по малому тоже. Я ее не осуждаю. Она немолодой человек. Прожила нелегкую жизнь. Осталась в тридцать семь лет вдовой и одна поднимала сына. В конце концов, за мужа я должна быть ей благодарна. А так, у нее свои интересы. Соседки, сериалы и книжки Иоанны Хмелевской. Пусть будет здорова и счастлива. Свой отдых она заслужила. Вот. Я сказочно мудра и терпима.

Приезжают муж и сын. Начинается беготня. Орут оба и без конца меня дергают. Где галстук? Где носки? Какую надеть рубашку? Нет, все-таки все мужики... И галстуки, и рубашки, и носки — все давно готово. Ну что им еще от меня надо? Я рявкаю на сына. Он заявляет, что все это от волнения.

— Заволновался! — злорадно шиплю я. — Раньше надо было волноваться!

— Не понял? — Он оборачивается ко мне.

Готов к разборкам. Ну, не портить же ребенку такой день! Я смываюсь на кухню. Наконец выкатываемся из подъезда. Муж и сын вяло перебрехиваются. Повод у них находится всегда. Я толкаю мужа в бок. Он обижается. Ну, прямо дитя малое!

Едем за моей мамой. Она живет недалеко от нас. Мама — вот что такое дисциплина — уже на улице. В новом платье и с новой прической.

— Привет, жених! — бросает она внуку.

— Не понял, почему столько иронии, — вскидывается жених.

Я делаю маме знак глазами — молчи!

35

Язычок у нее — будь здоров! Она пожимает плечами.

Едем за Тамарой Аркадьевной. Ждем ее пятнадцать минут. Муж звонит в домофон. Свекровь выплывает. Белый костюм, белые туфли. На лице загадочная улыбка.

— И кто у нас невеста? — язвительно интересуется мама.

Данька в голос ржет. Муж смущается. В ее возрасте наряд довольно нелепый. Ну, если не невеста, то точно Снегурочка.

Свекровь садится в машину. Мама отодвигается подальше. От свекрови невыносимо пахнет «Красной Москвой». Это неистребимо. Сколько раз я дарила ей французские духи! Нет, ни за что. Ее постоянство и верность фабрике «Новая заря» восхищают.

Тамара Аркадьевна достает из сумки подарок молодым. Делает она это очень торжественно.

В ее руках конверт. Она протягивает его Даньке. Данька берет и говорит:

— Спасибо, баба Тома.

Свекровь торжественно смотрит на нас.

— Там деньги, — гордо оповещает она. — Пятьсот долларов. В валюте надежней.

Моя мама фыркает и отворачивается к окну.

Муж кидает на меня победный взор. Дескать, это вам не золотой ключик от дверцы каморки папы Карло. Я пожимаю плечами — на здоровье!

Подъезжаем к загсу. Вижу Ивасюков. На месте. Боялись опоздать. Хотя до мероприятия еще час с лишним.

Подполковница опять в обильном люрексе. Переливается на солнце и слепит глаза. На голове увесистая «башня», по бокам две заколки со стразами. Нарядная, короче. Ивасюк в форме. В смысле — военной. Мама дорогая! Торжественная пара, сказать нечего. Нюси не видно. Может, передумала?

Мы выползаем из машины. Мама стоит в стороне и закуривает сигарету. Явно не торопится упасть в объятия новым родственникам. А вот Тамара Аркадьевна спешит распахнуть свои объятия. Расставив руки, решительно двинулась на Ивасючку. Обнялись и расцеловались. Мама криво усмехается и осуждающе качает головой. Я, наверное, в свою любимую мамулю — такая же змеюка и циник.

Появляется Нюся. Как всегда, на лице гримаса недовольства. Господи, ну что на этот раз?

Оказывается, жмут туфли.

— Красота требует жертв! — не банально подбадриваю я свою почти уже невестку.

Мама так разглядывает Нюсю... В смысле — с таким лицом... Я бы на Нюсином месте предпочла испариться. А ей по барабану. Держит удар.

Я смотрю на сына. Дело в том, что Данька — красавец. Абсолютный плейбой. Рост метр восемьдесят шесть. Сложен, как римский атлет. Волосы темные, цвета спелого каштана, густые, мягкой волной. Глаза голубые. Красивые, крупные руки. В общем, хорош, зараза. Девки сворачивают головы. Да что там девки! Тетки оборачиваются вслед.

Странно, что он такой получился. Мы с мужем довольно обыкновенные. Просто он очень удачно взял от каждого из нас все самое лучшее. Вернее, не он взял, а так распорядилась умная и щедрая природа.

Короче, Данька — красавец. А Нюся — обычная серая мышь. Мышонка. Так, кстати, часто бывает. Это сейчас он смотрит на нее затуманенным взором. А потом... Я хорошо знаю своего сына. Кобель. Однозначно. Впрочем, с его данными и повышенным женским к нему вниманием трудно было бы не стать другим.

Надо признать, что сегодня Нюся довольно хорошенькая. Все невесты хорошенькие. В той или иной степени. Чудеса нынешних технологий. Автозагар, прическа, макияж. Наращенные ресницы и ногти.

Да, добрая я тетя. Да нет, просто справедливая и объективная.

Подтягиваются гости. Тамара Аркадьевна в плотной сцепке с Ивасюками. Такое ощущение, что она ждала этой встречи всю жизнь. Мы с мамой переглядываемся.

— И правильно, что ключик, — шепчет мама. — Большего она не стоит.

Тема подарка ее немного грызет. Я киваю.

— Правда, мамочка.

У меня в сумке подарок для невестки. Мне объяснили, что так положено. Вдобавок к прочим расходам — ресторану, свадебному путешествию, покупке новой тахты для молодых.

Ну, положено, так положено. Мы купили Нюсе цепочку из белого золота с розовой жемчужинкой. По-моему, современно и элегантно.

Подруливает Лалка, кивком подбадривает меня. Я вздыхаю. Лалка треплется с моей мамой. Подъезжают Воробьевы — Таня и Женя, наши очень близкие друзья. В руках у Жени огромный букет белых орхидей, а люди они, между тем, небогатые. Мы обнимаемся и целуемся. Таня идет знакомиться с Ивасюками. Она очень хорошо воспитанная девушка. Ивасюки смотрят на всех с испугом и подозрением. Или мне кажется?

Нет моей подруги Соньки. С ней мы дружим с детского сада. Сонька отдыхает на Кубе. Я думаю, что Данькина свадьба — совсем не повод, чтобы прервать такое путешествие. Сонька ничего не потеряет и не приобретет, не побывав на нашем семейном торжестве.

Последней подплывает мужнина сестра Альбина, двоюродная сестра. Альбина — старая дева и неисправимая кокетка. Она и вправду чудна́я. Косит под девочку. Короткая юбка, глубокое декольте на изрядно подвядшей груди. Яркий макияж и высоченные, сбитые каблуки. Вид довольно жалкий и смешной. Моя мама говорит, что Альбина — городская сумасшедшая.

Альбина работает корректором в каком-то занюханном журнале типа «Заборы и калитки». И всю жизнь мечтает выйти замуж. Упорно и маниакально. При виде нового мужичка — самого, кстати, затрапезного — Альбина не в меру возбуждается. Начинает закатывать глаза, перекидывать ногу за ногу и громко смеяться, обнажая парочку проеденных золотых коронок. Мужики, даже самые никудышные, чуют опасность и быстрехонько смываются.

Наши все в сборе. Остальные подъедут в ресторан. Рядом с Ивасюками стоят две пары. Видимо, самые близкие друзья. Полковые товарищи. Тетки — один в один моя сватья. Блондинки, увы, не платиновые. Волосы цвета прелой соломы. Яркий макияж. Турецкие наряды — претензия на вечерние. В смысле — блестки, золотые и серебряные нити, воланы и кружева. Мужички тоже как братья. Наверное, образ жизни и вкусовые предпочтения создают иллюзию их «одинаковости».

Мне кажется, что они тоже встревожены. Зашуганные какие-то.

Нас приглашают в зал. Звучит старичок Мендельсон. Знакомая мелодия, а как пробивает дрожь! Как торжественно и волнительно! Все подтягиваются и тянутся гуськом друг за другом. Распорядитель расставляет нас по обе стороны брачующихся.

За длинным столом, покрытым малиновой скатертью, стоит дама. Она смотрит на нас с легким презрением, видно, как ей все осточертели!

«Странно, — думаю я. — Так изменились времена, страна и мода, а дама в загсе все та же. Корпулентная, важная. С высоким начесом и брошкой на пышной груди. Точно такая же была и у нас на свадьбе. Двадцать пять лет назад. Что-то меняется в нашей жизни, а что-то — величина постоянная».

Дама произносит торжественную речь. Мы с Ивасючкой дружненько ревем. Скованные одной цепью. Лично мне жалко моего дурачка. Хотя мой дурачок остается при мне. А ее птичка таки упорхнула. Бедная подполковница! Мне ее искренне жаль. Отпускать родного ребенка в лапы злобной свекрови.

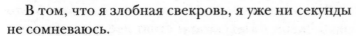

В том, что я злобная свекровь, я уже ни секунды не сомневаюсь.

У ресторана толпа — все собрались. Наша изрядно поредевшая родня, парочка школьных подруг и коллег по работе — моих и мужниных. Ивасюки бросаются к своим. Зоя возбужденно знакомит меня с родственниками. Это тетя из Волгограда, это сестра из Питера. А это брат из Вологды. Кто-то пытается целоваться. Моя мама стоит с Лалкой в сторонке. Скурилась, по-моему, вконец. А впереди еще целый вечер, и у мамы гипертония. А вот свекровь со всеми обнимается и целуется. Ей все очень нравятся. Муж вздыхает и пытается ее оттянуть. Альбина плотоядно облизывает губы. Незнакомых мужиков море! Может, что-то выгорит? Я ей искренне этого желаю. Честное слово!

Входим в зал и рассаживаемся. Все замечательно — и зал украшен, и стол обилен. Официанты расставляют цветы. Молодые принимают подарки. К ним, расталкивая всех, бросается с большой картонной коробкой Альбина. Она виснет на Даньке, теребит Нюсю. И, наконец, вскрывает коробку, перевязанную розовой капроновой лентой. По-моему, той, которая украшала детское одеяльце, когда крошку Альбину счастливый папа забирал из роддома.

Она торжественно достает то, что лежит в коробке. Судя по виду коробки, я начинаю нервничать и ожидать худшего.

Но такого не ожидала даже я, знающая Альбину четверть века.

Она держит в руках грузинскую чеканку. Грустная девушка в народном головном уборе в профиль. Сюжет известный и самый банальный. Предполагаю, что грузинская девушка — ровесница Даньки. Или чуть постарше. А что, в свете не самых лучших отношений с дружественным народом, вполне возможно, что это уже раритет. Или даже антиквариат.

Сты-до-ба! Климактерическая идиотка! Позор семьи! Ивасюки переглядываются. Данька красный как рак. Нюся усмехается. Я вполне на ее стороне. Даже свекровь в ступоре. А моя мама близка к обмороку.

Мы не корыстные и не расчетливые люди! Нам ничего не надо, ей-богу! Нам вполне хватает на жизнь и даже на небольшие удовольствия! Мы понимаем, что Альбина живет на небольшую зарплату. Мы не ждем от нее ценных подарков! Мы поймем и не осудим, если она подарит просто букет цветов или набор кухонных полотенец.

Но только не так! Не так унизительно! Лучше ничего, чем это! Противно и стыдно. Даже не смешно! Или все-таки смешно? Конечно, смешно. Но и противно тоже.

Дальше все с аппетитом закусывают. Поднимают бокалы. Произносят тосты. Я замечаю, что Нюся надела наш подарок. Значит, понравился. Уже приятно. Я тоже говорю тост. В нашей семье отдуваюсь на торжествах всегда только я. Муж говорит, что у меня лучше получается. Интересно, откуда он знает, если сам ни разу не пробовал?

Я говорю расхожие фразы. Желаю здоровья, любви и взаимопонимания. Кто меня знает — удивлен. Обычно мои тосты велеречивы, продолжительны и остроумны. А здесь я сдержанна и банальна.

Потому что говорить другое просто неохота. К чему перепрыгивать через себя? Поживем — увидим. Продержатся хотя бы лет пять, вот тогда разольюсь соловьем.

Если кто-то еще будет меня слушать.

Потом встает Ивасюк. Он говорит рублеными, но искренними фразами. Его голос дрожит, в глазах слезы. Оказывается, он мечтает о внуках. Меня это почему-то удивляет. Как-то мы с ним, похоже, и в этом вопросе не совпадаем.

Один из гостей со стороны Ивасюков кричит: «Горько!» Молодые нехотя поднимаются со стульев. Представители Российской армии начинают считать. Хором и громко — раз, два, три. И так далее.

Данька с испугом оглядывается на меня. Я недобро усмехаюсь. А ты как думал?

Прерывает эту бурную вакханалию Нюся. Она говорит: «Хватит!» — и садится за стол. Данька облегченно вздыхает. Я почти люблю Нюсю.

Потом все курящие выходят на широкий балкон. Курить на воздухе полезней. Я слышу, как полковой товарищ Ивасюка пытает Даньку, почему он не отдал долг Родине. Данька вяло отбрехивается. Я вступаю первой скрипкой. Объясняю, что военным нужно родиться. Что не все могут служить. Что наша армия в плачевном состоянии. Что я не собираюсь рисковать жизнью единственного сына. И вообще, у него плоскостопие.

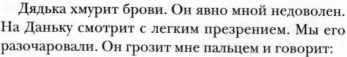

Дядька хмурит брови. Он явно мной недоволен. На Даньку смотрит с легким презрением. Мы его разочаровали. Он грозит мне пальцем и говорит:

— Ну, дамочка!

Нюся на нашей стороне. Она шипит:

— Хватит, дядя Дима! — И утягивает Даньку в зал.

Ко мне подсаживается Танюша Воробьева. Гладит меня по руке и просит расслабиться. Шепчет, что невестку надо полюбить. А ее родню принять. Это выбор сына. Я обязана с ним считаться. Иначе — крах отношений с ребенком. Тогда буду страдать еще больше.

Она, конечно, права. Если бы мы поменялись местами, я бы говорила ей именно эти слова. Но я на своем месте. Мой сын женится слишком рано. Я уверена, что здесь превалирует банальное физическое влечение. Никакого родства взглядов и душ. Поэтому я огорчена. Знаю наперед, чем это закончится. Жалко сына, мужа и себя. Жалко усилий, хлопот и денег. И самое главное — невестка мне совершенно чужой человек. И вряд ли отношения у нас будут теплее. Она к этому не стремится. Я тоже. Еще я боюсь совместного проживания. Отделить детей и снять им квартиру у нас нет возможности. В общем, бред и глупость. Пустая трата здоровья и сил. Перспективы я не вижу. Ломать себя не собираюсь. Короче, мне все это не по душе. Вот и все.

— Достаточно? — спрашиваю я Танечку.

Танечка грустно вздыхает. Понимает, что возражать глупо. Мои аргументы вполне убедительны.

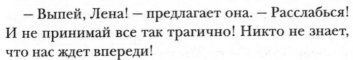
— Выпей, Лена! — предлагает она. — Расслабься! И не принимай все так трагично! Никто не знает, что нас ждет впереди!

— Я знаю! — сурово отвечаю я и одним махом выпиваю большую рюмку коньяка.

Мама показывает мне глазами на Альбину. Эта придурошная прыгает, задирая ноги, и мотает по залу вперед и назад в ритме танго немолодого и хилого мужичка из родни Ивасюков. По-моему, дядю Петю из Мариуполя. Бедный дядя Петя близок к обмороку. А этой лошади хоть бы что! Дядю Петю надо спасать! Я шепчу это мужу. Он, тяжело вздыхая, идет ловить на танцполе сестрицу. Она волшебным образом от него ускользает. Муж растерянно смотрит на меня. Я киваю Лалке. Лалка показывает рукой — минуточку! Медленно, но уверенно идет тараном на Альбину. Хватает ее за руку и тащит к выходу. Та пытается вырваться, но хренушки! Из Лалкиных рук просто так не вырваться! Дядя Петя, по-моему, счастлив, как будто выиграл «Ладу Калину» на Поле Чудес.

Он присел на край сцены и вытирает платком вспотевшее лицо. Испуганно оглядывается по сторонам. Налицо посттравматический шок. Благодарным взором смотрит на спасительницу Лалку, и к нему постепенно возвращается нормальный цвет лица.

Потом начинаются песни. Женя Воробьев берет гитару, и мы поем Визбора, Окуджаву и Высоцкого. Молодежь подпевает только Высоцкого. Первые два барда им, увы, незнакомы. Или знакомы, но слов они не знают. Вдоволь напевшись и отведя душу (я махнула еще пару рюмок коньяка. Полегчало!), мы поднимаем тост за любовь.

Потом начинаются спевки и сватов. Они поют: «Ой, мороз!», «Там, где клен шумит», «Я люблю женатого», «Господа офицеры», «Москва, звонят колокола», «Владимирский централ».

В общем, репертуар очень разнообразен и, прямо скажем, пестроват. Но в основном песни душевные и хорошие. Кто знает слова — подпевает. Я, честно говоря, знаю не очень.

Но потом кто-то запевает «Свадьбу-свадьбу» и подхватывают в едином порыве все. И наши и не наши.

Мы все вместе. Ура? Наверное.

Маму пригласил на танец Ивасюк. Видимо, чувствует, с кем надо налаживать отношения. С кем будет сложнее всего. Странно, что его это волнует. Лично мне было бы наплевать. Но я не говорю, что это меня хорошо характеризует.

Альбина — назло врагам — сидит на половине Ивасюков. Мы обиделись! Сейчас будем плакать!

Все порядком устали. Ждем вынос торта. Небольшое оживление на торт и кофе. Все потихоньку начинают расходиться. Подходят к нам, благодарят и жмут руки. Усердней всех дядя Петя из Мариуполя. Мои подруги шепчут мне, что все будет хорошо, и добавляют, «что девочка славная».

Мои добрые и наивные друзья! Они искренне думают, что я ревную невестку к сыну! Как они, оказывается, плохо обо мне думают! Ну разве я такая клиническая дура? Разве я не порадовалась бы за него при других обстоятельствах? Не пожелала ему долгого семейного счастья?

Но в целом, слава богу, все прошло без эксцессов. Как сказала моя школьная подруга Мила, все было очень мило. Каламбур. Можно смеяться. Но как-то мне не очень смешно. Как и дяде Пете. Но он, по крайней мере, спасен.

И тут мне кстати вспомнился один яркий случай из реальной жизни — почти анекдот, услышанный мною из первых уст.

Итак, семья наших очень близких друзей. Точнее, друзей моих родителей. Мамы и покойного отца.

Он — мальчик из еврейской, профессорской семьи. Окружение соответствующее. К тому же он красавец. Синеглазый брюнет. Зовут Максим. Кстати, в будущем — тоже профессор. Но я сейчас не об этом.

Она — девочка из простой, многодетной, но очень дружной и работящей семьи из Калуги. Обожаемая всеми младшая сестра. Красавица. Тонюсенькая черноглазая блондинка.

Они учатся в одном институте. Любовь с первого взгляда. Не могут разнять крепко сцепленных рук. Он делает ей предложение. Она, разумеется, соглашается.

Профессорская семья ее обожает. Девочка мила, скромна и добропорядочна. Происхождение невесты их, как истинных интеллигентов, не волнует.

Она всем пришлась по душе. Она и вправду прелестна.

Максим тоже пришелся ко двору. Ее родные решили, что красавицы и умницы Катеньки он вполне достоин. К тому же очевидно, как он влюблен и внимателен к любимой сестре. Еще они знают, что из евреев получаются хорошие мужья.

Готовятся к свадьбе. Снимают зал в столовой. Мама-профессорша готовит фаршированную щуку и форшмак из селедки. Катенькины сестры пекут пироги и варят холодец.

Но Катенька предупреждает, чтобы ее родня была бдительна: зная широту русской натуры, она умоляет, нет, категорически запрещает родне употреблять алкоголь. Она отлично помнит деревенские свадьбы, не проходящие без скандалов и мордобоев. Что поделаешь, так заведено. Какая свадьба без баяна? И, как следствие, без буяна? Нет, откровенных алкашей в ее семье нет, но надо соблюдать приличия — с *той* стороны все люди именитые и ученые. Интеллигенция, одним словом. Катенька ни в коем случае не стесняется своей родни, она всех братьев и сестер обожает и ими искренне гордится. Но понимает — у всех представления о веселье свои. Не хочет расстраивать будущую свекровь, чудесную женщину. И еще умоляет брата Ванечку не брать на свадьбу любимую гармонь. Он удивляется — почему? Но сестры на него шипят, и покладистый Ванечка со вздохом подчиняется.

Надо сказать, что, сама того не желая, Катенька их сильно напугала. Сидят они чинно, рядком. Подергивают шеями в накрахмаленных и непривычных жестких рубашках, боятся ослабить узкие галстуки с «искрой» и, тяжело вздыхая, поднимают бокалы с минералкой.

А те, кто сидит напротив, в смысле профессура, та, которая интеллигенция, быстро и дружно напиваются. Кто-то пристает по ошибке к чужой жене. Как следствие — драка и разбитые носы. Брат Иван смотрит на эту катавасию с восхищением. С криком: «Ну, еврейцы! Дают!» — военным крейсером врезается в толпу дерущихся. Драчунов растаскивают свеженькие и полные сил Катенькины родственники. Со вздохом облегчения, надо сказать. Мол, как неожиданно выяснилось, профессура и евреи — тоже люди. Дальше гости перемешиваются и пьют уже вместе и дружно. И так же дружно поют советские песни. Все заканчивается замечательно.

«Молодые» уже справили золотую свадьбу. Дай им бог!

Все горячо нас благодарят и постепенно разъезжаются.

Зоя с тоской и тревогой оглядывает стол. На столе осталась куча несъеденного. Где-то я ее понимаю. Уплочено! Но как-то собирать со стола...

Впрочем, я не права. Лалка дает команду — и нам все упаковывают в контейнеры. Я протягиваю Зое пакет. Она с радостью его берет. На здоровье! Моя излишняя совковая скромность — чистый идиотизм. Можно подумать, что деньги мне валятся с неба.

Молодые отъезжают в отель. На первую брачную ночь. Говорят, что сейчас так принято. У кого? В общем, торжественное прощание с девственностью. Потерянной не знаю когда. Это — не мое дело. Просто этот антураж меня забавляет. И еще злит.

Мы уже на улице. Дышим воздухом.

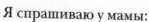

Я спрашиваю у мамы:

— Ну, как?

Она смотрит на меня как на умалишенную.

— И что ты хочешь услышать? — спрашивает она.

— Ну, твое мнение, — мямлю я.

Она тяжело вздыхает и качает головой:

— Где ты была, Лена? Все это время? Чем таким важным ты занималась? Чтобы единственного сына упустить? И чтобы все это допустить?

Мама заговорила стихами, но мне не смешно. Я что-то вяло мямлю в ответ. Мама машет рукой и поворачивает в сторону метро. Я кричу ей вслед, но она не оборачивается.

Зато свекровь, по-моему, счастлива. В машине она без умолку трындит, какая замечательная Нюсечка. Чудная девочка! И такая красавица!

Мы с мужем переглядываемся.

Дальше — больше. Сваты чудесные. Их родня — ну просто волшебная.

Все сводится к тому, что *нам* крупно повезло. Очень удачная партия!

Моя свекровь далеко не дура. Все, что она «поет», — это мне назло. Мне и моей маме. Так-то. Я не доставлю ей удовольствия и не начну возражать. Я согласно киваю. Вижу, как быстро спадает ее жаркий пыл. Мы довозим ее до дома. Я набираю мамин номер. Трубку она не берет. Может, еще в метро и не слышит?

Зато звонит сынуля. Они на месте. Слышу, как он зевает. Я спрашиваю, как гостиничный номер. Он отвечает: «Нормально».

«Нормально» — это любимый ответ. Нормально! За двести евро в сутки.

Женщина я злая и жадная. Определенно. Но почему-то мне не стыдно. То есть муки совести не гложут совсем. То есть я еще и черствая. Но очень самокритичная.

Мы вваливаемся в квартиру. Я скидываю ненавистные босоножки. Боже, какое счастье! Смываю косметику, надеваю старенькую и самую уютную ночнушку и падаю в кровать. Прошу мужа сделать мне чаю. Опять набираю маму. Она снимает трубку. Говорит, что все нормально. «Спокойной ночи, Лена!»

В голосе укор и презрение. Никакой поддержки! Даже от самых близких людей. Муж вообще обсуждать свадьбу отказывается. Впрочем, объясняет это вполне резонно:

— А что тут обсуждать?

В принципе, он прав. Еще он советует позвонить Танюше и Лалке.

— С ними и перетри, — советует он.

Советчик! Без него бы не догадалась.

Сначала — Лалке. Там не будет ни позитива, ни утешений. Одна голая правда. Потом Танюше. Та точно успокоит и найдет нужные слова. И, может быть, я усну. Хотя сильно сомневаюсь.

Лалка говорит, что «все, конечно, жесть». Но уже ничего не исправить и надо ждать естественного конца. Обещает скорую агонию. Потом мы вспоминаем Альбину и мою свекровь. Дядю Петю, спасенного ею, — непременно. Дамские наряды и

51

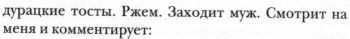

дурацкие тосты. Ржем. Заходит муж. Смотрит на меня и комментирует:

— Очень смешно.

Не очень, согласна. Но имею я право расслабиться? Или нет? Потом беремся за «наших». Но здесь уже все — лайт. Объективно и почти доброжелательно. Прощаемся.

Тут же прорывается Танюха:

— Не спишь?

Уснешь тут, как же!

Танечка говорит, что все прошло чудесно. Стол замечательный. Я выглядела роскошно. Данька просто красавец.

— Да уж! — вздыхаю я. — А что толку?

Танюшка пытается меня утешить. Мол, все устаканится. Я привыкну. Да, она — в смысле невестка — суховата. Не очень располагает. Но, возможно, хороший человек. Преданный и верный.

— А что не красавица, так это спокойней. Меньше проблем. Что, тебе нужна модель? — умничает добрая Танечка.

Нет. Я не об этом. Мне все равно — модель или скромная учительница. Парикмахер или стоматолог. Мне хочется, чтобы она улыбалась мне. *Мне улыбалась!* И разве я хочу слишком многого?

* * *

Это у нас семейное. Моей любимой тетке не везло с невестками. Их было три. Сын — умница и красавец. Молодой ученый. Невестки далеко не дуры. Видели перспективность объекта. Каждая новая

52

оказывалась зубастей предыдущей. Он довольно легко «уводился» из прежней семьи. На него делались высокие ставки, и он, надо сказать, не подводил. Все снохи были отъявленные акулы. И все как на подбор — уродины.

Тетка не могла успокоиться. Почему три и все крокодилы? У красивого и успешного мужика? Загадка, конечно. Но я думаю, что ему все было до фонаря. Его брали — он шел. Кроме науки, его мало что интересовало.

Ну ладно. Нехороши внешне — они в этом не виноваты. Не всем быть красавицами. А душевные качества? Все как на подбор скупы, расчетливы и претенциозны. Хозяйки слабенькие, матери холодноватые. Обидчивы и не гостеприимны. В общем, врагу не пожелаешь. Все, кстати, хорошо образованы и из приличных семей. Так вот, тетка говорила: «Мне ничего от них не надо! Ни образования, ни красоты. Пусть будет хоть доярка или дорожная рабочая. Только пусть когда-нибудь улыбнется! Даже если она мне не очень рада!»

Ну, не надо объяснять, что речь идет об обычной человеческой доброте или проще — доброжелательности!

И это говорю я! Змеища подколодная.

Ладно, надо спать. Завтра молодые уезжают в Испанию. Мы повезем их в Шереметьево. А потом у меня три дня отгулов! Ура, ура, ура! Поедем на дачу. Будем жарить шашлыки и пить вино! Жизнь, наверное, все-таки прекрасна! Несмотря ни на что.

Утром мы заезжаем в гостиницу за детьми. Чемодан, упакованный мною, лежит в багажнике. Я вол-

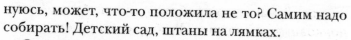

нуюсь, может, что-то положила не то? Самим надо собирать! Детский сад, штаны на лямках.

Они выходят, невыспавшиеся и невеселые.

Муж подкалывает:

— Что грустим, молодежь?

Не отвечают. Хамы. Может, поцапались? Ну-ну. То ли еще будет. Какая же я милая! Сама умиляюсь!

До Шереметьева молчим. В аэропорту я шепчу Даньке:

— Что-то случилось?

Он пожимает плечами.

— Нет, все нормально. Просто устали.

Ну и фиг с вами. Летите, голуби! Отдыхайте и набирайтесь сил! Скоро начнется проза жизни. Вот тогда и посмотрим, кто сколько стоит!

Едем домой. Настроение улучшается. Наверное, я рада, что Данька побудет на море. Посмотрит Барселону. Поест паэлью. Загорит и окрепнет. Вдоволь наплавается. Море он обожает. Здорово!

А может, я рада, что две недели не увижу Нюсю? Оттяну, так сказать, сладостный миг совместного проживания?

Ладно, свадьбу мы пережили. Детей отправили. Впереди пара дней передыха. Короче, не будем смотреть в будущее. Не будем загадывать. Будем жить сегодня и сейчас!

Как там говорит моя свекровь? «Загад не бывает богат»? Свежая мысль. Вот-вот.

Эти записки — о свекровях. В частности, обо мне. Но на свете есть еще и тещи. Тема не так животрепещуща для меня. В смысле того, что за Зою я почти спокойна. Тетка она не вредная и не избалованная. Думаю, что проблем с ней не будет. С подполковником сложнее. Разбираться будем потом. В процессе. По мере поступления, так сказать. То, что он попытается построить Даньку, я не сомневаюсь. Но он плохо знает моего мальчика. Это с виду он такой зайчик. Ресничками хлоп-хлоп. Но если затронуть его интересы... Покуситься на его жизненное пространство...

Короче, Ивасюк! Ты не знаешь, что ты — на опасном пути! Даже не думай, честный вояка! Мало не покажется. Послушай опытных людей! Для сына есть один авторитет. Уж извините, это мы, его родители. А если начистоту — то, пардон, это его матушка. В смысле — я. С отцом он бодается и спорит. Часто выходит победителем. А со мной силы слишком неравны. И он это знает. Все-таки я дочь своей мамы.

Итак, о тещах. Моя мама — теща неплохая, в смысле — индифферентная к зятю. Да и зять вполне хорош. Второй. Если сравнивать с первым — особенно. Про первого ниже. Мама к мужу понапрасну не придирается, почти всегда на его стороне и всегда считает виноватой меня. Ну, или почти всегда. Да и вообще, она человек справедливый. Не то чтобы считает, что мне крупно повезло и я вытащила счастливый билет, а просто знает, что могло быть и хуже.

Теща есть у моего брата Саши. Младшего брата. Разница у нас небольшая — три года. Сашка — вылитый папа. Человек мягкий и незлобивый. К жизни у него почти нет претензий.

Женился он в двадцать семь. Не рано. И не поздно. Девиц у него было не очень много. Романы всегда бурные, скоротечные, непременно кончающиеся Сашкиной депрессией. Девицы как на подбор — поэтесса, художница-гобеленщица, искусствовед. Все девушки творческие и рефлексирующие, мечтающие об алых парусах и о принце на белом коне. Но Сашка не принц. Он толстый и бородатый увалень. Любитель психологической и сложноватой литературы, Босха и Шнитке. Человек «в себе». Хороший, честный, очень порядочный, но непростой. Далекий от жизненных реалий. Равнодушный к предметам обихода и тряпкам. Обожающий пожрать, но не гурман. Скорее обжора. Я его нежно люблю, но быть с ним в душевных и близких отношениях довольно сложно. В общем, после всех этих худосочных и манерных девиц, словно клонированных, как овечка Долли, Санек намертво влюбился в красавицу узбечку по имени Фарида. Вернее, узбечкой Фаридка была наполовину. По отцу. А мамахен у нее была хохлушка. Из украинского села Зачепиловка. Настоящая красавица — крупная, крутобедрая, черноглазая. С косой до поясницы. С певучим и зычным голосом. Папаша-узбек служил в Малороссии в армии. Там и познакомились. Увез ее с незалежной к себе, в Ташкент. Там у его родителей был большой дом с садом, да и вообще все в порядке. Папа работал начальником отделения милиции, а продвинутая узбекская мама в парандже не ходила и у очага не ломалась — работала директором кафе. Короче, люди они были зажиточные. Матушка красавицы Оксаны рыдала, провожая в дальнюю страну непослушную дочь. Говорила, что запрет ее муж мусульманский в каменном дому и сядет пышным задом в шелковых шальварах ее доне на шею узбекская свекровь. И будет она варить днями плов и лепить манты, и забудет вкус родного, с чесноком и прожилками бордового мясца, сальца. И будет приносить изуверу-иноверцу по ребенку в год. В общем, пропала доня.

Ха! Плохо знала свою Оксану бедная мама! Та быстренько разобралась с мужниной родней и объяснила, кто кому и почему. И еще — что, где и когда. Все притихли. Даже папа-мент. Оксана варила кастрюли малинового борща и квасила капусту. Нет, чужие традиции она уважала, и сала в дом не заносила. Но Золушку из нее сделать не удалось. Ее уважали и побаивались. Ее мнение было решающим. Свекровь быстренько и с удовольствием передала ей бразды правления. Традиции ее не очень волновали. Оксана родила девочку. Уступила в одном — согласилась назвать Фаридой. В честь бабушки. Но окрестить — окрестила. Никто не пикнул. Сняла свекровку с работы и посадила с дочкой. А сама села на ее место. Директором кафе. Объяснила, что молодым везде у нас дорога.

В общем, как в том анекдоте: «Пришел с работы муж-узбек, тюбетейка на затылке. Жди скандала. У меня плохое настроение. А украинская женка руки в боки. А мне плевать, где у тебя тюбетейка! Смотри, в каком положении у меня руки!»

Но жили они хорошо и сытно, ни в чем не нуждались. Фаридка уродилась красавицей — такой замес крови. Родители не подкачали! Учиться захотела в Москве. Перечить ей не стали, характером она пошла в мать.

Поступила в институт культуры. Дед с бабкой радовались — культурная будет!

В какой-то компании познакомилась с моим братцем. Четкая, резкая. Знающая, чего от жизни ждать. Практичная и хозяйственная. И к тому же — красотка, каких мало. Абсолютная экзотика. И Сашка пропал.

То, что «пропал» мой дорогой братец, — неудивительно. А вот что в него по уши втрескалась Фаридка, меня, честно говоря, удивило. Но это неоспоримый факт. Фаридка смотрела на него влюбленными глазами. Подавала чай на подносе. Да что там чай! Подносила тапки! Видимо, проснулся ген покорности мусульманской жены.

На свадьбу, конечно, приехала Оксана с тихим мужем. Заказала самый дорогой ресторан. Фаридке купила роскошное платье и туфли. На свадьбу дочке подарила норковую шубу и ключи от машины. Заодно и прикупила квартирку. Небольшую, трехкомнатную. Сделала в ней дорогущий и помпезный ремонт.

Сашке говорила: «Ты пиши! Докторскую пиши. Книги пиши. Программы пиши. Короче, пиши *всё*. Ни о чем не думай. Думать буду я. У нас ведь в семье таких умных не было. Одни крестьяне и торгаши». Зятем она страшно гордилась. Людей умственного труда уважала. К моей маме — с почтением. Ко мне — с искренней лаской. К моему мужу — с пиететом. Считала, что ее дочке крупно повезло. Попала в «такую семью»!

В Ташкенте начала строить дом для молодых. Потом развернулась в столице. Бизнес тогда только начал давать свежие всходы. Организовала канал поставки в Москву сухофруктов. Потом просто фруктов. На всех рынках у нее были свои прилавки. Потом открыла ресторан узбекской кухни. Вкусный и недорогой. Поваров привезла из Узбекистана. Через пару лет стала *очень богатой женщиной*.

Любимая дочка исправно рожала обожаемых внуков. Любимый зять делал успешную карьеру в науке. Денег он не зарабатывал. Ну, почти. Да и какие это деньги при тещином размахе!

Но за все годы он не услышал ни слова упрека. Теща его боготворила, считала, что Фаридка вытянула счастливый билет. Муж не пьет и не гуляет. Детишки растут умненькими и толковыми. Бабушка Оля, моя мама, ходит с ними в театры и на выставки. Детки говорят на французском и английском. Играют на фортепьянах, занимаются бальными танцами, воспитаны в почтении к взрослым. Не капризны и не требовательны.

В общем, полная идиллия. Потом Сашка получил в Бельгии грант. Дальше предложили преподавать в местном университете. Оксана приехала в Бельгию. В течение недели прикупила небольшой особнячок в самом элитном районе. Сашка сопротивлялся, но любимая теща сказала, что «такой гений» должен проживать в «человеческих условиях». Точка. Сашка махнул рукой — связываться с Оксаной дело заведомо проигрышное. Пришлось смириться. Короче, Оксана Сашку боготворит.

Это я к чему? К вопросу о злодейках-тещах и еще о мезальянсах.

Едем на дачу. Муж слушает радио. Я дремлю. Обсуждать ничего неохота.

Звонит Данька. Слышно плохо. Он орет, что все прекрасно. Барселона — чудо. Гауди — чудо. Саграда Фамилия — чудо из чудес. Музей футбола — еще чудесней. Рыбный рынок — опять чудо. Океанариум — улет.

По голосу слышу, что сын счастлив. Ну что мне, казалось бы, еще надо?

— А твоя Несмеяна довольна? — вяло интересуюсь я.

Нюся за границей в первый раз.

Данька обижается:

— Мам, ты опять?

Муж усмехается:

— Ревнуешь?

Я возмущаюсь:

— И ты туда же?

Не просто возмущаюсь, а сильно гневаюсь. Потом почему-то хлюпаю носом и говорю, что раньше сын был со мной. И счастлив был тоже рядом со мной. И все впечатления и ощущения были у нас на двоих.

Муж вздыхает и осуждающе качает головой.

Кто может меня понять? Кто поддержит? Ни родная мать, ни родной до боли муж.

Я — одна. И всю оставшуюся дорогу я в голос реву.

На даче я ем и сплю. И еще выпиваю бутылку белого вина. Что мне совсем не свойственно. Муж, слава богу, меня не трогает. Сидит в обнимку с ноутбуком. И от этого счастлива не только я, но, по-моему, и он.

Через три дня я выхожу на работу. Свою работу я не то чтобы люблю, что можно любить в продаже профнастила, но отношусь к ней терпимо. У нас хороший коллектив. Я почти старшая. Старше меня только бухгалтер Ванесса Ионовна. Тетка яркая и колоритная. С ярким и колоритным прошлым в виде трех браков и океана любовников за плечами. Остальные — молодежь. Алена из Южно-Сахалинска. Лидочка из Полтавы и москвичка Саша.

У всех непростые судьбы. Например, Алена. На Сахалине — мама после инфаркта и бабушка после инсульта. Алена их содержит. Замуж она вышла за москвича. Он парень неплохой, но под каблуком у своей мамаши. Полностью. Тотально. Сам не работает полтора года. С прежней работы вылетел по сокращению. На следующую устроиться не может — не хочет понижать статус. По-моему, просто классический бездельник. Его мамаша на пенсии. Пенсию с книжки не сняла ни разу. Все живут за счет Алены. Обе семьи висят на ней. В самой Алене сорок килограммов удельного веса. Хронический бронхит и язва двенадцатиперстной кишки. Алена еле таскает ноги. После работы идет на рынок за продуктами. Готовит ужин и моет посуду. Муж при ее возвращении домой активно изучает журнал свободных вакансий. Со скорбным и обиженным лицом. Свекровь, до этого четыре часа непрерывно болтавшая по телефону, лежит — что немудрено — с высоким давлением.

Но к ужину выходят все, и на аппетит проблемы не влияют. Алена перемывает посуду и бухается в постель. Ночью муж требует любви и ласки. Алена во сне вяло отбивается. Муж вскакивает и устраивает скандал. Алена окончательно просыпается и плачет. Муж отворачивается к стенке и мгновенно засыпает. Во сне он сильно храпит. Это семейное. За стеной не менее громко храпит его дорогая мамаша. Алена засыпает часов в пять. В семь ей вставать.

В девять она вваливается на работу. Под глазами — синяки. Бледная до синевы и с дрожащими руками. Мы с Ванессой ее жалеем. Лидочка тихо вздыхает и молча сочувствует, а Саша гневно осуждает.

Да, кстати, в отпуск Алена едет на Сахалин, к бабушке и маме. А ее свекровь отдыхает в Турции. Говорит, что морской воздух ей необходим для здоровья. Наверное, у нее что-то с памятью. В смысле того, что она позабыла — астматический бронхит у Алены, а у нее обычный маразм, который морской воздух вылечит вряд ли.

Лидочка — сирота. Родители умерли давно. Вернее, погибли в автокатастрофе. Лидочке было одиннадцать лет. Воспитывала ее тетка, сестра отца. Куском хлеба не попрекала, но и ни разу не приласкала. В двадцать лет Лидочка уехала из Полтавы. В Москве намыкалась — будь здоров! И подъезды мыла, и на вокзалах спала. Потом сошлась с армянином Ваганом. Парень он был хороший — нежный и нежадный. Сняли квартиру и прожили почти пять лет. Потом он уехал к родне в Ереван. Через две недели написал, что его женили. Каялся и просил его пожалеть, писал, что будет любить Лидочку всю оставшуюся жизнь.

Лидочка его очень жалела. И еще раз остро и явственно ощутила, что она одна на всем белом свете и никому не нужна и не интересна. И сама жизнь ей стала не нужна и не интересна.

Лидочка надела старый плащик — новый почему-то стало жалко — и пошла на Большой Каменный мост. Почти перегнулась через перила. И тут ее схватили за полу плаща. Это и был ее будущий муж. Почему-то он решил, что раз Лидочку спас, то обязан на ней жениться. Она не возражала, ей было тогда все равно.

Лидочке сорок два. Муж — москвич, на семь лет моложе. Она его очень ревнует и все время боится, что он не просто гульнет, а свалит насовсем. К молодухе, естественно. У нее для этого есть довольно веские основания. У Лидочки двое детей. Довольно невменяемые пацаны-погодки. С ними сидит Лидочкина свекровь. Золотая женщина. Тихая и неприхотливая. Свекровь растит пацанов, убирает квартиру, готовит еду и ходит в магазин. Еще, соответственно, стирает и гладит. В общем, полностью ведет дом. С Лидочкой отношения самые дружеские. В смысле, мать — дочь. Она жалеет Лидочку, что та много работает и на работу добирается полтора часа. Сына-гуляку осуждает. Говорит, что сильно намучилась с «кобелюкой мужем». Понимает Лидочку как женщину. Явление довольно редкое для свекрови. Утешает, что, если муж «свинтит», она Лидочку не бросит.

Так что свекровь у Лидочки золотая. Когда мы все дружно начинаем своих свекровей обсуждать, Лидочка молчит, краснеет и не поднимает головы от компьютера. Плохого ей сказать нечего. А о хорошем мы, как правило, не говорим. Одна критика и черный юмор.

Саша. Человек-унисекс. Неформалка тридцати лет, похожа на красивого мальчика. Короткая стрижка, ноль косметики, никакого маникюра и цацек. При отсутствии всего этого — глаз от нее не оторвать. Ездит на мотоцикле, ходит в кожаных штанах и «мартинсах», курит крепчайший «Голуаз».

Из очень приличной семьи искусствоведов. Два раза была замужем. Один раз шесть месяцев, второй — три недели. Считает нас клушами и тетехами. Уважает только Ванессу. Меня милостиво терпит. Алену презирает. Лидочку тоже. Но девка не злая, хоть и языкатая. Про себя всем сочувствует — это видно. Но в суждениях и осуждениях строга и конкретна.

Сейчас живет с девушкой по имени Матильда. Матильда из отъявленных бездельниц. Не работает, кормилец в семье Сашка. Считается, что Матильда «на хозяйстве». Матильда рыжая и зеленоглазая. Кудрявые волосы до попы. Русалка. Глаз не оторвать. Жаль, если они — Саша и Матильда — не родят по ребеночку от хороших мужичков. Хорошие бы получились детки от таких красавиц-мамаш! Явное подспорье нашему обедневшему генофонду. Может, одумаются?

Ванесса. Наша «бандерша», как называет ее остроумная Сашка. В молодости Ванесса была красоткой. Поверить в это непросто, но нам были предъявлены вещественные доказательства в виде фотоотчета.

Саша назвала молодую Ванессу «белокурой бестией». Нынешнюю Ванессу Сашка называет «тетя Ванна». Остроумно. Ванесса не обижается и ржет вместе с нами. Сейчас Ванессе к семидесяти. Точнее — не знаем. Вернее, Ванесса не уточняет. Да и какая разница? У Ванессы короткие седые волосы, тяжелые очки на кончике носа и прокуренные зубы. Ни красить волосы, ни пользоваться косметикой, ни отбелить зубы Ванесса не желает. Говорит, что отпелась и отплясалась. Благодарит Бога, что мужики ее больше не волнуют. Отволновалась. Хорош!

— С членами и трехчленами я давно разобралась, — остроумно заявляет освобожденная Ванесса.

Но это не совсем так. У Ванессы есть сердечный друг. Пожилой и вполне симпатичный вдовец Геннадий Семенович. Бывший адвокат. Ванесса объясняет, что он был влюблен в нее всю жизнь. Пережил всех ее мужей и любовников. Они с Ванессой ходят в театры и на выставки. Попивают в кофейнях кофеек и ездят на экскурсии — Таллин, Рига, Варшава, Прага. В общем, живут полной жизнью. Когда Сашка называет Геннадия Семеновича «полюбовником», Ванесса говорит, что Сашка ему сильно польстила и что это большой комплимент.

У Ванессы было три официальных мужа и куча любовников. Со всеми ныне живущими она в замечательных отношениях. Со всеми дружит. Все ей помогают — кто чем может. И она помогает всем. Ездит по больницам, договаривается с врачами, достает дефицитные лекарства и возит в судочках домашнюю еду. А к тем, кто уже упокоился и лежит на кладбище, Ванесса ездит регулярно — прибирается на могилах и кладет свежие цветы. В том числе и бывшим свекровям. Ванесса со всеми дружила. Даже после разводов. Говорит, что они были «прэлестные» женщины. Все? Не знаю. Мне кажется, что дело в самой Ванессе. Несмотря на острый язык, она видит в людях только положительное.

Да, у Ванессы есть дочь. От второго брака. Дочь Лариса проживает в Италии вместе с итальянским мужем и тремя детьми. У нее колбасная лавка и прекрасный дом в Остии.

Ванесса была у нее всего два раза. Про дочь она говорить не любит. Объясняет, что близости и взаимопонимания у них нет. Как это странно! Любить Ванессу и восхищаться ею совершенно несложно! Но, как говорится, в своем отечестве пророка нет...

Алена опять плакала. Это видно по ее распухшему носу и красным глазам. Опять довели бедного ребенка!

Сашка гневается, и я с ней вполне согласна. Она убеждает Алену уйти из этой семейки и снять квартиру. Того, что она тратит на содержание двух бездельников — мужа и свекрови, — вполне хватит на однокомнатную квартирку в Балашихе или в Люберцах. Конечно, Саша права. Она кричит Алене, что та — рабыня Изаура и что ездить на ней будут все и пожизненно, если она не пересмотрит свою жизнь.

Алена плачет и говорит, что они ее прописали. Значит, она им должна. И свой оброк еще не выплатила.

Сашка обзывает бедную Алену дурой убогой и уходит курить. Мы молчим. Переживаем. Я понимаю, что Алена должна дойти до всего сама. Когда подойдет время. Когда закончатся силы и терпение. Такой у нее характер, что поделаешь! К тому же в Москве она одна, как перст. Даже подружек растеряла из-за этих домашних тиранов.

Я наливаю ей кофе, а Лидочка кладет на ее стол шоколадку.

В коридоре Сашка орет на Матильду и требует поджарить на ужин «хотя бы кусок мяса». Потому что «эти суши и пиццы ей осточертели». Правда, она употребляет другое слово, и нельзя не согласиться, что более веское.

Мы присутствуем при обычном семейном скандале. Лидочка краснеет и опускает голову. Мы с Ванессой вздыхаем и переглядываемся. Интересно, кто у них муж, а кто — жена?

Сашка врывается в комнату, оглядывает всех присутствующих и берется за меня.

— Ну? — с вызовом говорит она. — Никаких впечатлений? Совсем нечем поделиться?

Она, конечно, права. Я женила единственного сына и молчу как рыба. Некрасиво!

Я пожимаю плечами.

— Все стандартно, — говорю я. — Ничего примечательного.

Сашку эта скудная информация явно не устраивает. Она требует подробностей. Я достаю фотографии. Сашка хватает пачку. Все терпеливо ждут. Она, бегло просмотрев все, бросает их на стол.

— Ясно! — объявляет наш главный и беспощадный эксперт. — Девка никуда не годная. Мышь дохлая. Но это она с виду такая овца, — констатирует Сашка. — Всех вас построит, не сомневайтесь! Все будете на цирлах ходить. Проживать-то, разумеется, с вами будут? Сыночку-кровиночку от себя не оторвете?

Стерва. Вот так по больному!

— А твое какое дело? — вступается за меня терпимица Алена, тоже сегодня обиженная Сашкой.

— В своем дому разберись! — подхватывает Ванесса.

— А то будешь пиццу жрать до конца жизни!

Сашка краснеет — явление редкое. Лидочка подхватывает какие-то папки и выскакивает за дверь. С Сашкой она не связывается. Силы слишком неравны.

— Да ладно, Лен! — миролюбиво сдает назад Сашка. — Ясное дело — дала хорошо! Больше ей взять нечем. А это дело Даньке быстро надоест. Плавали, знаем. Так что разбегутся, не сомневайтесь. Максимум через год, — заключает она.

— А может, она хороший человек? — пускается в рассуждения Ванесса. — Добрая, может? — растерянно продолжает она свои невнятные предположения.

Похоже, что и Ванесса сомневается, разглядывая свадебные фотографии.

— Ну, или там образованная. Начитанная. Может, хозяйка хорошая? — Ванесса хватается за любую версию, лишь бы меня утешить.

— Ха! — усмехается Сашка. — Какая она добрая и хорошая, у нее на морде написано. И интеллектом лицо не обезображено. И видно, что капризная и избалованная. Короче, полный попадос! — беспощадно заключает она.

От этой невыносимой правды я начинаю хлюпать носом. Ванесса пугается и капает в рюмочку валокордин. Теперь уже Алена заваривает мне кофе. Входит Лидочка и, видя всю эту картину, тоже начинает вытирать подмокшие глаза. За компанию или вспомнив о чем-то невеселом своем.

— Довольна? — Алена кидает на Сашку гневный взгляд.

Сашка пожимает плечами.

— А что тут такого? У вас, Лена, тоже был ранний и неудачный брак. Разве вы о нем вспоминаете? Неужели это для вас осталось душевной травмой на всю жизнь? Неужели повлияло на дальнейшую судьбу? И вообще, хватит реветь и страдать. Пошли покурим, а потом закажем суши. Вы же любите суши, Лена?

— А тебе — пиццу! — неожиданно для всех и, кажется, для самой себя, вставляет Лидочка.

И мы дружно начинаем ржать. Все вместе. Включая, разумеется, Сашку.

А вообще, как говорится, в каждом дому по кому. Во всех шкафах гремят костями свои собственные скелеты.

* * *

В первый раз я вышла замуж в восемнадцать лет. Можно подумать, мне было плохо дома! Бедные мои родители! Как они это пережили! Сколько потеряли на этом, заранее проигрышном деле здоровья!

Сашка права! И я еще смею судить своего сына! Ханжа и тупица! Куда ему тягаться с моим вариантом!

Короче, в шоке были все. Свадебка была не веселее поминок. Но по порядку.

Моего первого мужа звали Терентий. Маман у него была шибко оригинальная. Но все его звали Тарзан. Потому что он был красив, как Тарзан. И, наверное, так же глуп.

Волосы у Терентия были до плеч. Рост под два метра. Фигура античного бога. Глаза серые и брови вразлет. Ямочка на квадратном подбородке. Просто Жан Маре с Аленом Делоном. Плюс бруталь-ность Бельмондо. Внешняя, надо заметить. А по жизни Терентий был полный мозгляк и бездель-ник. Ничего, кроме пива и дружков, его не инте-ресовало. Работал он сторожем в районном клу-бе. Два через два. Два дня спал в каморке в клубе, два следующих пил пиво с креветками в компании маргинальных дружков. Но под свою беззаботную жизнь подвел социальную платформу — пахать на *это* государство он не собирался. Получать образо-вание тоже. Пыхтеть пять лет в вузе, чтобы потом просиживать в конторе инженером за сто двадцать рублей? Увольте!

Мне он казался почти героем и диссидентом. Идти против правил и обывателей! Не считаться с законами общества! Не вступать в комсомол!

Не стараться заработать и считать деньги пре-зренным металлом. Не стремиться обзавестись стенкой, ковром и телевизором! Не мечтать, как всякий мужчина, стать владельцем вожделенных «Жигулей»!

Но, конечно, он не был никаким диссидентом и борцом с режимом. Не слушал «вражьи» голоса и не читал запрещенных книг. Не любил запретную музыку — ту, что слушала тогда вся молодежь. Потому, что ему все было по барабану. Его просто ничего не интересовало. Он был обычным — нет, он был запредельным и тотальным бездельником. А я, наивная дура, пыталась увидеть в нем героя и неформала. Правда, справедливости ради надо сказать, что я поняла свое заблуждение довольно быстро, месяцев через восемь. Но до этого надо было сыграть пышную свадьбу в ресторане и прожить эти восемь месяцев с Терентием в одной квартире.

Да! У него была своя отдельная квартира! Редкость по тем временам абсолютная!

Отселила сыночка его умная маман, сообразив, что, если она проживет с ним еще пару лет, вряд ли у нее останутся силы на эту прекрасную жизнь. А жизнь она очень любила и всяческие ее блага и удовольствия ценила еще как! В отличие от своего неразумного сына.

Звали ее Стелла Рудольфовна. Женщиной она была уникальной. Красавицей — сто процентов. С необыкновенно стройной фигурой и длинными ногами. Носила она короткие юбки, пальто в пол и фетровые шляпы с большими полями. Волосы, распущенные по плечам. Косметики минимум — и так хороша, а сильный макияж не молодит.

Работала она дома, писала какие-то статьи в журналы мод. Называла себя консультантом. В молодости работала искусствоведом в Доме моделей на Кузнецком. У нее имелся муж, отец Терентия. Внешне совершенно заурядный дядька с пузом и лысиной. Он работал в Торговой палате и довольно часто выезжал за рубеж. Ее свободе он никогда не препятствовал и в средствах не ограничивал. Так же, впрочем, как и своего безалаберного сыночка. По-моему, папашка просто жил своей жизнью и не хотел с этой парочкой связываться.

Итак, Терентию купили однокомнатный кооператив. Сделали скромный ремонт и завезли все необходимое. Отмазали от армии. Короче, сбыли с рук. Живи как хочешь. И он и жил. Знал, что голодать никогда не придется. Конечно, никакая женитьба в его планы не входила. На фига ему это было нужно?

Но тут подоспела я. Со своей безумной влюбленностью и маньячным желанием стать его законной женой. Надо сказать, отбивался он, как мог. Всеми силами. Но что сравнится с силой любви? Моей, разумеется. Так как он, я думаю, на сильную страсть, а уж тем более чувства, был явно не способен.

А я мечтала свить гнездо. Навести чистоту в его квартире и повесить занавески в цветочек. Поставить на подоконник горшок с фиалками. На полочку в ванной — духи и дезодорант. В туалет освежитель воздуха «Лимонный». На плиту кастрюлю с борщом и сковородку с котлетами.

В общем, наехать, точнее въехать, в квартиру Терентия по полной.

И мне это удалось. Правда, с титаническими усилиями. Но, будучи человеком слабовольным и бесхарактерным, Терентий в итоге сдался.

Нет, я человек не корыстный, не приведи бог! Конечно, я не стремилась завладеть его площадью. Тем более туда прописываться я не собиралась. Просто было очень заманчиво начать свою семей-

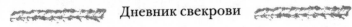

ную жизнь отдельно, без родителей. И к тому же я была безумно и бездумно влюблена. О какой корысти может идти речь?

Мои родители страдали. Пытались открыть мне глаза. Объяснить, куда и как меня заносит. Я была глуха и слепа. И до прозрения оставался почти год.

Свадьбу со всеми сопутствующими пирогами — белым платьем, туфлями на шпильке и рестораном — я не очень хотела. Но Терентий пожелал — есть повод побухать с корешками. Папа пил лекарства и держался за сердце. Мама — как почти любая женщина — стойко переносила очередной удар судьбы. Однажды я слышала, как она говорила с подругой по телефону.

— Черт с ней, с этой идиоткой, — горестно и безнадежно сказала мама. — Больше нет сил бороться. Пусть будет, как будет.

А я ликовала! Я победила в борьбе за свое счастье!

Напоминаю, свадьба была похожа на поминки. Мои родители и родня сидели со скорбными лицами. Веселились только маргинальные дружки жениха. Еще бы — столько халявной жратвы и выпивки!

Конечно, в течение двух часов все смертельно упились. «Молодой» не давал себя обогнать.

Мамина сестра с мужем покинули торжество по-английски. У мужа моей тетки недавно был инфаркт. Тетка боялась рецидива.

Мамина подруга, тетя Женя, большая любительница мужеского пола, посмотрев на Тарзана, вздохнула и сказала:

— Понять Ленку можно. Красив, как Аполлон. Какое богатство фактуры! А какие получатся дети!

В это мгновение она стала маминым кровным врагом. Мама бросила на нее испепеляющий взгляд и змеиным шепотом прошипела:

— Чтоб у тебя язык отсох! Никаких детей!

Мама, как я говорила, человек жесткий. На поводу ни у кого не ходила. Ну, если только у меня. И то всего лишь пару раз в жизни.

Моя свекровь явилась к середине вакханалии. Видимо, не торопилась. Понимала, что ее ждет.

А вот меня — точно не понимала. И смотрела на меня с тихим ужасом и жалостью. Как на убогую, умственно неполноценную девочку. Искренне недоумевала — и зачем мне все это нужно?

Она кивнула моим родителям, вручила мне флакон французских духов и присела на краешек стула. Пригубила рюмку коньяка и закусила долькой мандарина. Она вообще была равнодушна к еде. Как средство радости и удовольствия она ей была непонятна. У этой женщины не бывало чувства голода — такое вот свойство организма. Отсюда и такая фигура. Одна морковка в день, одно яблоко. Один стакан кефира.

Моя мама, однажды и единожды пригласив ее в гости, смертельно обиделась. Сколько было куплено и наготовлено! Сколько времени и трудов потрачено! А Стелла Рудольфовна съела кусочек семги и половинку свежего огурца.

Мама не просто обиделась, она горько плакала. Мыла посуду и вытирала слезы обиды. И никакие объяснения не принимались!

Как свекровь Стелла была восхитительна. Не звонила чаще одного раза в неделю и в гости не напрашивалась. Наличие пыли на мебели белым платком не проверяла.

Мне она потом даже симпатизировала. Видела, как в чисто стало в квартире, с неподдельным удивлением наблюдала, как я наливаю ее сыночку полную тарелку густого, горячего борща.

И все же она продолжала смотреть на меня с жалостью и явным непониманием. Тяжело вздыхала и дарила мне разные симпатичные вещицы — тряпки и украшения. Наверное, так она проявляла свою ко мне симпатию.

Утром, нажарив сковородку сырников или оладий, я убегала в институт.

Мой Тарзан сладко похрюкивал и причмокивал, вытягивая в трубочку губы.

Вечером я заставала на кухне человек пять или шесть Тарзаньих корешков, до самых бровей накаченных пивом «Жигули». На столе и под столом валялись рыбьи останки. Воняли пустые консервные банки из-под бычков в томате. Половник сиротливо болтался в пустой кастрюле из-под борща. Сковородка из-под котлет была девственно-чиста и вымазана до блеска, видимо хлебной горбушкой.

Тарзан радостно и недоуменно вскрикивал:

— О, моя пришла!

Каждый раз искренне этому удивляясь. Он предлагал мне составить компанию и поговорить «за жизнь».

Я уходила плакать в комнату.

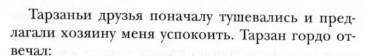

Тарзаньи друзья поначалу тушевались и предлагали хозяину меня успокоить. Тарзан гордо отвечал:

— Ничего, пусть привыкает!

Я понимала, что еще немного, и я умру. Меня просто не будет. Конечно, я уже осознала, во что влипла. В полной мере осознала.

От своих родителей я все это скрывала, как могла. Потому что было очень стыдно. Пыталась разговаривать по телефону бодрым голосом. Но материнское сердце не обманешь.

Они — мама и отец — приехали в Тарзанью квартиру в мое отсутствие. Веселье шло по полной. Дружки плюс две девицы-малярши, делающие в подъезде ремонт и, естественно, приглашенные к столу радушным хозяином.

Мои родители, не говоря ни слова, начали собирать мои вещи. В бой Тарзан не вступил. То ли понимал, что с тещей в гневе он определенно не справится, то ли просто не возражал, что я исчезну из его жизни. Вероятно, я его все-таки здорово напрягала.

Родители взяли чемодан и молча выкатились из квартиры. Ждали меня в машине у подъезда. Я шла от метро, опустив голову и еле перебирая ногами. В руках волокла тяжеленные сумки.

Папа мне гуднул. Я увидела родителей. Сумки выпали из моих рук, и я начала реветь — громко, в голос, с подвываниями. Они усадили меня в машину, мы молча доехали до дома. Мама раздела меня и повела в ванную. Я стояла под душем, и она, как в детстве, терла меня мочалкой и мыла мне волосы. Потом меня уложили в постель. В мою постель!

В моей комнате! Папа принес чай с ватрушками. Он сидел на краю кровати, отламывал по кусочку от сладкой ватрушки и осторожно клал мне в рот. Я пила чай, жевала ватрушку, и слезы текли по моему лицу. Без остановки. Потом я уснула.

Проснулась почти через сутки — абсолютно бодрая и здоровая. Физически и душевно. Мне стало казаться, что все, что со мной произошло, мне просто приснилось. Кошмарный и душный сон.

В общем, из этой истории я выскочила с минимальными потерями. Слава богу, я не успела забеременеть и родить. В загс на развод отправилась моя мама. Тарзан пришел с друзьями и бутылкой пива в руках. Они сидели, развалясь, тянули пиво и громко ржали. Развели нас без проблем. Когда мама вышла из здания загса, к ней подошел какой-то пожилой мужчина и предложил свою помощь — мама была бордового цвета. Давление, наверное, было под двести.

Больше Тарзана я не видела. Да и вообще о нем не вспоминала. Однажды, лет через пятнадцать, на Калининском я встретила свою бывшую свекровь — узнала ее со спины. Сразу. Та же стройная фигура, волосы по плечам, шляпка на голове. Я прибавила шагу и поравнялась с ней. Она шла медленно, с достоинством, подняв подбородок. Я жадно разглядывала ее профиль. Мне показалось, что она совсем не изменилась. Впрочем, на улице были сумерки, и у меня не очень хорошее зрение. Она повернула голову и мазнула по мне взглядом. Долю секунды. Конечно, не узнала. Видимо, я в отличие от нее все-таки здорово изменилась.

Про Терентия-Тарзана я узнала случайно, встретив его соседку по лестничной клетке. Тоже прошло лет десять. Она рассказала, что Тарзан женился на голландке. Немолодой и мужеподобной. Она вцепилась в него клещами, а он, как всегда, не мог сопротивляться. Да и надо ли было? Голландка увезла его в Голландию. Жили они в большом собственном доме. У голландки были большие деньги, много недвижимости и даже своя яхта. Тарзана она обожала. Отказа он не видел ни в чем. Бедная тетка ревновала его ко всем подряд. Даже к своим дочерям. Отказала им от дома. Тарзан налево не особенно и рвался, ценил то, что имел, да и был он не из гуляк. От отсутствия любви не страдал, вряд ли он понимал, что это такое.

В общем, Тарзан удачно продал свою богатую фактуру.

Думаю, что и Стелла Рудольфовна не ожидала от него такой прыти и не верила в такой счастливый конец. Сыночка ее на этот раз не огорчил.

Плохого я о ней вспомнить не могу. Сказать — тоже. Да и про него вспоминаю со смехом. Если вообще вспоминаю.

О том, сколько потеряли здоровья мои родители, стараюсь не думать.

Но вот что странно и даже необъяснимо: в кого мой сын уродился таким красавцем? Мы с мужем совершенно обычные люди. Без ярких внешних признаков. А вот с мозгами у сыночка... Дураком ему быть не в кого. Но все-таки странно, да?

С Тарзаном я развелась за четыре года до рождения сына. Это я так, к слову.

Как говорит моя подруга Танечка, нужно почаще вспоминать себя в молодости. И тогда поступки наших детей не покажутся нам такими ужасными, а поведение — безрассудным.

Надо прислушиваться к умным людям! В этом и заключается зрелость ума. Так-то, Леночка!

Это я о себе.

* * *

Я вытираю слезы. Алена припудривается. Лидочка всхлипывает совсем тихо. Через полчаса привозят суши. Лидочка, в отличие от нас, разогревает в печке котлетки с пюре. Суши она не ест. Ванесса пытается освоить палочки. На предложение Алены есть суши вилкой обижается. Говорит, что палочки все равно освоит. Сашка ее поддерживает.

Потом я бегу в кулинарию и покупаю роскошный торт и бутылку итальянского шампанского. Ванесса достает из шкафчика бутылку коньяка. У нее всегда есть запасы. На все случаи жизни. Мы выпиваем и шампанское, и коньяк. Ужас! Пьянство на работе! Так я вообще сопьюсь. Столько, сколько я выпила за последнюю неделю, я не выпила за всю жизнь.

В кабинет заглядывает начальник. Мы зовем его Проша — производное от фамилии Прохоров. Ему двадцать восемь лет, и мы его совершенно не боимся. Он смотрит на нас ошалелыми глазами. Такой наглости от нас не ожидал.

— Ленка сына замуж отдала! — кричит пьяная Сашка.

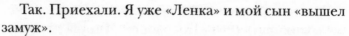

Так. Приехали. Я уже «Ленка» и мой сын «вышел замуж».

Мы взрываемся от хохота. Громче всех заливается юная душой Ванесса.

Лидочка громко икает и поправляет Сашку:

— В смысле — женила!

Проша осуждающе качает головой и произносит:

— Ну, вы совсем обнаглели! — Выходит за дверь. Потом просовывает голову и с угрозой напоминает: — На дворе, между прочим, финансовый кризис. Рабочих мест на всех не хватает!

И это почему-то нас опять очень веселит.

Данька не звонит. Пишет эсэмэски. Какие-то вяловатые. Восторги закончились, кажется. А может, просто поцапались?

Я звоню ему сама. Он говорит шепотом. Я плохо его слышу и все время переспрашиваю. По уличному шуму догадываюсь, что он вышел на балкон и голос его немного окреп.

Оказывается, у Нюси месячные. Болят живот и голова. На море она, понятное дело, не ходит. Лежит в номере. Еду ей приносит Данька. Тоже в номер.

— Почему? — не понимаю я. — Ей так плохо, что она не может спуститься в ресторан?

Данька тоже не ходит на пляж. Чтобы не оставлять Нюсю одну в номере. Я возмущаюсь:

— Почему? Сходи хотя бы на час, искупайся!

Он говорит, что Нюся обижается. Я расстраиваюсь и кладу трубку, чтобы не наговорить ничего лишнего. Или то, что я хочу сказать, вовсе не лишнее?

Нет, наверное, все не так. У них пока все пополам. Даже месячные. Все трудности. Так сказать, вместе. Рука об руку. И это правильно. Кто же поддержит маленькую и слабенькую хворающую жену, как не муж?

Но я не понимаю, *хоть убейте!* Почему при этой «хворобе» нельзя спуститься в ресторан на первый этаж? Почему не отправить любимого на море? Хотя бы на час или два? Чтобы он смог поплавать и позагорать? Чтобы ему было хо-ро-шо?

Разве если любишь, не хочешь, чтобы любимому было хорошо?

Засунуть в задницу свои капризы и недомогания? Ведь никто, слава богу, не болен. Обычные бабские ежемесячные дела.

Или я не права? А Нюся — умная и дальновидная женщина? Не то что я — вечно скрываю от всех свои болячки, а потом обижаюсь, что меня никто не жалеет?

Да. Я не права. Потому что я — злобная и противная свекровь. Обычная склочная тетка.

Бедный мой сынок!

На старой работе у меня была приятельница Нинка. Выросла она в поселке под Москвой. В большой и трудовой семье, где никто не пил, и все пахали — мать, отец, сестры и брат. У них было большое хозяйство — корова, овцы, свиньи, гуси, куры и индюки. Огромный огород. Теплицы с огурцами, помидорами и баклажанами. Кусты смородины и крыжовника. Трудились целыми днями. В поселке их презирали и не любили, еще бы! Они явно выделялись из общей пьющей, ленивой и завистливой массы.

Еще они делали творог, сметану и масло. Неописуемой вкусноты! Куры несли яйца размером в ладонь, с ярко-оранжевыми желтками! Желе из их черной смородины вкуснее любого французского десерта! Соленые огурцы и маринованные помидоры с патиссонами! Грузди и маслята, засоленные в деревянной бочке! Рассыпчатая синеглазка, белая как первый снег! Нигде и никогда мы не ели вкуснее картошки!

Конечно, они все это продавали. Нинка привозила в понедельник на работу неподъемные сумки. Всем желающим не хватало. Попасть в Нинкины клиенты было большой удачей. Мы расхватывали пакетики с творогом и банки со сметаной. Ругались из-за коробочек с яйцами. Кормили своих отпрысков эко-продуктами и радовались этому несказанно.

Замуж Нинка вышла за москвича. Муж ее был человек спокойный и невредный, чего не скажешь про свекровь — вдову начальника строительного треста, даму зажиточную и избалованную. Больше всего она любила рассуждать о любви к внукам, коих было двое — Гриша и Надя. Погодки.

Нинку она считала простоватой деревенщиной, позабыв, что сама прибыла в столицу из города Зарайска несколько десятков лет назад.

Поначалу она невестку стоически терпела. Но только до поры.

У свекрови была дача в Кратове — серьезное место во все времена. Участок почти сорок соток, лес и поляна для бадминтона и принятия солнечных ванн в полосатых шезлонгах.

Нинка вывезла детей на дачу, прибралась в доме, перестирала постельное белье, пролежавшее долгую зиму, перемыла кастрюли и окна и призадумалась, сидя у окошка.

Сколько пропадает земли! Наутро она перекопала поляну, сделала десять грядок под редиску, морковь, чеснок и свеклу. Оставшееся пространство засадила картошкой. Оглядев всю эту рукотворную «красоту», Нинка плюхнулась на стул — усталая, но абсолютно счастливая.

Дождей в то лето не было, и Нинка мужественно таскала для полива тяжеленные лейки.

Наконец взошли первые хилые ниточки укропа и петрушки. Появились острые стрелки зеленого лука. Нинка с гордостью оглядывала освоенные территории.

Но, кроме лука и петрушки, появилась еще и Нинкина свекровь. Сначала она увидела чистоту и порядок в доме. Милостиво покивала головой. Поела зеленых щец с яйцом и тоже не расстроилась. Но потом вышла на веранду и увидела свою любимую поляну позади дома.

— Стул... — прошептала она бескровными губами. Стул был, слава богу, рядом. Свекровь на него тяжело осела. Прижала руку к груди. Как рыба стала ловить ртом воздух.

Нинка ничего не поняла, но за свекровино здоровье сильно испугалась. Накапала тридцать капель корвалола. Через минут пятнадцать свекровь кивнула на поляну и скорбно спросила:

— Что это?

Нинка радостно стала перечислять:

— Лук, редиска, укроп, картошка.

Свекровь прикрыла глаза. Нинка опять испугалась.

Потом свекровь взяла себя в ухоженные руки и спросила Нинку:

— Ты в своем уме?

Нинка растерянно пожала плечами. Она совсем не понимала, в чем она провинилась и почему ее подозревают в отсутствии ума.

Тогда свекровь, набрав в легкие побольше воздуха, объяснила бедной Нинке, что «она законченная деревенская дура, каких мало». Далее, что поляна предназначена для отдыха, что эта дача не предполагает озимые и посевные. Что «все это» надо срочно ликвидировать, чтобы не позориться перед внушительными соседями. Она смотрела на Нинку почти с жалостью. И еще ей было очень жалко себя. И своего сына. Даже больше, чем Нинку.

Нинка убежала к себе и всю ночь проплакала. Наутро была суббота, и на дачу приехал Нинкин муж Владик. В доме царила гнетущая атмосфера. Отчетливо пахло скандалом. Владик зашел к матушке. Она лежала, уставившись глазами в потолок, и скорбно молчала. В соседней комнате рыдала опухшая Нинка.

Владик осмотрел участок и оценил масштабы бедствия. Потом тяжело вздохнул и пошел к магазину. Там всегда тусовались местные алкаши. Через пару часов картофельное поле было уничтожено. Половина грядок тоже. Владик нашел компромисс и оставил пару грядок — в утешение любимой жене.

Вечером Владик пожарил шашлык и открыл бутылку вина. Голодные дамы выползли из комнат, всем своим видом показывая, что делают друг другу огромное одолжение.

В общем, мир был восстановлен. Слава умным и терпеливым мужьям! И хорошим сыновьям, кстати! Что немаловажно!

Владик попросил Нинку не принимать самостоятельных решений. Хотя бы на территории маман.

Матушку он попросил быть терпимее и снисходительнее к молодой невестке.

Он ясно им продемонстрировал, что горячо любит их обеих. И попросил не ставить его перед тяжелым выбором — жена или мать.

Свекровь милостиво разрешила Нинке разводить цветы. Сына она очень любила.

Нинка простила все обиды и постаралась свекровь понять. Она очень любила своего мужа Владика. И очень скоро поняла, что при отсутствии компромисса ни за что не построишь счастливую семью.

Нинка была далеко не дура. И ее свекровь, по-моему, тоже.

Мои прибыли из Испании. Данька взахлеб делился впечатлениями и показывал фотографии. Нюся сидела на диване с индифферентным лицом.

Я со злостью подумала: ну что, в конце концов, может порадовать эту цацу? Способна она на положительные эмоции в принципе? Что может ее обрадовать или развеселить? Вызвать искреннюю улыбку?

Может, мне гопак станцевать? Или польку-бабочку?

«Спасибо» мы тоже не услышали. Сувениров не удостоились. Никогда никто из нашей семьи не приезжал откуда-либо с пустыми руками! Мы всегда старались порадовать друг друга. И приучали к этому сына.

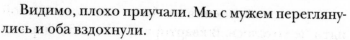

Видимо, плохо приучали. Мы с мужем переглянулись и оба вздохнули.

Обед прошел в холодной и недружественной обстановке.

В тот день я окончательно поняла, что ничего хорошего не получится. Слабые надежды улетучились окончательно.

Значит, надо просто терпеть.

А я вообще-то не из самых терпеливых.

Началась обычная, повседневная жизнь. В бытовом плане для меня она совершенно не изменилась. Я по-прежнему готовила обед и ужин. По-прежнему стирала, гладила и убирала квартиру. Почему я не привлекала свою невестку? А нипочему! Неохота унижаться! Если человек не понимает, что после ужина надо вымыть посуду? А после стирки — погладить? И унитаз моют ершиком и чистящим средством? И пылесос стоит в кладовке не для украшения этой самой кладовки? И что картошку можно почистить и отварить — так она точно вкуснее. А курицу вытащить из морозилки и разморозить для завтрашнего ужина?

Человек не по-ни-ма-ет! Или не хочет задуматься. В общем, если надо объяснять, то не надо объяснять! Авторство себе не приписываю — Зинаида Гиппиус.

Молодые по-прежнему запирались в своей комнате и выползали оттуда всклоченные. Я называла их «кролики». Глаза красные и трахаются, прости господи, не переставая. Кролики, ей-богу. И любовь у них кролячья. Ударение на первом «я».

Короче, настроения не было никакого. Домой идти не хотелось. В квартиру я заходила с перекошенным от раздражения лицом. Данька вышел на работу. Уставал — ехать надо было в другой конец Москвы. Нюся была на пятом курсе. На занятия ходила через пень-колоду. Кто ходит на лекции на пятом курсе? Данька предложил отдавать половину зарплаты. Мы отказались. Что мы, не прокормим собственного сына?

Наверное, я во всем не права. Деньги надо было брать, чтобы они почувствовали свою ответственность. С Нюсей я тоже, вероятно, была не права. Так, во всяком случае, мне объясняла Танюшка. Молодые. Многого не понимают. Не понимают, что мы в возрасте, что многое нам уже тяжело. Танюшка настаивала, что надо все терпеливо и доброжелательно объяснять. Не злобиться от того, что пашешь на всех на них, а быть мудрее. Или — хитрее. Например: «Нюсенька, детка моя! Ты не могла бы приготовить ужин? Что-нибудь несложное, картошечку отварить или макароны? Что-то я себя неважно чувствую! Спасибо, детка!»

Во-первых, прикинуться «шлангом», в смысле поныть загробным голосом, для меня проблема. Во-вторых, «Нюсенька, детка моя» — это для меня слишком. Я человек искренний и абсолютно лишенный актерских способностей. Что на уме, то и на лице. И на языке.

— Лучше тихо злобиться? — удивляется Танюшка.

Ладно. Обещала попробовать. Звоню с работы. Говорю, что приболела, простыла, наверное. Спрашиваю, не трудно ли будет ей отварить к ужину картошку? И поджарить куриные грудки. Кстати, уже замаринованные!

Грудки — это моя самодеятельность. Танюшка говорила только про картошку. Грудки — это моя жестокая месть!

Иду с работы и думаю, а может, зря я про грудки? Может, для первого раза хватило бы и картошки?

Но оказывается, сомнениями я мучилась зря — ни грудок, ни картошки! И она спокойно спит. Сладенько причмокивая! Я тихонько заглянула в комнату.

То, что я позвонила и попросила, — фигня. То, что придет с работы ее любимый и голодный муж, — тоже.

И вы прикажете мне ее любить? За что, не объясните? Ведь просто так любят только своих детей и кровных родственников!

Или я не права?

Я зашла на кухню. В мойке сковородка от яичницы, вилка и чашка с кофейной жижей, разлитой по поверхности раковины. Данькины грязные рубашки на полу в ванной.

О какой терпимости вы говорите? И о какой любви? Смешно, ей-богу!

Я понимаю любовь так: любовь — это забота о близком человеке. Любовь — это внимание. Любовь — это желание доставить любимому радость и удовольствие. Даже в ущерб своим интересам. Любовь — это чувство долга. Короче, не «вздохи на скамейке и не прогулки при луне». А такой пофигизм — это равнодушие и скудность души.

О такой невестке я мечтала? И найдется та женщина, которая скажет, что я не права?

Ну а дальше я встала к плите. Почистила картошку и поджарила многострадальные грудки. Запустила стиралку с рубашками. Вымыла посуду и пол на кухне, липкий от апельсинового сока. Нюся пьет по утрам апельсиновый сок. Желательно с мякотью. Потом я вытерла пыль и плюхнулась в кресло. И мне так стало жалко себя! И своего дурачка сына. И я разревелась. Минут на десять. Потом посмотрела на часы и пошла умываться. Через четверть часа должен прийти с работы муж. А следом за ним — сынок. Моя бедная и бестолковая детка.

Влюбляться Данька начал лет с пяти. С детского сада. Влюбившись, объявлял, что готов жениться. Это все, конечно, ерунда. Первая серьезная девочка у него появилась в девятом классе. Звали ее Катя. Катя была хорошенькая и пугливая. Все время здоровалась и говорила «спасибо». Мне хотелось ее обнять и приласкать. У Кати не было мамы, а была мачеха — неплохая женщина, не безразличная. Мы встречались с ней на классных собраниях. Она изо всех сил старалась быть хорошей матерью. Так старалась, что это бросалось в глаза. Катя просиживала у нас все вечера. Родители ее были спокойны за дочь. Катя с нами ужинала и пила чай. Помогала убирать со стола. На день рождения дарила мне цветы. Из поездки в Тбилиси привезла замечательную глиняную посуду. Ездила к нам на дачу. Когда приехала первый раз, я не знала, как им стелить. Данька заржал и сказал.

— Вместе. — И добавил: — Мам, ну ты даешь!

Я очень переживала за Катю. Но подруги меня успокаивали и говорили, что сейчас это нормально. К тому же ребята объявили, что после окончания школы поженятся. Верилось в это с трудом, но Катюша была мне родным человеком.

На выпускном балу все ими любовались. Катюшка жалась к Даньке, а он нежно ее обнимал. Мы и ее родители сидели рядом и улыбались друг другу. Потом вместе выпили шампанского и пошли в кафе.

Поступили они в разные институты. Катюшка пошла в медицинский — так распорядился ее отец.

Встречались они еще примерно год. А потом начались разборки. Недовольство друг другом. Ревность и претензии. Расставались они бурно и тяжело. Никак не могли друг от друга оторваться. Но все же расстались. Что, кстати, вполне закономерно. Разве часто кончается браком первая любовь?

На третьем курсе Катюшка вышла замуж, перевелась в Киев, к мужу. С Данькой они и по сей день в прекрасных отношениях, общаются по скайпу. У Катюшки уже двое детей.

Дальше появилась Даша. Дашина мать была бизнес-леди. Баловала дочку как могла. Даша была девочкой хорошей, но очень нервной и импульсивной. Хотела, чтобы Данька проводил с ней каждую свободную минуту. Что поделаешь, ей было всего восемнадцать. Она не понимала, что мужчине иногда нужно давать свободу и личное пространство. Данька у них практически поселился — Даша его от себя не отпускала. Ее мать замечательно к нему относилась. Однажды мы приехали к ним в гости. Был накрыт богатый стол, все заказано из ресторана. Готовить Дашиной маме было некогда — это понятно. Мы душевно посидели и вполне расположились друг к другу. Хотя люди мы совершенно разные. Когда мы сели в машину, я заревела белугой.

Мой сын, мой маленький мальчик оторвался от нас! Живет в чужом дому и по чужим законам. Нет, его там любят и никто не обижает! Но я увидела тоску в его глазах, когда он нас провожал. Я поняла, что больше всего ему хочется прыгнуть сейчас в нашу машину и поехать домой. С нами.

И завалиться в свою комнату. И оттуда вопить:

— Мам! Сделай мне пару бутербродиков! Один с сыром, другой с копченой колбаской.

И я бы принесла ему бутерброды. С сыром и колбаской. Как он любит. Сбоку на тарелочке тонко порезанный соленый огурчик. И большая кружка чая с лимоном. Его кружка. С Микки-Маусом.

По вечерам он начал приезжать домой, к нам. Даша обрывала телефон и требовала, чтобы он «быстро ехал домой». Он вздыхал и нехотя собирался.

Дашина мама старалась удержать Даньку изо всех сил. Лишь бы дочка не страдала. Я ее понимаю. Она покупала Даньке брендовые тряпки и удивлялась, почему он их не надевает. Вечерами тащила детей в ресторан. На Новый год подарила тур в Прагу. Он отказывался изо всех сил. Ему, студенту, было неудобно пользоваться щедрыми дарами Дашиной мамы. Хотя я уверена, что все это она делала от чистого сердца, тетка она была неплохая. Дочку обожала и во всем ей потакала и старалась угодить.

Однажды она мне позвонила и сказала, что решила сварить борщ. Аргумент — борщ Данька обожает. Перечислила все, что на борщ закупила. Теперь оставалось только его приготовить. Она не умела. Ну, ни разу не варил человек борщ! Зато у нее огромная строительная компания! Женщина она богатая. Зачем ей уметь варить борщи?

Хотя странно. Ведь не всегда она была богатой и успешной!

Я сказала:

— Бери ручку и записывай.

Она удивилась в первый раз. Я начала перечислять поэтапно:

— Порезать, натереть, потушить отдельно и вместе, добавить...

Тут она меня прервала:

— Все, хватит. Дальше не надо. Слишком сложно. Лучше я закажу суши.

Данька сбежал прямо после Праги. Говорил, что Прагу он не разглядел — все было очень плохо и Даша рыдала дни напролет.

Со счастливыми глазами он бродил по квартире и даже пропылесосил и вымыл посуду. Правда, все это прекратилось на следующий день. К хорошему быстро привыкают.

Но я видела, что дома он совершенно счастлив. Впрочем, как и мы.

Бедная покинутая Даша звонила в течение месяца. Звонила и ее мама. Они недоумевали и не понимали, что же произошло. Ведь «как сыр в масле», повторяла растерянная Дашина мама.

Но и эта история закончилась. Я не знаю, что сейчас с Дашей. Устроила ли она свою жизнь. Счастлива ли? Во всяком случае, я ей этого искренне желаю. Люди они хорошие и ничего плохого нам не сделали.

Кстати, суши с тех пор Данька не ест. Говорит, что наелся на всю жизнь.

Дальше была Кристина. Кристина приехала из поселка городского типа, что под Краснодаром. Точнее, из станицы. Росла она с бабушкой и двумя сестрами — Анжеликой и Каролиной. Родители ее искали счастье по белому свету отдельно друг от друга. В детстве Кристина полола огород и пасла корову. И огород, и корову, и сам поселок городского типа она ненавидела всеми фибрами своей души. Хотела вырваться и забыть про сельскую жизнь раз и навсегда. Девочкой она была неглупой и упорной. Работала в магазине и снимала комнату. Экономила на всем, но посылала деньги бабушке и сестрам. Потом поняла, что без образования не выжить. Поступила в институт на вечерний. Научилась делать акриловые ногти и этим подрабатывала. По субботам и воскресеньям работала в баре официанткой. Сняла отдельную квартиру. В общем, была трудягой.

Приходя к нам, она искренне стремилась нам помочь и понравиться. Помогала мне на кухне и первая вскакивала после обеда к раковине, чтобы вымыть посуду. Однажды испекла пирожки с картошкой, вкусные кстати.

Кристина очень и очень хотела любыми путями выйти замуж за москвича. Это было написано у нее на лбу крупными буквами. Данька еще не очень отошел от полусемейной жизни с Дашей и объявил Кристине, что жениться не собирается. По крайней мере в обозримом будущем.

Тогда в ее глазах заплескались беспокойство и тревога. Даньку она любила. Нас уважала и ценила, но цель у нее была определенная. Она понимала, Данька — мальчишка. На ногах еще не стоит. Когда встанет — непонятно. К тому же красавчик. Девки шеи сворачивают. Не муж, а сплошные переживания. Мы люди хорошие. Но до обеспеченных в ее понимании явно недотягиваем.

Она заметалась, не понимала, что ей делать. Но знала одно — это в нее вложила ее непростая жизнь — надо бороться. Мест под солнцем не так много. Под лежачий камень вода не течет. Судьба человека в его руках. Ну, и так далее. К тому же ей было двадцать лет. На родине уже все с колясками.

Она наступила на горло собственной песне и честно все объяснила Даньке. Он ее услышал. Не обиделся. Наверное, не любил. Да нет, наверняка.

Расстались они легко — без взаимных обид и претензий.

Через год Кристина мне позвонила и радостно сообщила, что выходит замуж.

Муж — бывший бакинец. Человек зрелый и обеспеченный. Квартира на Соколе и строится большой дом в Подмосковье. Кристина ждет ребенка, предположительно мальчика. Ее муж счастлив. Она тоже.

Я ее поздравила и от всей души пожелала им счастья. Совершенно искренне.

И еще подумала, что счастливы не только Кристина и ее бакинский муж, но и я. Что эта история так благополучно закончилась. И для Кристины, и для нас. Думаю, меня можно понять. И даже — не осудить.

Дальше была Юлечка. Очень хорошая девочка из очень хорошей семьи. Ничего против Юлечки я не имела. Не девочка, а сплошные положительные эмоции. Сплошной позитив. Образованна, умна и хорошо воспитана. Но Юлечка была нацелена на карьеру. Вообще, она была какая-то слишком правильная и принципиальная. Данька называл ее «пионэрвожатая». Юлечка говорила, что рожать соберется лет в сорок, не раньше. Домашнее хозяйство считает полным бредом и потерей времени. Я возражать не пыталась, не все должны понимать эту жизнь так, как я. И проживать ее так же.

Но... Думать о Юлечке как о потенциальной невестке мне почему-то не хотелось. Да и не пришлось — Юлечка уехала в Англию. Продолжать образование. Дай бог, чтобы у нее все получилось! Она этого вполне достойна. Она по жизни — борец! И жизнь таких уважает.

А потом появилась Тамрико, красивая, как богиня утренней зари. Черные глаза и черные косы. Стройная и легкая, как серна. И такая же пугливая. Серну я, правда, не видела, но представляю.

Тамрико была грустная и молчаливая. Очень стеснительная — кавказское воспитание!

Правда, я слышала, что после свадьбы эти тихие невесты превращаются в весьма решительных жен. Хозяек положения. Я сама такая и это только приветствую. Женщина всегда тоньше, чувствительней и логичней мужчины. И никто меня в этом не переубедит. И еще — женщина выносливей, жизнеспособней и сильней.

А может быть, мне просто не везло с мужчинами?

Даньку принимали в доме Тамрико. Кормили чахохбили и чакапули. Передавали нам чурчхелу и вяленую хурму. Но смотрели на него настороженно. Я предупредила его, что ничего не получится. Грузинская жена — прекрасная жена, но, увы, не для тебя, сынок.

Он горячился и отчаянно спорил. Говорил, что межнациональные браки набирают обороты. Что различие культур и обычаев в современном мире — полная фигня.

Ха-ха! Летом Тамрико уехала к бабушке в Тбилиси, и там ее быстренько сосватали за очень состоятельного и зрелого человека.

Горевал сынок недолго. Вскоре появилась Нюся...

* * *

Господь меня накажет! За мою нетерпимость и мерзкий язык!

Нюся беременна. Срок — два месяца. Поэтому она и спит дни напролет.

Данька растерян. Мы — тем более. Молча переглядываемся и вздыхаем.

Я пытаюсь взять себя в руки. Ношу Нюсе в комнату свежевыжатый сок и очищенный гранат. Про-

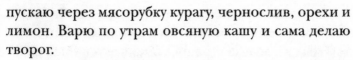

пускаю через мясорубку курагу, чернослив, орехи и лимон. Варю по утрам овсяную кашу и сама делаю творог.

Нюсю тошнит. Я помню, как это ужасно. Нюся не хочет гулять. Я вывожу ее по вечерам после работы. Данька приходит поздно и совсем без сил.

Мне жалко сына, жалко Нюсю и почему-то жалко себя. Даже не понимаю почему. Наверное, меня страшит перспектива моей будущей жизни. В смысле, прощай, покой!

И еще, наверное, я жуткая эгоистка. Мне стыдно.

В субботу Ивасюки зовут к себе на дачу. Говорят, что у них глухие леса и полно грибов.

Едем мы долго, часа четыре. Потому что с остановками. Потому что Нюсю укачивает. И тошнит. Мы встаем на обочине, и Нюся дышит воздухом. Я пересаживаюсь назад, впереди тошнит меньше.

По дороге я кормлю Нюсю солеными черными сухариками — помогает от тошноты. Мне, по крайней мере, помогало. А вот Нюсе нет. Говорит, что после сухарей тошнит еще больше.

Бедная Нюся! Потом она засыпает, и мы выключаем радио.

Ивасюки счастливы, что мы приехали! Это заметно. Накрыт стол, и протоплена баня. В доме тепло, и в печке уютно потрескивают дрова. Мужики идут париться, а мы с Зоей треплемся, сидя в креслах у камина. Она переживает за дочь. Говорит, что сама рожала тяжело. А у Нюси такой узкий таз! И Данька такой огромный! Какой будет ребенок!

Да, Данька родился весом четыре килограмма. Но этого я ей не говорю. Ей и так неспокойно. Потом мы садимся за стол. Все очень вкусно! Нюся капризничает и ест только маринованные помидоры. Это понятно — первые три месяца я банками ела соленые огурцы.

Спится очень сладко. В доме так натоплено, что мы раскрываем окно. За окном густой еловый лес. Воздух такой, что кружится голова. Мы накрываемся настоящей деревенской периной — жаркой, но легкой как пух. Впрочем, почему как? Перина набита настоящим утиным пухом — Зоино приданое. Перину шила Зоина бабушка — на свадьбу внучке. Сейчас таких не делают.

Я шепчу мужу:

— Правда, они славные?

Муж кивает. Они и вправду люди душевные и искренние. Широкие и хлебосольные. Работящие и стойко переносящие все тяготы жизни. А жизнь у них была непростая.

Интересно, как у них получилась такая Нюся? Просто вопреки всем законам логики!

Нас будят рано, пора идти за грибами. Выдают штормовки и резиновые сапоги. Берем корзинки и гуськом шагаем в лес. Ивасюк ведет нас в сокровенные места.

Столько грибов я не видела никогда в жизни! Просто поляны подосиновиков и белых. Маслята — крошечные и скользкие. На поваленных деревьях россыпь опят! За пару часов у нас полные корзины. Ивасюк счастлив, что нас удивил.

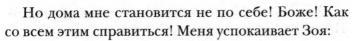

Но дома мне становится не по себе! Боже! Как со всем этим справиться! Меня успокаивает Зоя:

— Оставляй! Я все почищу и разберу. Белые высушу на суп. А маслята и опята — засолю и замариную.

От избытка чувств я ее целую. Какая же она чудная тетка!

Нас кормят обедом и провожают в дорогу. Набивают полный багажник подарков — компоты, соленья, яблоки и сливы. Машина с трудом трогается с места.

На следующий день я приношу Зоины гостинцы на работу. Мы варим на плитке картошечку и едим ее с солеными грибами и маринованными помидорами. Все стонут от удовольствия. Какие тут суши?

Только почему-то грустит Сашулька. Глаза на мокром месте и все время жмет кнопки мобильника. Но ответа нет. Потом раздается телефонный звонок, и Сашка выскакивает в коридор. Ее долго нет, и я отправляюсь на поиски. Нахожу ее на улице. Под дождем. С глазами, полными слез. Я обнимаю ее и глажу по голове. Она ревет еще пуще и рассказывает мне, что от нее ушла русалка Матильда, коварная изменница. Ушла к мужику.

Я утешаю Сашку и веду ее в комнату. Ванесса без слов наливает ей стопку оставшегося коньяка. Сашка выпивает ее залпом, а потом допивает остатки прямо из бутылки.

Пьянеет моментально и уже через полчаса ржет в полный голос. Такой вот замечательный характер! Лидочка варит ей кофе.

Алена опять жалуется на своих домашних тиранов. На этот раз свекровь потребовала, чтобы Алена не отсылала деньги родным и отправила ее «на воды». Желательно, в Карловы Вары. У свекрови разбушевался гастритик.

Сашка предлагает Алене переехать к ней — жилплощадь-то освободилась.

Алена заливается густой малиновой краской. На ее лице — ужас. Наверное, она думает, что лучше мерзкая свекровь и бездельник муж, чем опасная и непонятная Сашка.

Лидочка тоже вся в переживаниях. Болеют дети и мается давлением мама — так она называет свою свекровь.

У неунывающей Ванессы тоже настроение хуже некуда. Она получила письмо от дочери с просьбой оформить на нее завещание на квартиру.

— И чего ей не хватает? — горько удивляется Ванесса. — Дом в три этажа, квартира в Риме.

Завещание давно написано. Просто очень обидно.

Я тоже не в лучшем настроении. Живо представляю себе домашнюю обстановку после рождения ребенка. Но пока надо пережить еще Нюсину беременность. А это тоже не для слабонервных. Домой ноги по-прежнему не несут. Я звоню мужу и предлагаю встретиться после работы в центре и где-нибудь поужинать. Надоело перед всеми танцевать и всем подавать. Я тоже, между прочим, работающая женщина.

И еще — большая эгоистка. Это уже понятно.

Дома все то же. Данька с работы не торопится. Я его понимаю. По всей квартире расставлены тазы. На случай если Нюсю затошнит. Меня тоже тошнило. Очень сильно. Четыре месяца. Но до туалета я почему-то добежать успевала. Как будто у нас квартира метров двести. И до туалета — километр. Мы натыкаемся на тазы, и они гремят под ногами.

Я вижу, как мой терпеливый муж тихо звереет. Сынок делает вид, что все это к нему не относится. Иногда ловлю его взгляд, полный беспросветной тоски. У меня к нему два чувства — злость и жалость. Или жалость и злость? Пока не поняла. Хреново в обоих случаях.

По утрам я по-прежнему натираю морковь с яблоком и делаю свежий сок — сельдерей со свеклой и грейпфрутом. Отвожу ее поутру в консультацию на анализы. Сыну нельзя опаздывать на работу. Мне — можно.

Короче, я сама во всем виновата. И вообще, добрые дела надо делать с открытой душой. Иначе — грош им цена.

А у меня на душе только кошки скребут. И это называется — «я делаю все это от души?».

У меня есть приятельница Светка. Точнее — соседка. Живет в квартире напротив. У нее такая история. Пять лет Светка жила со свекровью. Было непросто. Свекровь — женщина харáктерная. Светка с мужем решили взять ипотеку и купить квартиру. Свекровь, не стесняясь, говорила, что мечтает о том же, чтобы они поскорее съехали и она зажила вольной жизнью. Светка ходила по своей квартире и гладила руками стены. Ревела от счастья. Денег совсем не было. Ремонт сделали своими силами. Мебель закупили в «ИКЕА». Самую дешевую. В отпуск на море ездить перестали. Ездили в Подмосковье на озеро и жили в палатке. И все равно были оглушительно счастливы.

Но до поры. Однажды свекровь решила, что она очень скучает по внукам. И начала приезжать каждую субботу. В девять утра. Как штык. Ровно в девять. У нее была бессонница, и вставала она рано. Поутру в Светкину квартиру раздавался долгий и требовательный звонок.

Светке хотелось в выходной поспать. Потом поваляться и понежничать с любимым мужем. Потом выпить кофе и опять поваляться. Они имели на это право — чтобы выплачивать ипотеку, оба вкалывали на двух работах.

Но не тут-то было! Светка со стоном сползала с кровати и с лицом, словно перекошенным от зубной боли, шла открывать дверь.

Свекровь заходила и плюхалась на диван. Диван жалобно и протяжно вздыхал — Ольга Васильевна была дамой весьма корпулентной.

Потом Ольга Васильевна сообщала, что проголодалась. Просила чего-нибудь «простенького». Например, оладушек с яблоками. Или сырников с изюмом.

Светка вставала к плите. Из своей комнаты выбегали близнецы — Толик и Люся. Свекровь встречала их коронным жестом — приветственно махала правой ладонью. Как когда-то приветствовал с трибуны свой народ генсек Леонид Ильич Брежнев. Дети пробегали мимо нее. Она просила их не шуметь и поплотнее прикрыть дверь в своей комнате.

Потом она долго и со вкусом завтракала. Выпивала три чашки кофе. Интересовалась, что на обед. Тактично напоминала, что любит гороховый суп с копченой рулькой. Или, в крайнем случае, сборную солянку. И говорила, говорила, говорила...

В двести пятьдесят восьмой раз она рассказывала про то, как тяжело ей дался сын Витя. Как она отрывала от себя последний кусок. Как отказывала себе во всем подряд. Как проводила бессонные ночи у его постели. В общем, не мать, а необыкновенное и выдающееся явление природы.

Дальше шли рассказы о родственниках, знакомых и прочих малоизвестных Светке людях. Обязательно вспоминалась тетка Нина из Севастополя, завещавшая свое имущество «какой-то подруге, а не родной племяннице». Обида, не проходящая годами. Потом она вспоминала свою покойную свекровь и говорила, что та была «женщиной крайне бестактной». Правда, слава богу, виделись они нечасто, так как нетактичная свекровь проживала в городе Свердловске.

«Аллилуйя свекровям, проживающим в иных городах и весях!» — думала бедная Светка.

Светка скрипела зубами и варила гороховый суп. Конечно, с рулькой. Она была хорошим человеком и очень любила своего мужа Витю.

Кстати, Витя часа через полтора после приезда матушки срывал с вешалки куртку и сквозь зубы бросал, что он в гараж. К обеду его не ждать. Ольга Васильевна повторяла коронный жест правой ладонью. После обеда она ложилась отдыхать. В Светкиной спальне.

А Светка на кухне глотала слезы. По пятницам теперь у нее было ужасное настроение. Особенно к вечеру. Ночью спалось с кошмарами. Просыпаться и вовсе не хотелось.

Она молила бога, чтобы обесточился московский транспорт — троллейбусы и метро. Чтобы у свекрови заклинило замок или сломался лифт. Просто чтобы старую грымзу прихватил хронический радикулит. А ведь Светка была человеком незлобивым. Просто доведенным до отчаяния.

Она сидела на кухне и вспоминала, как свекровь ни разу не вышла с коляской во двор. Не прочла малышам ни одной книжки. Не рассказала на ночь ни одной сказки. Она сидела и перебирала, как четки, свои обиды. Есть непреложная истина — если ты хочешь что-то получить, нужно сначала отдать.

Видимо, Ольга Васильевна об этом не знала.

Вечером, просмотрев и прокомментировав все увиденные телепередачи, она выпивала пару чашек чая и собиралась домой. Вез ее на машине сын Витя. Нет! Это вполне нормально и абсолютно естественно! Просто Витя за неделю очень уставал, и ему хотелось вечером выпить пива.

Иногда, правда, не так часто, где-то раз-два в месяц, Ольга Васильевна оставалась ночевать.

Об этом подробно не будем — слишком травматично.

Светка иногда жалела, что Ольга Васильевна не правоверная иудейка. Ведь правоверные иудеи соблюдают субботу — шабат — и не могут передвигаться на транспорте.

В воскресенье утром Светка просыпалась с мигренью. Вставать с постели не было сил. Пойти в кино или в парк с детьми — тем более.

Светка понимала, что еще пару месяцев — и она окажется в психушке с диагнозом «острое нервное расстройство». И она решила спасать се-

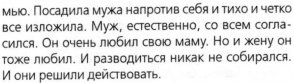

мью. Посадила мужа напротив себя и тихо и четко все изложила. Муж, естественно, со всем согласился. Он очень любил свою маму. Но и жену он тоже любил. И разводиться никак не собирался. И они решили действовать.

Витя поехал к матушке. Сказал, что есть серьезный интимный разговор. Ольга Васильевна обожала серьезные и интимные разговоры.

Витя рассказал ей, что отношения со Светкой у них совсем испортились, потому что они пашут как кони и совсем не отдыхают. Потому что с близнецами очень сложно. Потому что Светку достала готовка и все домашнее хозяйство. Что она стала злобной и раздражительной. Что у них — прости, мама, — давно нет супружеских отношений. Что жена предлагает развестись и поделить детей. Люся ей, а Толик — ему. Одна она детей не поднимет. Он, Витя, в принципе, не возражает, потому что тоже задолбался. И вообще, у него есть на примете одна молодая девица. Из Кишинева. Работает у них в конторе буфетчицей. И они даже — по секрету — уже ходили с ней в пивной бар.

В общем, заключил Витя, я, наверное, мамуль, скоро переберусь к тебе. С Толиком, разумеется. По выходным буду брать Люсеньку. Ребятам ведь будет непросто друг без друга. И еще пообещал познакомить Ольгу Васильевну с Аурикой. Той, которая буфетчица из Кишинева.

Ольга Васильевна слегла с давлением. Жестоко, но по-другому было нельзя.

Потом она принялась обзванивать подруг. Все поносили Светку и называли ее неблагодарной стервой. И даже еще покруче. Для Ольги Васильевны это был мед и бальзам. Свою дозу счастья она получила. Напоследок она позвонила подруге Инессе — самой умной из своих приятельниц.

Инесса ее внимательно выслушала и объявила, что она, Ольга, полная и клиническая дура. Что ни в коем случае нельзя допустить развода.

— Да, может быть, Светка — не подарок. Но от нее знаешь чего можно ждать. Она порядочный человек, если терпит тебя, Оля, старую каргу, все выходные. Ты должна им помочь! Сделать все, что можешь, и даже больше!

— Что? — испугалась Ольга Васильевна.

В принципе, она считала, что все уже сделала. Например, родила Светке прекрасного мужа Витю!

Разве мало?

Инесса терпеливо начала объяснять, что в случае развода к Ольге Васильевне придет на ПМЖ сын Витя, прописанный на этой жилплощади, к слову. И внук Толик. А это означает многое. Например, готовку, уборку, стирку и глажку. Гуляние с ребенком. Дальше — школу, уроки и учителей. Домашние задания. Сопли и инфекции. По воскресеньем — Люсечка. Детей уже двое.

Но это еще цветочки! Ягодки — это буфетчица с нежным именем Аурика, которая пренепременно захочет проживать в этой квартире, увы, без лишних помех. То есть без Ольги Васильевны.

— Так что коротать последние денечки будешь, подруга, в доме престарелых, — безжалостно заключила Инесса.

Ольга Васильевна положила трубку, не попрощавшись, и часа три просидела на диване, оценивая скорую жизненную перспективу.

Потом опять набрала номер Инессы и взвыла:

— Что делать? Спасай!

Инесса тяжело вздохнула и принялась объяснять:

— Во-первых, прекрати туда шастать. Дай им побыть вдвоем. Для этого, во-вторых, забирай внуков на выходные. Хотя бы через раз. В-третьих. Достань из-под жопы свою сберкнижку и купи им путевки на море. Для них это будет романтическое путешествие, которое восстановит их былой трепет. А денег у тебя и так — задницей ешь.

На это Ольга Васильевна решила сначала обидеться, но потом передумала.

Она внимательно выслушала Инессу и гордо сказала, что подумает.

— Не опоздай! — бросила напоследок коварная подруга.

На следующие выходные Ольга Васильевна предложила сыну привезти к ней внуков.

Ей, конечно, было непросто — все-таки немолодой человек. Но выход нашелся. В соседней квартире жила одинокая и бездетная женщина Тася. За символическую плату три часа она гуляла с детьми во дворе. Отвозила их в цирк и Уголок Дурова. Билеты покупала Ольга Васильевна. По совету все той же Инессы. С готовкой проблем не было — Толик с Люсей, как все дети, обожали макароны. С сыром и даже без. На завтрак и ужин и вовсе ерунда — творожки, йогурты и глазированные сырки.

По телевизору шли по выходным бесконечные мультики. Дети сидели перед ящиком, как приклеенные, — дома смотреть телевизор в таких масштабах им не позволялось.

На годовщину свадьбы Ольга Васильевна торжественно преподнесла сыну и снохе путевку в Хургаду. Светка ее целовала и говорила, что больше таких свекровей на свете нет.

Из поездки, загорелые и счастливые, Светка с Витей привезли ей золотого скарабея на золотой же цепочке. Все были счастливы.

А главное, Ольга Васильевна сильно привязалась к своим внукам — Толику и Люсе. Да нет, не просто привязалась, горячо полюбила.

Ведь когда что-то вкладываешь...

Только вот «серый кардинал» Инесса осталась без подарка и благодарности.

Впрочем, один подарок она когда-то получила, при рождении, — хорошие мозги.

А кулон с цепочкой она и сама себе купит. Она дама небедная.

Какая свекровь Ольга Васильевна? Хорошая или плохая? По крайней мере вменяемая. Пусть даже все это она делала из чистого эгоизма. Все мы — живые люди. Плохого и хорошего хватает у всех. Все, в той или иной мере, заложники своих пристрастий и привычек. Не будем никого судить! Главное — результат!

Мы пьем соки, гуляем и готовимся к родам. Я поднимаю всех знакомых, чтобы найти хорошего врача-акушера. С ужасом вспоминаю свои роды. Кошмар кошмарный. В смысле, роды по-советски. С окриками врачей и акушерок, но без обезболивания. Было ощущение, что мы все, рожающие и замученные, враги народа. Нас открыто ненавидели и даже не пытались это скрыть. Я рожала больше суток. Про меня все забыли, никто не подходил. Когда отошли воды, я позвала на помощь. Была глубокая ночь. Акушерка сказала, чтобы я ждала до утра. Ничего со мной не случится. Акушеры — тоже люди. А люди хотят по ночам, как ни странно, спать. Я плакала и звала на помощь маму. Тихо-тихо. Мама, наверное, услышала. Она примчалась в роддом в семь утра. И подняла кипиш. Да такой, что ко мне подлетел главврач. Я родила. С божьей и маминой помощью. А если бы мама не подоспела?

Потом нам не выдавали чистые пеленки. Экономили. Пеленки лежали в закрытом шкафу в коридоре. Я взяла нож и взломала замок. Гнить не хотелось. Мне пригрозили досрочной выпиской. Я рассмеялась им в лицо и настучала маме в записке. Завотделением пришла и села на край моей койки. Вымученным голосом она пыталась выяснить, что меня не устраивает. Шкаф с пеленками больше не запирали. Починили бактерицидную лампу в палате. Столяр отогнул полуметровые гвозди на форточке. Мы смогли проветривать палату.

Когда я выписывалась, мне казалось, что я вырвалась из ада.

Теперь полно прекрасных частных клиник, с человеческими условиями пребывания, где чистота и хорошее питание. Но главное — свой врач и акушер. Это залог успеха. Врача нашла мама. Врач сказал, что надо лечь дня за два-три до родов. Нюся категорически отказалась.

Мы с мамой обиделись. Какой эгоизм! Думать о себе, а не о ребенке. Танюша мне терпеливо объясняла, что в Нюсе еще не проснулись материнские чувства.

Я предположила, что они могут не проснуться и после родов. Танюша сказала, что я очень недобрая и что открываюсь ей с новой стороны. Понятно, что не с положительной.

Роды начались ночью. В субботу. Все, как я накаркала. Кассандра, блин. Наш врач был на даче. Дача в ста километрах от Москвы. Пока он, бедолага, добирался, Нюся почти родила. Родила, слава богу, довольно легко.

У меня внук! Вес — три семьсот, рост пятьдесят четыре сантиметра. В своего папашу — не короткий. Мы стоим под окном палаты и радостно вопим. Нюся к окну не подходит. Сообщает по телефону, что она спит. И что мы ей мешаем.

Я сдерживаюсь, чтобы не разреветься. Данька растерян. По-моему, он не очень понимает, что произошло. И что нас ждет впереди, кстати, тоже!

Вечером приезжают Ивасюки, и мы выпиваем за здоровье малыша и его родителей.

И никто не испортит мне праздник!

У моей бабушки была родная сестра Любочка. За два года до войны Любочка вышла замуж и родила дочку Маришку. Муж ушел на войну и погиб через четыре месяца. Конечно, она горевала. Но замуж вышла без особой любви и полюбить мужа не успела. Любочку с дочкой эвакуировали в глухое татарское село. Поселили в доме у старой татарки тетушки Зифы. Крошечная и круглая, как колобок, в кипенно-белом платочке на голове. По-русски она почти не говорила. У Зифы был сын Шамиль. На фронт его не взяли как больного туберкулезом костей. Кроме него, в колхозе оставались еще пару стариков. Шамиля назначили председателем. Он еле передвигался на двух костылях.

Татары приняли Любочку с дочкой как родных. Ели за одним столом. Девочке — лучший кусок. Через год Любочка сошлась с Шамилем. Не от тоски, у них случилась большая любовь. Та, что случается в жизни нечасто. Как единственный молодой мужчина, пусть и инвалид, Шамиль был в селе завидным женихом. Молодые красавицы были не прочь выйти за него замуж. А тут — русская. Чужая. Да еще с ребенком. Любочка шла по улице и опускала глаза.

Единственно, кто принял ее всем сердцем, — это татарская свекровь. Она называла Любочку дочкой, а Маришку — внучкой. Научила готовить татарские блюда — беляши, кыстыбый, чак-чак.

Только русский язык никак освоить не могла, но они понимали друг друга без слов. А вот Маришка уже вовсю болтала на татарском и крутилась возле бабушки. Зифа укладывала ее спать и пела колыбельную. Маришка ее не отпускала и целовала морщинистые щеки.

Шамиль и Любочка расписались. В город Любочка решила не возвращаться. Мечтала родить мальчика, но не довелось. Шамиль умер.

Любочка поехала в Москву. Маришка осталась с бабушкой. Когда Любочка за ней вернулась, та не захотела уезжать. До восьмого класса Маришка росла в селе. Потом Любочка ее уговорила уехать в город учиться. Каждое лето, до самой смерти бабушки, они приезжали в Татарию.

Замуж, кстати, Маришка вышла за татарина. Потому что считала себя татаркой. Свою дочку она назвала в честь бабушки — Зифой.

Такая вот история.

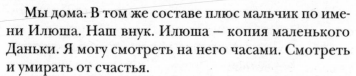

Мы дома. В том же составе плюс мальчик по имени Илюша. Наш внук. Илюша — копия маленького Даньки. Я могу смотреть на него часами. Смотреть и умирать от счастья.

Но смотреть на него долго не получается. Дел невпроворот. Я беру отпуск. Три раза в неделю приезжает на помощь Зоя, мы спим с ней на одной кровати. Зоя гуляет с ребенком, а я готовлю и глажу. Нюся лежит и смотрит телевизор. Или спит. Я понимаю, сон для кормящей матери — это святое. Весь ее вид говорит о том, что она нам сделала великое одолжение и доставила огромное счастье. Последнее — чистая правда. Илюшу мы все дружно обожаем.

Но... Совесть-то иметь надо! Или хотя бы иногда ею пользоваться. Но это в том случае, если она, конечно, есть...

Илюша, как и положено младенцу, по ночам не спит. Когда крики становятся невыносимыми, я врываюсь в комнату и хватаю его на руки. Нюся говорит: «Пусть орет. Не надо ему потакать».

Кому? Месячному ребенку? Я боюсь, что он накричит пупочную грыжу. Что у него расстроится нервная система. Про то, что нервная система у всех нас уже расстроилась, я не говорю.

Даньку еле держат ноги, муж тоже не высыпается. А ведь им на работу! Мне, кстати, скоро тоже. Думаю об этом с ужасом. Предлагаю сыну спать в комнате отца. Какой смысл не спать всем одновременно? К тому же внука я готова на ночь брать к себе. Жалко мужа и сына. Кормильцев, между прочим.

Нюся возмущается и обижается. Отец должен спать с ребенком. Вставать к нему по ночам. Словом, разделять все тяготы. Иначе он не прочувствует свое отцовство.

Я объясняю ей, что сама она добирает сна днем. Но это не аргумент. Так же как и то, что кормящей матери нельзя есть виноград, свежие огурцы и котлеты с булкой из «Макдоналдса».

Нюся опять обижается и говорит:

— А мне хочется.

Вот это, я понимаю, аргумент. Железный. Не поспоришь. А потом она сообщает, что вообще заканчивает грудное вскармливание. Потому что надоело. Хочется пива и покурить.

Я ничего не отвечаю. У меня нет слов. Я призываю в сообщники Зою. Но это не помогает. Нюся пьет таблетки от грудного молока и кормление завершает.

Я не ангел. Ни в коем случае! Даже не претендую. Я тоже была измучена, раздражена, цапалась с мужем. Сама готовила, прибиралась и стирала. Целыми днями гладила детское — с двух сторон. Мне никто не помогал, все работали — и свекровь, и мама. Мама приезжала по выходным и уходила с коляской гулять, чтобы я хоть пару часов поспала. Но всегда находились дела. «Поспать» оставалось заветным словом и несбыточной мечтой. Памперсов в свободной продаже еще не было. А были ведра с замоченными пеленками.

Но я помню, какое это было ни с чем не сравнимое счастье — кормить сына грудью! Как он чмокал, а потом закрывал глазки и засыпал. Как я тормошила его за щечку и пыталась разбудить. Как от него вкусно пахло грудным молоком. Как я плакала, когда оно закончилось! Мне казалось, что я сына чем-то обделяю. Что-то недодаю.

Нюсе так не кажется. И я совершенно бессильна! Ни на что повлиять не могу! Внук мой. Я все для него делаю. Только не могу принимать решения. У него есть родители. Ну, тогда, если вы нас не слушаете и наше мнение не учитывается, обходитесь без нас!

У Илюши начинается диатез. Я кидаю на Нюсю уничижительные взгляды. Она их не замечает. Крепкие нервы!

Мама говорит, чтобы я не вмешивалась и поскорее выходила на работу, «чтобы не видеть хотя бы пару часов весь этот кошмар».

И я выхожу на работу. Ура! Или — не ура?

Я счастлива, что снова в строю. Хотя из-за бессонных ночей я все время зеваю и меня пошатывает. Домой я стараюсь звонить пореже. Как ни позвоню, обязательно бужу Нюсю.

Девчонки мои мне очень рады. Я потихоньку прихожу в себя, все-таки положительные эмоции.

У Сашки новый роман. Девица по имени Фекла. Где она их берет? То Матильда, то Фекла...

У Алены, похоже, что-то меняется. В сознании. А это — уже начало. Мы слышим, как она орет по телефону на свекровь и шваркает трубку. Сашка поднимает вверх большой палец.

У Лидочки все то же. Она не очень-то делится. А вот Ванесса, похоже, приобрела нового кавалера. Какой-то вдовец из соседнего подъезда.

— Шустренький! — смеется довольная Ванесса.

Интересно, что она имеет в виду? Неужели...

Ну, дай им бог!

Я прихожу домой с работы. Честно говоря, валюсь с ног. Наверное, перечислять то, что меня встречает дома, уже не стоит. Мою посуду, запускаю стирку и готовлю ужин. Почти безропотно. Спрашиваю Нюсю, гуляла ли она с Илюшей. Гуляла. На балконе. А какая разница? Она удивляется. Потом она сообщает, что надо идти в поликлинику на прививки.

Я теряю дар речи. Что, ребенок уже идет в детский сад? Гуляет в песочнице? Ребенку три месяца, какие прививки? Притом что от искусственного вскармливания он весь в диатезе. Да и вообще, к прививкам я отношусь далеко не однозначно. Во всяком случае, не в этом возрасте.

А она долдонит:

— Врач сказал, значит, надо.

Я потихоньку звоню сватье. Пытаюсь привлечь ее в союзники. Но Зоя тоже считает, что надо, раз врачи говорят.

— А свои мозги для чего? — рявкаю я.

Наверное, Зоя сейчас очень жалеет свою дочку. Такая ей досталась злючая свекровь! И лезет во все. Все ей надо! Делала бы все, что положено. И не вмешивалась в чужую жизнь!

Но я подключаю сына. Я очень настойчива и категорична. Данька объявляет Нюсе, что на прививку идти не надо.

Нюся отвечает:

— Ясно. Ясно, чья это работа.

115

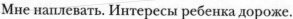

Мне наплевать. Интересы ребенка дороже.

Я жалуюсь маме. Возмущенная мама говорит, что Нюсе надо оставлять задание, например отварить макароны на ужин. Прокрутить котлеты.

Мама считает, что я сама во всем виновата. Сначала посадила всех на голову, а теперь злоблюсь. Привет от Танюшки! Дрессировщики!

Она права. Перед сном я вежливо, но твердо прошу Нюсю сварить на ужин макароны.

Потом окончательно наглею и еще предлагаю заодно запечь курицу.

Нюся смотрит на меня с недоумением:

— Ну, я же здесь не хозяйка!

— Не хозяйка, — подтверждаю я. — Но ты тут живешь. И у тебя есть муж.

— Муж — да, — соглашается она. И предлагает питаться отдельно: отдельная полка в холодильнике, отдельные кастрюли.

Я не понимаю:

— Отдельно от чего?

— Друг от друга, — спокойно объясняет она.

Мне кажется, что меня хватит удар. Отдельно от меня? От моего мужа? А нам — отдельно от нашего сына?

— Так многие живут, — пожимает плечами Нюся.

Я делаю шаг вперед. К ней. И тихо и внятно говорю по складам:

— Запомни! Так не будет. Ни-ко-гда. В моем доме! Ясно?

Она пятится назад. Снова пожимает плечиком и бросает:

— Ясно.

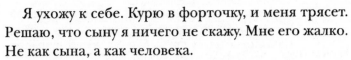

Я ухожу к себе. Курю в форточку, и меня трясет. Решаю, что сыну я ничего не скажу. Мне его жалко. Не как сына, а как человека.

А может быть, сказать надо? Может быть, он что-то поймет?

Но есть Илюша! И это неоспоримый факт!

Кстати, ни макароны, ни курицу на следующий день Нюся не приготовила.

Интересно, кто кого? Хотя ответ мне, кажется, уже ясен. Я проиграла.

Но не всегда отношения с невесткой — война.

С этой женщиной я была знакома лично. Так что рассказ из первых уст.

В тот год, по наводке моей бестолковой приятельницы, мы поехали в Геленджик. На машине. Было здорово — мы молодые, машина новая, дорога интересная. Данька впервые увидел горы. Сняли халупу у семьи местных греков. Халупа — не то слово! Шанхай! Домик дядюшки Тыквы. В каморке — две кровати с панцирными сетками и раскладушка для Даньки. И таких халуп — штук десять в ряд. Построенных, по-моему, из картонных коробок. Душ один на всех. Так же как и туалет «типа сортир». В смысле, дырка в полу. Жуть! Но на другое у нас денег не было. А ребенку нужны море и фрукты. У греков была русская невестка. День напролет в маленькой комнатухе без окон она варила самогон. Надышавшись парами, выпадала из комнатухи мордой об землю, и ее никто не поднимал, пока она сама не приходила в себя. Страшноватое зрелище, честно говоря. Данька сначала пугался и плакал, а потом привык.

117

Сами хозяева жили в новом трехэтажном кирпичном доме. Во дворе, под навесом, была кухня. Пять столов и три плиты. Еще и два холодильника, из которых непонятным образом исчезали добытые в тяжелых боях продукты. Море было грязное. Пляж кишел народом. Цены на фрукты, как в Москве. Но ребенок дышал морским воздухом! И мы мучились дальше.

В нашем дворе люд был со всей империи: Питер, Краснодар, Мурманск, Вологда, Киров и Минск.

По ночам было шумно — гудели студенты из Питера. Муж из Мурманска ревновал свою жену, поднимал на нее руку. По-моему, было за что. Как только он засыпал, она мигом просачивалась к питерским студентам. У пары из Минска истошно вопил двухлетний ребенок. Сварщик из Тюмени, страдающий астмой, надрывно кашлял ночь напролет.

В общем, отдых по-советски. Секс для бедных. Не знаю, многие говорят, что раньше отдых был доступный. Но моя семья, например, никогда не получала дармовых путевок. Ни на море, ни в Подмосковье. Мои родители, кстати, тоже. Всегда отдыхали дикарями. Со всеми вытекающими, малоприятными моментами и подробностями. Так что, когда мы смогли себе позволить Турцию, Испанию и Египет, нашему восторгу и счастью не было конца. Отдельный номер! С туалетом и душем! Прекрасная кровать, холодильник и телевизор. Балкон с видом на море. Еда на любой вкус! И никакой грязной посуды! Мы наконец почувствовали себя людьми!

Но до этого было еще далеко. А пока — мы в Геленджике. Хозяева пьют и без стеснения выясняют отношения. Соседи — описано выше.

В соседней пристройке жила одинокая женщина. Очень тихая и приятная. Примерно лет сорока. Из города Донецка. Вернее, из-под Донецка, из шахтерского поселка. Мы, что вполне естественно, познакомились. Она даже предложила помощь — отпускала нас в кино по вечерам, а сама приглядывала за спящим Данькой. Как-то к слову, совсем не специально, она рассказала свою историю.

Муж и сын — шахтеры. Здоровье подорвано, труд каторжный. С продуктами, впрочем, как и везде, сложности. Экология ужасная. Аварии на шахтах. Все выживают, как могут. Государству, как всегда, наплевать. Ее сын знакомится с девочкой. Девочка детдомовская, сирота. На свете никого нет. Она, Рая, говорит, что «девонька чудесная». Она приняла ее всем сердцем и стала для нее матерью. Живут все вместе и очень дружно. Девочку она называет дочкой. Всегда на ее стороне. Ругает сына, если он не прав. Девочку жалеет.

Но приходит беда. Раина невестка заболевает — онкология, рак крови. Девочку везут даже в Москву. Для этого Рая относит в ломбард все свое нехитрое золото. В Москве диагноз подтверждают. Уезжают домой. Проходят все круги ада. Рая не выходит из больницы. Кормит сноху с ложки. Дальше — курсы химиотерапии. Девочка почти не встает с постели. Под окнами ставят раскладушку, и муж выносит ее на руках во двор. В хорошую погоду. Рая ее моет и выносит горшки. Достает дефицитные лекарства, для чего пишет письма в столицу. Бьется за ее жизнь так, как не всякая мать.

И девочка живет! Даже начинает понемногу ходить. Проходит три года. Раин сын, молодой и здоровый парень, находит себе зазнобу. Что вполне понятно. Рая все понимает, но приказывает сыну ночевать приходить домой. Чтобы не расстраивать больную жену. Сын, конечно, все выполняет. С женой он ласков и терпелив. Она ни о чем не догадывается. А если и догадывается, то гонит от себя нехорошие мысли. В их доме ничего не изменилось. Все по-прежнему. Ее семья — самые родные и любимые люди. Никто не дал ей ни разу в этом усомниться. Когда у девочки рецидивы, Рая поднимает на ноги всю местную медицину. С ней предпочитают не связываться.

Соседки Раю и жалеют, и осуждают. Мол, не дает сыну устроить нормальную жизнь. Чужое дитя дороже своего. Соседки есть соседки! А она удивляется — какое «чужое»? Дите ведь, человек! Как от нее отступиться?

Простая русская баба. С нелегкой судьбой. Про величие души и богатство сердца говорить не будем.

Вечером она показывает мне подарки для девочки — кофточки и брючки. Совсем маленького размера.

— Пусть порадуется, — говорит Рая и улыбается.

И еще каждый вечер бегает на почту. Отстаивает двухчасовые очереди, чтобы поговорить со снохой.

Без комментариев.

Я не могу на нее смотреть! Я больше не могу работать над собой. Я не хочу смотреть на сына. Мне его уже не жалко. Устроить себе и нам такое! Кретин недоделанный! Что я упустила в своей жизни? Что не смогла ему объяснить? Что не смогла донести?

Я совсем перестала спать по ночам. У меня обострилась язва и каждый день болит голова. С мужем мы почти не общаемся. С сыном тоже. Ужинаем по-одиночке. Прячем друг от друга глаза. Обстановка в семье невыносимая! Что мне делать? Как поступить? Как спастись и спасти своих близких?

Никогда я не была в таком отчаянии! Шутки кончились. Острить на тему моей невестки больше не получается. С подругами по телефону я не общаюсь. Просто лежу в своей комнате и смотрю в стену. Ни сын, ни муж ко мне не заходят. Им самим хреново. Утешать меня у них нет никакого желания. На выходные муж уезжает к матери и работает там. Я понимаю — там покой и тишина.

Данька берет халтуру в субботу, ездит на работу, чтобы поменьше находиться дома. Говорит, что хочет побольше заработать. Ха-ха. А куда деваться мне?

Хватит. Я не позволю так коверкать свою жизнь. Надо принимать решение. Иначе — пропасть. Яма без дна.

Я еду к маме. Плачу у нее на плече. Она тяжело вздыхает и почти не комментирует. Говорит, что я состарилась на десять лет и что мой муж от меня в итоге слиняет. Мама не очень умеет утешать. Зато она говорит правду и все расставляет на свои места. Без иллюзий.

И она предлагает выход. Снять этим придуркам квартиру. Оказывается, все проще простого!

Но я пугаюсь.

— А Илюша? Как *эта* справится с ним? Загубит ребенка!

Мама говорит:

— Ерунда. В конце концов, у нее есть мать, пусть приезжает и помогает. Пусть нанимают няню.

— Какую няню? — снова пугаюсь я.

Потом вспоминаю про деньги. Где взять деньги на съемную квартиру.

Мама говорит, что поможет. Что у Даньки зарплата. Что есть Ивасюки. Есть баба Тома. Короче, если всем миром...

Я остаюсь ночевать у мамы и в первый раз за много дней сплю как убитая. Без снотворного.

* * *

После краха моего бессмысленного первого брака я не могла ни с кем встречаться года полтора. Родители не на шутку разволновались. Решили меня с кем-нибудь познакомить. Бросили клич по родственникам и друзьям. Начали поступать предложения. Особенно старалась мамина тетя Анеля. Анеля была бездетна и имела за плечами три вполне удачных брака. Все ее мужья уходили из жизни и оставляли Анеле неплохое наследство. Всю жизнь Анеля изображала из себя беспомощное и не приспособленное к жизни дитя. Внешне она была похожа на куклу — нежные кудряшки, круглые глазки и хрупкая фигурка. Анеля хлопала глазками и говорила, что ничего не понимает в этой сложной жизни. Не может сопротивляться невзгодам и принимать решения. Мужчины с готовностью принимались решать ее проблемы. С такими женщинами они чувствуют себя весомее и значительнее.

Мама говорила, что у Анели железная воля и что «щучка она еще та». Я думаю, что искусство понесло непоправимую потерю, не приобретя в лице Анели великую драматическую актрису.

Словом, мужья нежили, холили и старались доставить ей радости и удовольствия. Анеля заявляла, что она типичная чеховская «душечка», а на деле была расчетливой, далеко не бескорыстной штучкой.

На старости лет, потеряв последнего мужа, она впервые в жизни устроилась на работу. Не потому, что нуждалась в деньгах. Ей просто наскучило сидеть дома. Недалеко от ее дома находился кожно-венерологический диспансер. Пешком — три минуты. Анеля устроилась в регистратуру. Она говорила, что работа очень интересная, с людьми. Много «потрясающих, жизненных историй». Много интересных персонажей. Она обожала послушать истории про чужие судьбы.

В общем, на работу ходила как на праздник. Говорила знакомым, что «может посодействовать в решении венерологических проблем». Все от нее шарахались.

Вот она-то и принялась искать мне жениха. Очень активно. Анеля, надев на нос очки, внимательно изучала обложку медицинской карты. Если мужчина был не стар и имел московскую прописку, тетушка высовывала физиономию в окошко и с заговорщицким видом шептала ошарашенному «претенденту», что у нее очень важное и строго конфиденциальное дело.

Мужчина пугался и беспокойно оглядывался по сторонам, полагая, что этой даме в белом халате известно что-то страшное о его болезни. Что она хочет его о чем-то предупредить или предостеречь. Тетушка железной дланью вцеплялась в его пиджак и выволакивала в пустую рекреацию.

Там она начинала жарко шептать, что у нее есть замечательная родственница. Чудесная девочка. Из прекрасной семьи. Показывала мою фотографию и пыталась всучить мой телефон. Претендент отпрыгивал в сторону и пытался вырваться из цепких Анелиных рук. Получалось не у всех. Когда я у нее спросила, не боится ли она предлагать мне кавалеров с венерологическими проблемами, она легкомысленно отмахивалась и авторитетно заявляла, «что теперь все лечится».

Конечно, она же была сотрудником лечебного учреждения с богатым медицинским опытом! Человек в белом халате!

Слава богу, мне никто ни разу не позвонил. Видимо, потенциальные женихи справедливо решали, что у такой сумасшедшей тетушки, наверное, не менее сумасшедшая племянница.

Или были целиком сосредоточены на процессе излечения триппера или сифилиса.

Через два года после развода я познакомилась с Павлом, своим будущим мужем. Познакомилась в метро, очень банально. Он не выглядел ловеласом и в дальнейшем мне признался, что так знакомился в первый раз.

В тот же день мы прошатались по улицам часа четыре. Нам было очень интересно болтать. Обо всем на свете. У нас оказались схожие вкусы на очень многое — книги, кино и музыку. На следующий день мы пошли в Пушкинский. И там тоже удивились: нам нравилось практически одно и то же. Потом пошли в кафе на улице Горького и выпили бутылку шампанского. В тот же вечер Павел сделал мне предложение. Я почему-то не очень удивилась и почему-то сразу же согласилась. На второй день знакомства.

Я не была безумно влюблена. Мне нравился Павел как человек. Не был противен как мужчина. И еще я понимала, что надо устраивать жизнь. Короче говоря, я поняла, что с этим человеком можно делить время. И подумала, что я не прочь родить от него ребенка. А ребенка мне очень хотелось. Очень-очень.

Мы познакомили родителей. Все отнеслись друг к другу вполне терпимо. А мои расценили будущего зятя и вовсе как подарок небес. Им было с чем сравнивать.

Да и по поводу моих умственных способностей они волноваться перестали. Ярлык «идиотка» с меня был торжественно снят.

Мы сыграли скромную свадьбу у нас дома. Были только самые близкие. Пришлось позвать и Анелю. Так, бедолага, старалась! А справились без нее.

Жить мы стали у моих. Так что мне ломать себя не пришлось. И Павлику тоже. Его искренне полюбили и приняли как родного сына.

Жили мы хорошо, дружно, без скандалов.

А мужа я полюбила года через три. Несмотря на то, что его человеческие достоинства и истинно мужской характер были обнаружены и оценены мною довольно давно. Гораздо раньше, чем я смогла его полюбить. Не как человека, а как мужчину. И я со временем поняла, что есть только одно местоимение — *мы*. И такое, оказывается, бывает.

* * *

Квартиру для молодых мы сняли за две остановки от нас. Данька был обескуражен нашим решением, но я попыталась все ему объяснить. Сказала, что это необходимо, иначе будет только хуже. Мы окончательно разучимся друг друга понимать, мягко говоря. Он вздохнул и согласился. Нюсе, разумеется, квартира не понравилась. Не тот ремонт, не та мебель, не тот вид из окна.

Но думаю, что причина ее недовольства крылась в том, что в квартире не было балкона. Я постаралась специально. Так что она поняла — с ребенком придется, увы, гулять.

Конечно, приезжала Зоя. Готовила, гладила и стирала.

Приезжала и я, привозила продукты и гуляла с Илюшей во дворе. В воскресенье вечером мы с мужем отпускали молодых родителей на свободу — в кино или в кафе. С Нюсей у меня были отношения сдержанные и дипломатические. При встрече мы не целовались, но мужественно друг друга терпели.

А дома у нас наступил медовый месяц! Да что там медовый месяц! У нас дома наступил рай! Блаженство. Умиротворение. Покой.

Короче, абсолютное и безоговорочное счастье.

Честно говоря, я даже не очень скучала по сыну. И не очень переживала о том, как он питается и в каких рубашках ходит на работу.

Нет, я все-таки эгоистка.

Ну и ладно — что выросло, то выросло. И мне почему-то не стыдно. Совсем.

* * *

Теперь снова о своем прошлом. Жили мы дружно и спокойно, пока не заболел мой папа. Тяжело и безнадежно. Я была беременна. После рождения Даньки мы переехали к свекрови, чтобы не беспокоить отца.

Тамара Аркадьевна приняла нас сдержанно. Тогда я ее осуждала, а теперь понимаю. Мы здорово нарушили ее жизненный уклад. К тому же она патологическая чистюля. А тут — пеленки, тазы с пеленками, ведра с пеленками, кастрюльки, бутылочки, марля на веревках, коляска с грязными колесами.

Конечно, это все ее раздражало. Стремление к чистоте у нее было нездоровое, патологическое. Например, она любила всем рассказывать, что из ее унитаза «можно пить». В смысле его чистоты. Моя мама однажды поинтересовалась:

— А что, у вас чашки закончились?

Я старалась поддерживать чистоту, как могла. Но Тамара была недовольна. Я протирала пыль, она брала чистую тряпку и шла вслед за мной. Я мыла полы, она перемывала. Посуду она терла пальцами.

127

Если скрипит, значит, вымыта хорошо. Я честно — очень старалась. Но боялась, что впаду в маразм. У меня началась неврастения. Я стояла над обедающим мужем с кухонной тряпкой. Как коршун. Хватала тарелку и начинала яростно протирать стол. Муж смотрел на меня с ужасом. А однажды шваркнул тарелкой и встал из-за стола. Я поплакала и поняла, что надо над собой работать. Сначала ставила на стол ужин и выходила из кухни. До окончания ужина убирала все кухонные тряпки. Когда хотелось вскочить и что-нибудь подтереть, я густо мазала руки жирным кремом. Ждала, пока он впитается и заодно пройдет мой приступ.

Муж все видел. Однажды сказал:

— Забудь. Наши чувства и наши нервы дороже.

И стал заваривать мне литровую банку трав — валерьяновый корень, пустырник и пион.

Надо сказать, что моя свекровь совершенно не умела готовить. То есть она, конечно, готовила, но все это было, мягко говоря, малосъедобным. Ведь умение готовить — это тоже дар. Талант. Или хотя бы способности. Как шить, вязать или разводить цветы. Кухня обмана не терпит. Так же, как суеты и пренебрежения. «На авось» тут не получится. А Тамара Аркадьевна готовить не любила. То есть теорию знала, кулинарные книги читала. Но не любила. А когда не любишь — душу не вкладываешь.

Она умудрялась испортить все — вырезку, отбивные, жареную картошку, сырники, шарлотку. Все то, что не требует особого труда и затрат времени.

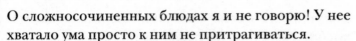

О сложносочиненных блюдах я и не говорю! У нее хватало ума просто к ним не притрагиваться.

А Павел уже успел разбаловаться. Сначала у моей мамы. Потом — у меня. Все женщины в нашей семье готовили хорошо. Бабушка, бабушкина сестра Аня. Анины невестки — Зина и Света. Моя мама. Сашкина жена Фаридка. Ну и я, наконец. Причем готовка была для нас удовольствием, а не оброком.

Готовить я не успевала, Данька почти весь первый год не спал — ни днем ни ночью.

Готовила Тома. А есть мы не могли. Но как объяснить человеку, что это просто невкусно?

Ладно я. Я могу выпить кофе с сыром и буду вполне довольна. А Павел? Ему нужно пообедать и поужинать. Он мужик. Тома ставила перед ним тарелку щей. В щах плавала редкая капуста и крупно нарезанная сыроватая картошка. Солить она не солила. Почти. Говорила, что соль — это яд. Перец вреден для желудка. Сметану в мясной суп класть нельзя. Варенье — вред, сплошной сахар. Сливочное масло — катастрофа. Ну а сосиски и колбаса — это вообще за пределами здравого смысла.

Конечно, она была по большому счету права. Но мы были молоды и здоровы. Нам хотелось и сосисок, и колбасы, и пирожных, и маринованных огурчиков.

Она считала, что я не берегу здоровье мужа, плохо на него влияю, что он привык к «другой системе питания».

А Павел уже не мог хлебать ее пустые щи. Мою еду она принципиально не ела. Я очень расстраивалась. Но однажды, приготовив перцы с мясом и рисом, наутро обнаружила недостачу. Тома съела перцы поздно ночью. Холодные! Четыре штуки!

Не поверите, я была счастлива. С тех пор, не особенно, правда, нахваливая, она стала ужинать вместе с нами.

А муж мне однажды признался, как многого он был лишен, не получая удовольствия от еды все детство и юность. Наверстал, слава богу! Теперь ему вкусно только дома — еще одна проблема. Снисходит он только до моей мамы.

Ну а вообще, жизнь в чужом дому была не сахар. Свекровь гостей не любила, прийти к нам никто не мог. От музыки у нее болела голова. После ночи с Данькиными воплями она целый день не вставала и пила корвалол. Мы переживали и извинялись. Она начала обижаться на все подряд, уже не помню на что.

Меня раздражали ее привычки. Например, телефонные аппараты стояли и у нее в комнате, и у нас. Я всегда любила потрепаться — с мамой, с подружками. Ну, какие еще при грудном ребенке у меня были развлечения?

Тома снимала свою трубку каждые пять минут. И выразительно вздыхала. Подруг у нее не было, родни — тоже. Ну кому ей надо было срочно в тот момент позвонить? Я злилась и швыряла трубку. Она обиженно поджимала губы. Еще она ревновала, когда муж меня обнимал или чмокал в щеку. Почему-то злилась, когда я что-нибудь себе покупала, например новую юбку. Она критично осматривала меня и говорила, что юбка мне не идет. Не та длина, не тот цвет и вообще — полнит.

Ну а когда мне Павел подарил на Новый год остродефицитные французские духи, она так обиделась, что не разговаривала с нами три дня. Я чувствовала себя виноватой.

Мы стали размышлять, что делать. Потому что все это усложняло нашу семейную жизнь. Мы стали копить обиды и раздражаться друг на друга.

Тогда родители решили дать нам первый взнос на кооператив. Мама, конечно, хорошо зарабатывала, но уже долго болел отец, и выделить нам деньги родителям было непросто. Тома в этой акции не участвовала, пропустила мимо ушей. Сделала вид, что не заметила.

Получить кооперативную квартиру в хорошем районе помогла Сашкина теща Оксана. У нее уже везде были крупные связи.

Через полтора года мы въехали в новую трехкомнатную квартиру.

Покажите мне человека, который был счастлив так, как я!

Поймет меня только та советская женщина, которая пожила со свекровью. Пусть даже каких-нибудь пару лет!

И, конечно, непреложная истина — дети должны жить отдельно от родителей.

Я бы спокойно разменяла свою квартиру. Если бы была хоть на один процент уверена, что они будут жить вместе.

А я уверена в обратном. И это вполне меня оправдывает.

* * *

Нюся кормит Илюшу консервами из баночек. Я попробовала индейку с рисом — несъедобно. Я не преувеличиваю. То же самое телятина с горошком. Ей даже лень греть. Пытается всунуть ему холодное.

Я в ужасе. Пытаюсь объяснить, что это неправильно. Она говорит, что так делают все и что я отстала от жизни.

Илюша выплевывает индейку с рисом и телятину с горошком. Даже теплую. Я варю кусочек рыночного мяса. Перетираю картошку, кабачок, морковку и репку. Потом взбиваю в блендере и немножко присаливаю. Это глупости, что ребенок не понимает вкуса.

Илюшка открывает рот, как голодный пеликан.

Я торжествующе смотрю на Нюсю. Она смотрит на меня с презрением и, по-моему, опять тихо ненавидит. Наплевать! Я созерцаю довольную физиономию внука, и я счастлива.

Может быть, я отстала от жизни. Прогресс шагает вперед. Может быть, все молодые мамаши кормят детей консервированной едой. Но никто и никогда меня не убедит, что только сваренное парное мясо и пюре из свежих овощей менее вкусно и полезно, чем готовая еда из банок. С консервантами, между прочим. И ребенок к тому же аллергик. Это я так, к слову.

Да, мы в свое время протирали сквозь сито мясо и овощи. Блендеры были еще редкостью. Делали из кефира творог и подвешивали его в марле над ра-

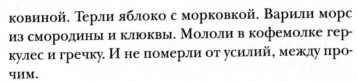

ковиной. Терли яблоко с морковкой. Варили морс из смородины и клюквы. Мололи в кофемолке геркулес и гречку. И не померли от усилий, между прочим.

А еще стирали и гладили подгузники и пеленки. О памперсах не слышали. Мы были лишены элементарных удобств, и никто нам не облегчал жизнь. Я не говорю, что женщины моего поколения были героинями. Наша дорогая Родина знавала времена и похуже. Хотя, думаю, что женщин всех поколений нашей страны можно смело назвать героинями.

Согласна, памперсы — чудесное изобретение человечества. Я ярый сторонник прогресса и инноваций. Но кормить своего внука консервами не позволю.

Я вспоминаю, когда родился мой сын, был дефицит всего: зеленки, ваты и детского крема. Это было ужасно! Я ездила на рынок и покупала триста граммов парной телятины и три зеленых яблока на неделю. В магазине зеленых яблок не было. Был только венгерский «Джонатан», вызывающий страшную аллергию. Довольно, кстати, вкусный. Но от него дети покрывались коркой экземы.

Я чистила яблоко самым острым ножом, с минимальными потерями. У меня текли слюнки. Но я съедала только шкурку. Само яблоко я позволить себе не могла.

А позже открылся первый «Данон». На Тверской. Раз в неделю мы с подружкой Наташкой тащились туда. Рано утром, когда мой Данька и ее

Вика были в школе. Покупали по счету — шесть «Растишек» и шесть йогуртов. Детям на завтрак. Получалось довольно дорого. Мне так хотелось съесть розовую «Растишку»! И один раз я ее съела. Удовольствия не получила, терзали муки совести. Наверное, я идиотка. Вполне может быть. На первом месте в нашей семье всегда был ребенок.

Вот и вырос эгоист, прости господи!

* * *

Мою маму воспитывали в строгости. Домой она должна была возвращаться не позже девяти вечера. Даже уже будучи студенткой, мама вступала в дебаты со своей матерью, но всегда терпела поражение. У бабки Лизы был крепкий характер. Еще она не разрешала маме красить ресницы и ногти. Не говорю про помаду.

Косметика маме не особенно требовалась. Она была и без того красавицей, к тому же яркой шатенкой. Конечно, молодые люди на нее заглядывались и пытались ухаживать. Но довольно долго маме никто не нравился.

А потом появился Марк. Это была любовь с первого взгляда. Мгновенная вспышка, поразившая их обоих. Как только они встретились глазами. В электричке. Мама ехала от подруги с дачи.

Вышла она на платформе Кунцевская. Он выскочил за ней. Она шла и улыбалась. Он шел следом. Потом она обернулась, и они опять встретились глазами. И оба окончательно пропали.

Марк был хорош собой, высокого роста, с широким разворотом плеч, сероглазый и темноволосый. К тому же он был интеллигент и умница. И еще — большой эрудит. С ним никогда не было скучно или неинтересно.

Они гуляли целый день, до позднего вечера. Мама пришла домой в час ночи и смело посмотрела своей матери в глаза. Та не сказала ни слова, видимо, мамин взгляд говорил о многом, и тихо ушла в свою комнату.

Марк честно рассказал маме, что он помолвлен. Помолвку расторгнуть нельзя, невеста — дочь фронтового друга его отца. Друг спас отцу жизнь. Марк сказал, что его невеста — замечательный человек. Что он ее очень ценит и уважает. Что он ее не любит, но обидеть не сможет. И подвести родителей тоже.

— Когда свадьба? — спросила мама.

— Через три месяца, — ответил Марк.

— Значит, у нас с тобой есть целых три месяца! — обрадовалась мама.

Марк опешил и тяжело вздохнул. Потом обнял маму и поцеловал ее волосы.

У них действительно было всего три месяца. Или — целых три месяца? Мама считала именно так.

Три месяца абсолютного, сумасшедшего счастья. Они не говорили о будущем. Будущего у них не было. Они не горевали. Они были счастливы. Просто оттого, что встретили друг друга.

А дни, денечки таяли, истекали. У них был уговор — после свадьбы Марка они забывают друг о друге. Им, наивным, казалось, что это возможно. В последний вечер они простились. Первой убежала мама, вырвала свои руки из его рук и убежала.

Неделю она пролежала с высокой температурой. Бабка ни о чем не спрашивала. Я думаю, что это и называлось прежде «любовной горячкой».

Очень скоро мама поняла, что беременна. Сказала об этом бабке.

Та, к ее удивлению, восприняла эту новость довольно спокойно. Ее интересовало, будет ли горе-папаша платить алименты. Мама твердо сказала, что нет. И вообще, про ребенка он никогда не узнает.

Мама была счастлива, что сможет родить от любимого. Остальное ее не волновало. Она была на шестом месяце, когда познакомилась с мужчиной. Вот такая она была красавица, что мужчины знакомились с ней даже в ее положении.

Мужчина был невысок, довольно хилого сложения, в очках с большими диоптриями. Словом, заурядная внешность типичного научного работника среднего звена.

Мужчина сделал ей предложение. Она честно сказала ему, что любит другого. И сомнительно, что когда-нибудь полюбит кого-то еще. Мужчина сказал, что его все устраивает. Что будущему ребенку нужен отец. Мама вздохнула и согласилась. Она понимала, что, кроме любви, есть еще организация жизни.

За месяц до родов они расписались. Через месяц родилась я.

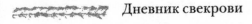

Всю жизнь я называла этого человека отцом. Кем он, собственно, мне и был. Самым настоящим, самым любимым и самым трепетным отцом.

Носила его фамилию. С гордостью. А фамилия, между прочим, так себе. Обычная фамилия — Петракова. Фамилия Марка — Белоцерковский. Красиво и величественно. Ничего не скажешь. Я подумала, что могла бы быть Белоцерковской, всего однажды. Подумала и забыла. И больше не вспоминала.

Зачем мама рассказала мне всю правду? Я не знаю. Во всяком случае, жизнь мне она этим не облегчила. Но она сказала, что я должна была знать правду. Какую правду? Отец у меня всю жизнь был один. Другого мне было не нужно. Но таково мамино решение, и я должна была его принять. Она показала мне фотографию Марка. Я очень на него похожа. Но это вряд ли что-нибудь меняет.

Когда мне было четыре года, мама узнала, что Марк умер. Какая-то скоротечная онкология. Она пошла к его родителям, чтобы рассказать им, что у них есть внучка. Она надеялась, что это хоть как-то их утешит. В квартиру мать Марка ее не пустила. Сказала, что она, мама, аферистка и хочет претендовать на богатое наследство. Все. Больше ничего о той семье я не знаю. На могиле у Марка не была. Маме так и не удалось узнать, где он похоронен.

С отцом она прожила прекрасную жизнь. Он ее обожал и носил на руках. В прямом и переносном смысле. Человеком он был негромким. Больше всего любил читать и всю жизнь собирал монеты и марки. Все вопросы масштабного значения решала мама. Он не возражал и говорил, что она — самая умная и что ей виднее. Наверное, он был слабее ее. И она всю жизнь от этого страдала. Говорила, что устала быть сильной. Но я думаю, что природа распределяет все грамотно. У моей мамы невероятно сильный характер. И если бы рядом с ней был сильный мужчина, они, скорее всего, не ужились. Или жили бы очень шумно и неспокойно. А так — баланс был соблюден.

Мама страдала от того, что была в семье главной, но, скорее всего, страдала бы еще больше, если бы ее подавляли.

Странная закономерность — мое жизненное наблюдение: почти у всех сильных и значимых женщин вполне заурядные мужья. И ровно наоборот. И еще — мама говорила, что всему нашему женскому роду по судьбе написано быть сильными. Может быть, поэтому так инфантильны мой брат и мой сын?

Наверное, в этом наша вина.

Однажды я сказала отцу, что такого мужчину, как он — нежного, спокойного, нетребовательного, уступчивого, внимательного и не скандального, — я никогда не найду.

— Ты перечислила все те качества, что отличают «немужчину» от мужчины, — улыбнулся отец. — Ты, конечно, любишь меня, но вряд ли хотела бы встретить такого же мягкотелого слабака и подкаблучника!

— Ты самый настоящий сильный и умный мужчина, — уверенно сказала я. — Если ты столько лет выдерживал нашу маму!

А с отцом она, я думаю, все же была счастлива. Спокойно, по-семейному. Без ярких всплесков и фонтанов страстей — да. Но так ли это нужно в семейной жизни?

Я думаю, что мама умела расставлять приоритеты и организовывать свою жизнь. Человеком она всегда была разумным.

А когда папа заболел и болел несколько лет, тяжело, с больницами и сиделками, мама зарабатывала приличные деньги, чтобы обеспечить ему достойный уход, лучших врачей, да и просто продлить жизнь.

Когда папы не стало, она была безутешна. Говорила, что от нее отрезали половину. Ту, где сердце.

Интересно, прожила бы она счастливо с Марком? Человеком ярким, сильным и значительным?

А может быть, все быстро перегорело бы и превратилось в пепел, в золу? Страсть, как известно, продукт недолговечный...

Никто не знает.

Иногда она подолгу пристально смотрит на меня и вздыхает. Я понимаю, о ком она думает. Я очень похожа на отца. Вернее, на Марка.

* * *

У детей все плохо. Вечерами Данька торчит у нас. Я его гоню изо всех сил, а его домой не несут ноги. К сыну он, по-моему, равнодушен. Объяснение этому найти можно, но все равно меня это расстраивает и пугает. Заварил кашу, кретин! А ведь уже есть человек по имени Илюша. Как быть с этим?

Я глажу Даньке рубашки и кормлю ужином. Конечно, неправильно. Но это мой сын. И я его жалею.

В душе понимаю, что их отношения с Нюсей в стадии агонии. Но терпеливо объясняю ему, что надо приспосабливаться. Во имя сына.

А надо ли? Сама не знаю...

Наступает лето. Надо вывозить ребенка на дачу. Нюся сопротивляется изо всех сил. На даче скучно и нет удобств. Какие удобства? Ребенку нужен воздух!

Решают ехать к нам, к Ивасюкам далеко. Даньке тяжело каждый день добираться. А она требует, чтобы он приезжал ежедневно после работы.

Когда я с маленьким сыном сидела на съемной, кстати, даче, то умоляла мужа не мотаться и ночевать в Москве. Приезжать только на выходные. Мне было его жалко.

Ей Даньку не жалко. Может быть, права она, а не я? Надо поменьше жалеть мужиков и поменьше брать на себя? Чтобы потом не ныть и не жаловаться на жизнь?

А кто тогда нас пожалеет, как не самые близкие люди? Впрочем, в том, что они с моим сыном близкие люди, я сильно сомневаюсь.

У моей подруги Соньки первый муж был немец. Западный. Звали его Олаф Шульц. И первая Сонькина свекровь тоже, что, впрочем, вполне закономерно, была немкой.

Олаф и Сонька познакомились в Питере, на экскурсии. Случилась любовь. Олаф был рыжий, с рыжими бровями и ресницами, высоченный и довольно полный, добродушный и простоватый. Моя мама называла его «айсбан» — «свиная ножка». Поженились в Грибоедовском Дворце бракосочетания, не без проблем и волокиты. Сонька оформила все бумаги, и они поехали в Мюнхен. Сонька нервничала и везла свекрови кучу подарков: черную икру — один килограмм; мельхиоровые ложки — двенадцать штук; льняные полотенца и скатерть, а также самовар «петух» и гжельскую вазу. Все, что удалось достать с невероятным трудом.

Подъехали к двухэтажному каменному дому, стоящему в глубине густого фруктового сада. Встречать их никто не вышел. Сонька шла по дорожке, выложенной цветной плиткой, и вдыхала аромат разноцветных флоксов. На пороге появилась маленькая и сухонькая рыжеволосая женщина. Она заговорила резким голосом с сыном, при этом совершенно игнорируя его спутницу. Потом она повернулась и пошла в дом.

«Негостеприимно как-то», — подумала Сонька.

Свекровь уже сидела в кресле-качалке и вышивала на пяльцах. Сонька знала немецкий в объеме школьной программы. Она подошла к мамаше Олафа и протянула руку.

Рыжая тетка подняла на нее глаза, прищурила их и по-русски сказала:

— Ке-дже-би — это плёхо!

— Еще как! — согласилась Сонька.

Обедом их не накормили, свекруха продолжала вышивать райских птиц.

Олаф деловито пошуровал в холодильнике и заказал по телефону пиццу.

Пиццу доставили через пятнадцать минут. Горячую, разумеется. И такую вкусную, что Сонька моментально забыла про свекровь.

Потом они разобрали вещи, и Сонька отнесла в гостиную подарки. Свекровь головы не повернула.

Олаф пожал плечами и растерянно улыбнулся. Потом они поехали в центр. Гуляли по городу, заходили в костелы, пили кофе с яблочным штруделем. Сонька стонала от восторга. Далее купили ей две пары туфель и красный лаковый плащ.

«Наплевать на свекровь», — оптимистично подумала Сонька. Главное — они с Олафом и их любовь. И еще все прекрасное, что их окружает, — город, цветы, магазины, красивые машины.

Это были сильные впечатления после голодной и темной Москвы. Сонька купила свекрови букет ромашек и два пирожных. Когда они пришли домой, фрау Шульц уже спала. Сонькины подарки лежали там, где она их положила. Олаф поставил ромашки в вазу, и они пошли спать.

— Так будет всегда? — поинтересовалась не слишком любопытная Сонька.

Олаф сказал, что завтра они переедут в его квартиру. Сонька не знала, что у Олафа есть своя квартира, и это ее совсем не огорчило.

Они проснулись поздно. Сонька вышла на веранду, увитую плющом, и сладко потянулась. Фрау Шульц стояла в саду. В позе огородника с тяпкой в руке. Сонька с ней поздоровалась. Свекровь повернулась к ней костлявым задом.

Сонька пожала плечами и пошла варить кофе.

«Жизнь ты мне не испортишь, старая рыжая курва. Просто не имеешь права!» — подумала она, намазывая толстым слоем черной икры свежий и хрустящий багет.

В тот же день они переехали в квартиру. Слава богу, жилищный вопрос в Германии стоял менее остро, чем в СССР. Квартира была маленькая, запущенная, холостяцкая. Прибирались вдвоем — равенство полов. Сонька это оценила. Еще один плюс к иностранному мужу. Потом пошли в магазин. Купили новые занавески и посуду. Вечером налили пива и плюхнулись на диван. Сонька была абсолютно уверена, что выиграла счастливый лотерейный билет.

Но жизнь, как известно, везде жизнь. И даже в раю бывают дождливые дни.

Олаф оказался бездельником, привыкшим жить на мамашины деньги. Мамаша его, надо сказать, была женщиной не просто не бедной, а очень даже состоятельной. В наследство от родителей ей досталась небольшая, но очень прибыльная кожевенная фабрика.

Папаша Олафа тоже был бездельник и прожигатель жизни. Собственно, сын пошел в него. Но папаша довольно рано преставился. Посему ему не удалось окончательно спустить все капиталы жены.

Фрау Шульц сына обожала. Рыжий, кабанообразный Олаф ни в чем не ведал отказа.

Но вот содержать еще и его жену, тем паче из страшного Советского Союза, в ее планы не входило.

Маман просто перестала сына субсидировать. Поставила ему жесткие условия: или деньги и все прилагающиеся к ним удовольствия плюс хорошая немецкая, с капиталом, жена, или — пучеглазая Сонька, похожая на молодого вороненка.

Олаф гордо отказался от дотаций. Сказал, что начнет зарабатывать сам. Мамаша только посме-

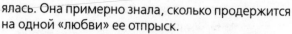

ялась. Она примерно знала, сколько продержится на одной «любви» ее отпрыск.

Ошиблась она на пару месяцев, не больше.

Сначала Олаф оформил пособие по безработице. Соньке оно не полагалось. Еле хватало на пиво и яйца с хлебом. Сонька устроиться на работу не могла. По понятным причинам. Нет гражданства и практически нет языка.

Немного помогали Сонькины родители. Но это были капли в море. За квартиру, кстати, полагалось немало платить. Ситуация была на грани катастрофы. Сонька понимала, что возвращаться с таким муженьком в Москву и сажать его на шею своим бедным родителям — тоже не выход. Но через полгода пособие платить перестали, и пришлось переехать к рыжей и злобной фрау Шульц.

Когда на ужин подавалась свинина, фрау Шульц с милой улыбкой интересовалась, позволяет ли Соньке есть свинину ее вероисповедание. Несмотря на то, что Сонькина фамилия Рабинович и отчество Исааковна, к тому, что имела в виду ее свекровь, она не имела никакого отношения. Какое вероисповедание было у советских людей? У дяди Изи, пламенного борца с царизмом? Или Сонькиного отца, Исаака Абрамовича, истинно и свято верующего в социалистические идеалы и вступившего в коммунистическую партию еще в институте? Естественно, никакой кашрут (правила приготовления еды у верующих иудеев, где много сложностей и точно нет свинины) в их семье не соблюдали. Сонькин отец родом с Украины, из Бердичева. Когда он рос, евреи в основном уже вовсю ели хохляцкое сало. Нежное, домашнее, с бордовыми прожилками мяса. Не ел только дед маленького Исаака, будущего Сонькиного отца. Он сидел в своем кресле в черной бархатной ер-

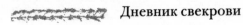

молке и плакал, глядя на отступника сына и маленького внука.

А в советские времена ели все, что могли достать. И колбасу, и свинину. И никто ни о чем не размышлял. Советская власть этого не любила. И очень старалась, чтобы люди поскорее забыли про свои корни.

Фрау Шульц не могла открыто показать свою нелюбовь к евреям. Немцы давно покаялись и попросили у еврейского народа прощение. Но с тем, что плотно сидело в ее душе, она ничего поделать не могла. К тому же ее нелюбовь к евреям подпитывала семейная история.

В конце двадцатых годов ее предок полюбил девушку из богатой еврейской семьи банкира. Он посватался. Девушка обещала подумать. Она была необычайно красива и очень молода. Поклонник — Ганс или Фриц — ждал ее ответа четыре года. А потом она сбежала в Америку со своим возлюбленным. Тоже немцем. К тому же абсолютно нищим. Ее родители не хотели о нем даже слышать. А Ганс или Фриц начал глушить шнапс от горя и тоски. И через полгода, будучи в белой горячке, повесился на конюшне. Понятно, что во всем винили дочь банкира. У них были на то основания.

Когда они садились завтракать или ужинать, Сонькина свекровь садилась напротив и считала за Сонькой куски. Кушать в столовой Сонька перестала. Олаф втихаря носил ей бутерброды в комнату. У Соньки разыгрался гастрит. Началась тошнота, головные боли и сумасшедший пульс. Еще стала подниматься температура. Сонька — дочь врачей. Она понимала, что все это происходит на нервной почве. Решила уехать в Москву, но опасалась, что в таком состоянии до дома просто не доедет. Окочурится по дороге. К врачу она обратиться не могла — ни страховки, ни денег. Когда перестала вставать с кровати, свекровь испугалась или сжалилась и пригласила семейного доктора. Семейный доктор все понял и вставил фрау Шульц по полной. За долгие годы он успел хорошо ее узнать. Она здорово струхнула. Сонька начала принимать витамины и успокоительное. Олаф выжимал свежие соки и кормил Соньку печенкой с кровью. Гемоглобин у нее был ниже границы дозволенного.

Сонька через месяц поднялась. И решила умотать домой. Пиццей, штруделями и сосисками с кислой капустой она уже вполне наелась. Новые туфли и тряпки носить было некуда, и на них никто не обращал внимания. Сонька вспоминала, как она была счастлива в Москве, имея одну пару джинсов и несколько кофточек.

Но дело, конечно, не в этом. Соньке надо было спасать собственную жизнь. К тому же она уже окончательно разочаровалась в своем муже. Что тоже вполне понятно. Сонька попросила свекровь купить ей билет в Москву. Свекровь, не помня себя от счастья, позвонила своему агенту. Конечно, ей хотелось отправить Соньку в тот же вечер. Ну, максимум на следующий день. Но агент сказал, что через десять дней начнется акция и огромные скидки. Свекровь тяжело вздохнула и согласилась. Немецкая расчетливость и рационализм — национальная черта. И она заказала дешевый билет. Сонька объяснилась с мужем. Наверное, в душе он был рад Сонькиному отъезду. Намучился он с ней немало, чувства поостыли и еще очень хотелось покоя и прежней радостной и беспечной жизни, которую мамаша ему обещала наладить — как прежде. Они с Сонькой поплакали, пообнимались и пожелали друг другу удачи и счастья. Еще он купил ей кожаный плащ и двухкассетный магнитофон. Фрау Шульц была на седьмом небе от счастья, сообразив, что дурочка невестка, не зная суровых и справедливых немецких законов, ни на что не претендует. А хочет только одного — поскорее уехать и забыть эту рыжую семейку.

Счастливая фрау посоветовала сыну не скупиться и купить самый лучший плащ из самой тонкой кожи и самый лучший магнитофон.

Сонька тоже была счастлива и считала часы до отъезда. Папе она купила кроссовки, а маме оливковую водолазку из перламутрового трикотажа. Даже мне купила подарок — лифчик и кружевные трусики небесной красоты. Мы такие и в руках-то тогда не держали.

Но тут, как это часто бывает, в их планы вмешалась судьба. За три дня до Сонькиного отъезда ее свекровь сломала шейку бедра. Сделали операцию. Конечно, была сиделка, как же иначе? Через неделю свекровь забрали домой. Соньке почему-то ее стало жаль, и еще она посчитала, что уезжать в такое время как-то не очень удобно. Олаф сдал билет. Свекровь не сопротивлялась. У нее были сильные боли, и ей все было до фонаря. Приходила сиделка на весь день, делала уколы и массаж. Кормила с ложечки. Но больной она категорически не нравилась. Фрау Шульц говорила, что у нее грубые руки и резкие движения. Сиделка ушла в отставку. И Сонька предложила не брать новую. Дескать, все, что нужно, она сумеет сделать сама. Все-таки она была дочкой медиков. И у нее были действительно «легкие» руки. Свекровь была счастлива — уколы Сонька делала безболезненно. Массаж замечательно. Памперсы надевала в три секунды. Судно подкладывала почти незаметно. К тому же она варила вкуснейший бульон и жарила необыкновенные тонкие блинчики.

От себя она Соньку почти не отпускала. Даже спать попросила в ее комнате. Когда Сонька сидела рядом с ней на стуле, Аннегрет, так теперь было велено называть фрау Шульц, что говорило о высочайшей степени доверия и близости, держала ее за руку. А однажды прижалась к Сонькиной руке губами. Обе разревелись.

Однажды Сонька предложила сварить настоящий украинский борщ. Свекровь немного скривилась и сказала, что вряд ли ей понравится вареная свекла с капустой.

Сонька только посмеялась. В субботу она отправилась на фермерский рынок. Купила телячью грудинку с нежными косточками и белыми прожилками молодого жира. Ну и, конечно, все необходимые овощи — морковь, лук, свеклу, капусту и сладкий перец. Уходя с рынка, приглядела крошечные, с пупырышками, свежие огурчики. Только с грядки. Похожие на наши луховицкие. Прихватила пять килограммов. Плюс кучу укропа, сельдерея, петрушки и молодого чеснока.

Нашла пятилитровую кастрюлю, сварила телячий бульон. Потушила и пережарила овощи. Словом, сварила борщ. Отправила муженька за сметаной. В тарелки меленько-меленько накрошила свежую зелень. И парад-алле! Все от этой вкусноты почти рехнулись. Съели по две тарелки и через пару часов попросили еще. Свекровь позвонила своей соседке и пригласила «на борщ», что, в принципе, у них не очень-то принято. Соседка ела борщ и с уважением посматривала на «русскую невестку». А вечером Сонька замолосолила огурчики: срезала попки, положила много зелени и чеснока плюс стручок острого перца.

Через два дня малосольные огурчики были готовы. Съели их за два дня. Фрау Шульц сказала, что это вкуснее пирожных и конфет. Сонька махнула рукой — это что! Вы еще не ели мой форшмак и пирог с капустой.

Этот талант у Соньки наследственный. Ее мама, тетя Миля, тоже необыкновенная кулинарка.

В недоумении и растерянности был только непутевый Олаф. Его планы категорически рушились. Когда свекровь поднялась и начала передвигаться на ходунках, Сонька засобиралась домой. Аннегрет рыдала и умоляла ее не уезжать. Потом она попросила пригласить к себе нотариуса. Олаф занервничал. Сонька ничего не поняла и была беспечна и счастлива от того, что скоро окажется дома.

А потом нотариус пригласил Соньку в спальню Аннегрет. Сонька, к тому времени вполне понимающая немецкий, поняла, что свекровь записала *все* на нее. А это составляло: дом в Мюнхене, дом-дачу в Швейцарских Альпах, две машины — «Мерседес» и «БМВ» и кожевенную фабрику. Да, и еще счет в банке.

Но при одном условии. Она не разводится с ее сыном. И всеми средствами распоряжается она, Сонька. Урожденная Рабинович. Туш!!!

Умная свекровь поняла, что на Соньку можно рассчитывать. В беде она не бросит. Не транжира и не корыстная. Готовит прекрасно и можно сэкономить на кухарке. И даже на горничной. Профессия Сонькина тоже из перспективных — в Москве она была косметичкой. Можно сдать экзамен и открыть свой косметический кабинет. Опять же доход. Все в семью. Под ее влиянием сынок-без-дельник деньги сразу не растранжирит.

Короче, на невестку из ужасного Советского Союза можно положиться!!!

Олаф смотрел на мамашу с тихим ужасом. Все — деньги, свобода от Соньки и вся его вольная жизнь — в эту минуту могли накрыться медным тазом.

Сонька стояла замерев и вытаращив глаза. Потом она пришла в себя, громко сглотнула, откашлялась и сказала, что она глубоко признательна Аннегрет за доверие, но... Но у нее другие планы. Она тяжело вздохнула и объяснила, что ей нужен билет в Москву. На ближайшее желательно число. Хорошо бы на послезавтра. Ей нужен один день, чтобы собрать вещи.

Фрау Шульц растерянно посмотрела на нотариуса. Тот недоуменно пожал плечами. Олаф громко и с облегчением выдохнул.

Билет Соньке взяли на послезавтра, как она просила. Прощаясь с ней, Аннегрет повесила на тощую Сонькину шею колье с сапфирами. Со словами, чтобы она о свекрови помнила. Сонька клятвенно ее в этом заверила. Прощались долго и бурно. Такси отвозило Соньку в аэропорт. На улице стояла, опираясь на ходунки, маленькая и сгорбленная фрау Шульц и утирала платочком слезы. Толстый Олаф с благодарностью и плохо скрываемым нетерпением усердно делал «ручкой», слава богу, бывшей жене. Сонька тоже расплакалась. Кончался еще один этап в ее жизни. Она помахала рукой своим «прошлым» родственникам и вытерла слезы. Впереди ее ждала Родина и новая жизнь. В которой были родители, друзья, любимый город и много чего впереди.

Сейчас, наверное, никто бы так не поступил. Или, скорее всего, мало кто так поступил бы. Но мы еще были из племени бескорыстных. Такими нас воспитали родители и родное советское государство. И спасибо им за это, между прочим. Без иронии.

А в самолете непьющая Сонька здорово напилась. От счастья.

Перед отъездом на дачу Танюшка проводит со мной ежевечерний тренинг. Главный вопрос звучит так:

— Ты Илюшку любишь?

Понятно, что я отвечаю утвердительно.

— Тогда будешь все терпеть.

Танюшка уже не советует, а настаивает. Сонька реагирует по-другому. Типа бедная ты моя девочка! Как ты вынесешь все это? У тебя опять начнутся головные боли, и ты перестанешь спать по ночам. Ты ведь только перевела дух, только стала приходить в себя!

Я всхлипываю и очень жалею себя.

Лалка, как всегда, конкретна. Даже чересчур. Она советует «послать всех на хрен» и уехать с ней на море, в Баку. Там у Лалкиных родителей прямо на берегу моря, в престижном местечке Бельгя, дачка. С павлином и инжирными деревьями. С домработницей Зарой, которая делает необыкновенные кутабы (что-то похожее на наши чебуреки) и виртуозно, за полчаса, накрутит огромный казан долмы с бараниной.

Я представляю, как бы нам с Лалкой там было сказочно хорошо, и тяжело вздыхаю.

Так, хватит распускать сопли! Прежде всего я мать, бабушка. И вообще, человек долга. Это, кстати, меня и губит. Хотя для моих близких это прекрасно.

Назначаем день переезда на дачу. На десять утра. Ждем у подъезда их дома в машине до двенадцати. Муж нервничает и умоляет меня подняться в квартиру. Я сижу как пень и смотрю в окно.

Когда они, наконец, выкатываются, мы здороваемся сквозь зубы и всю дорогу молчим.

Я поздравляю всех с открытием дачного сезона. Естественно, про себя.

Доехали. Выгружаем вещи и открываем дом. В доме прохладно. Распахиваем окна, проветриваем и потом топим печку. Все проголодались. Я настаиваю, что сначала надо прибраться и разложить вещи.

Все недовольны. Потом я слышу, как возмущенным шепотом Нюся говорит Даньке, что «все это можно было сделать раньше. Без них. А они бы с ребенком приехали в чистый и прогретый дом».

Сначала я закипаю и еле сдерживаюсь, чтобы не влететь к ним и, наконец, все высказать и выпустить пар. Но потом задумываюсь. А ведь, в принципе, она не так уж не права! Странно, что никому из нас это не пришло в голову!

И у вас, дорогая и разумная Елена Викторовна, бывают косяки!

Я накрываю на стол. После дороги, уборки и обеда хочется спать. Что, собственно, и делают молодые.

Муж берет грабли и собирает прошлогодние листья. Я домываю посуду и мою полы. Данька, позевывая, выползает из своей комнаты. Наверное, ему неудобно пред нами. Принимается помогать. А Нюсина совесть крепко спит. Бесстыжая, хладнокровная и железобетонная Нюсина совесть. Спит. Вместе с Нюсей.

Проходят выходные, и уезжают мужики. Я обнимаю и целую мужа. Нюся подставляет щеку для поцелуя. Данька вяло прикладывается. А я наблюдаю, и мне невесело.

И назавтра мне невесело. Мужественно терплю до одиннадцати Илюшкины вопли. Скоро обед, а ребенок еще не завтракал. Стучу в Нюсину дверь, хочу забрать внука.

— Спи, если не выспалась, — бросаю я. — А у ребенка должен быть режим.

Она широко зевает и отворачивается к стенке. Я хватаю Илюшу и кормлю его кашей.

Кто меня осудит? Ну, если по справедливости? Почему и за что я должна ее любить? Или даже проще — хорошо к ней относиться?

За «просто так» мне есть кого любить на этом свете. Надо было рожать еще. Двух, трех. Тогда бы это все не было так болезненно и обидно! Просто на всех бы обидок не хватило! Смех сквозь слезы...

Я вспоминаю свое детство. Снимать дачу нам было не по карману. Да и сидеть с нами на даче было некому. Бабушки работали и жили своей жизнью. И нас с братом Сашкой отправляли на лето в Пестово. Сначала в детский сад, а потом в лагерь.

Из детского сада я помню компот с осами, эмалированные горшки, на которые нас высаживали и почему-то часами не разрешали с них вставать. Влажные постели и бесконечные дожди. Такое было лето. Я стояла у окна, смотрела на мокрую, разъезженную дорогу, на словно распухшие унылые деревья и плакала. Ждала маму. Мне казалось, что, если я буду неотрывно смотреть на дорогу, она это почувствует и приедет. Сашка распухал от комариных укусов. Он аллергик. Расчесывался до крови и все время плакал. На него орала воспитательница. Нянечка стегала мокрым полотенцем по спине и орала: «Заткнись, чертово семя!»

Однажды я не выдержала и вцепилась ей в руку. Зубами. Прокусила до крови. Меня лишили ужина и поставили в угол. Я не расстроилась. Есть макароны с селедкой мне совсем не хотелось.

Нянька орала, что мне надо делать укол от бешенства.

На выходные приехали родители. Добирались на попутных грузовиках. Привезли две сумки еды. Мы, как волчата, набросились на гостинцы. Потом бегали в кусты. Ревели на два голоса и просили, чтобы нас забрали домой. У папы тряслись руки. Мама растерянно смотрела то на нас, то на него. Они с папой отошли и начали о чем-то горячо спорить. Мы с братом затаили дыхание. Потом мама вернулась и сказала, что в городе с нами сидеть некому. Детский сад закрыт. Бабушки на работе. Они с папой тоже. Она плакала. Моя железная мама! И умоляла нас потерпеть еще три недели. Мы не понимали, три недели — это много или мало? Ма-

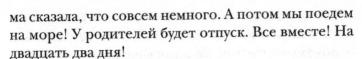

ма сказала, что совсем немного. А потом мы поедем на море! У родителей будет отпуск. Все вместе! На двадцать два дня!

Мы поревели и успокоились. Я настучала на злобную няньку. Мама пошла с ней разбираться. Все оставшиеся дни это чудовище была тише воды и ниже травы. Дожди почти перестали. Мы стали ходить в лес. И компот с осами больше не пили. Просто потому, что сообразили, что можно опрокидывать стакан. Когда нас забирали, мама просила меня попрощаться с персоналом. Я обернулась и показала всем язык. Няньки и воспитатели стояли с кислыми улыбочками и махали нам руками. По-моему, они были счастливы не меньше нашего.

Потом был лагерь, тоже в Пестове. Опять помню дожди и холод. Уборную — десять дырок в полу. Едкий запах хлорки. Потолок в палате, черный от комаров. Мы спали, накрыв головы влажными одеялами. Одеколон «Гвоздика» невыносимо вонял, но комаров не отпугивал. Ноги и руки были в кровавых болячках. Баня — низкая и душная — раз в неделю. Зато мыть ноги на улице ледяной водой нас заставляли каждый вечер. В длинном, как лошадиная поилка, жестяном корыте. Там же мы чистили и зубы. Помню обжигающий холод воды и запах тягучей и вязкой мятной зубной пасты. Утренние линейки с торжественным поднятием флага — награда и почесть за примерное поведение. Галстуки и пилотки. Застывшая манная каша и суп с пшеном. Мы были вечно голодными и воровали в столовке хлеб. Еще раз в неделю грузовичок привозил от родителей передачи. Как в тюрьме, ей-богу! Разрешалось передавать только печенье, карамельки и яблоки. От счастья мы визжали как поросята. Все дружно делилось на всех и, конечно, тут же съедалось. Были, разумеется, и жлобы, жравшие гостинцы под одеялом или в кустах. Но это были отверженные.

Да, еще были «песенники». Тетрадки, куда девчонки вписывали популярные песни и оформляли эту писанину кто как умел. Ценился красивый почерк и красочные картинки. Вырезанные из журналов цветы и женские и мужские лики. Песни переписывались, песенники гуляли по рукам. Еще была игра «Зарница». Свои и чужие. Разведчики и диверсанты. Мальчишкам было интересно. Нет, конечно, было и хорошее — кино и танцы в клубе, влюбленности, кадрежка. Вполне реальные страсти и страдания. Ожидания, пригласят ли на танец или обойдут стороной. Свои красавицы и королевы. Красавцы и прекрасные принцы. Были концерты. Кружки. Походы со встречей зари и печеная картошка — самая вкусная на свете. Купание в озере — короткое, но веселое. Вожатые, герои девичьих грез. Все это было. Но почему-то, вспоминая все это, мне бы не хотелось, чтобы мой ребенок через это прошел.

И мы снимали дачи. Месяц сидела мама — в свой отпуск. И по месяцу мы с мужем. Иногда вырывались на море. Если удавалось что-нибудь скопить. Или подбрасывали родители.

На дачах у Даньки были развеселые компании. Те же влюбленности и песни под гитару. Походы в лес и печеная картошка. Купание в речке.

Но! У него был всегда горячий обед, фрукты и чистая сухая постель. И еще — никакого унижения! И ущемления человеческого достоинства!

А потом мы решили построить свою дачу. Маме дали на работе участок. Из Новгорода мы привезли сруб. Посадили фруктовый сад. Елки и березки на участке были. Я развела нехитрые цветы. Вообще-то садовод из меня никакой. Слабоватый, прямо скажем. Но стало уютно. И на участке и в доме. В доме сложили камин, купили деревянную светлую мебель. Повесили картинки и симпатичные занавески в цветочек. По-моему, неплохо! А, Нюся? Капризная наша принцесса. Или мы опять тебе не угодили? Ну, тогда еще раз извини...

Дальше было все, как я и предполагала. Всю работу по дому делала я. Готовила тоже я. Стирала и гладила опять же я. А что, собственно, могло измениться? Только сама Нюся. Но, похоже, она себя устраивала. Вполне.

Да и я уже ничего не ждала. Пусть все идет, как идет. Она победила. Оставалось только мужественно признать свое поражение. И я уже была к этому готова.

* * *

Моя свекровь, Тамара Аркадьевна, считает себя женщиной культурной и очень душевной. О ее душевности говорят те факты, что она «дружит» с участковым врачом, уборщицей в подъезде и молодыми мамашами, гуляющими с колясками во дворе.

С врачом понятно. Весьма определенная заинтересованность. С уборщицей тоже. Так она проявляет свою лояльность. С мамками с колясками — от скуки. Надо же с кем-то обсудить дворовые сплетни. Всех этих «подружек» она называет уменьшительными именами: Дашенька, Машуленька, Светусик. Наверное, все культурные и душевные женщины называют малознакомых людей именно так.

Не знаю. Меня она всегда называет Лена. Если хочет указать на какую-нибудь оплошность, тогда «Леночка, детка». Обязательно с добавлением «детка».

Меня это выбешивает, как выражается мой сын.

Никогда она не сказала мне приятного слова. Никогда не похвалила и не сделала ни одного комплимента. Да ладно — я. По-моему, она спокойно относится и к своему сыну. Не говоря уже о внуке. Ни разу она не сходила с ним в музей или в театр. Ни разу не съездила на море. У ее сестры прекрасная дача в Дубултах. Она выезжает туда каждое лето, Даньку она с собой не брала никогда.

Ладно, это мы уже проехали. И мои слезы и обиды тоже. Когда она звонит, непременно интересуется: «Как Нюсенька?» Видимо, это ее здорово волнует. Про Илюшку спрашивает через раз.

В жизни ей, конечно, досталось, что говорить. Муж, отец Павла, был человеком очень нездоровым. Язва, астма, гипертония и еще куча всего. На инвалидности он был с сорока восьми лет. Причем без права работы. А такой, не приведи господи, «бонус», как инвалидность, получить в нашем государстве непросто. Денег, разумеется, не хватало.

Свекровь пахала на двух работах. А еще надо было поднимать сына. Готовила она сыну и мужу раздельно. Муж был на строжайшей диете. Двойные хлопоты. Плюс у мужа-астматика была аллергия на домашнюю пыль, тополиное цветение и на кучу всего еще. Влажную уборку она производила четыре раза на дню. Павел говорил, что еще чуть-чуть — и в доме развелись бы мокрицы.

А что ей оставалось? А потом и вовсе беда — заболели Тамарины свекры. Почти одновременно. У него инфаркт, у нее онкология. Пришлось забрать их к себе. Безропотно терпела все капризы больных и немолодых людей — выносила горшки, стригла ногти и подавала еду. Тамара не роптала. Ни одного слова жалобы! Никакого нытья! А ведь тогда она в прямом смысле валилась с ног. Упала в метро в обморок. Еще раз в неделю ездила к своему отцу в Коломну — прибраться и приготовить еду.

Как она все это выдерживала? Ума не приложу! Восхищаюсь и уважаю. От всего сердца. И когда вспоминаю все это, обиды мои проходят. А может быть, у нее просто нет сил, не осталось просто, чтобы любить меня и Даньку? Чтобы проявлять о нас заботу и внимание? Ну, имеет же она право немного пожить для себя? И на всех забить? Тоже из лексикона моего сыночка.

Вот так, наверное, в каждом человеке всего пополам, поровну — любви, тепла, участия. И равнодушия, безучастности, душевной черствости. Или не очень пополам. Пропорции добра и зла у всех разные. Поэтому есть люди хорошие и не очень. Но все-таки во всех есть что-то белое и что-то черное.

* * *

У Нюси нашлось развлечение. Развлечение в виде подружки Насти, молодой мамаши с маленьким ребенком. Теперь они вместе катят коляски по поселку, грызут семечки и потягивают пивко. Ржут на всю улицу, им почему-то весело. Вот вам и царевна Несмеяна! Настя эта, на мой взгляд, плохо воспитана, туповата и простовата. Закончила ПТУ по специальности «маляр-штукатур». Но работу свою не любит и работать не собирается. Говорит, что лучше пойдет торговать на рынок. Там веселее и навар покрупней. Мужа у Насти нет. И не было. Живет она с мамашей, большой любительницей выпить. Иногда происходят у Насти с этой самой мамашей рукопашные бои, в прямом смысле слова. Так они выражают недовольство друг другом.

Я поинтересовалась у Нюси, что у нее общего с «такой, как Настя»?

Нюся обиделась не на шутку:

— С какой — «такой»? Хорошая девчонка.

М-да, хорошая. Для Нюси, видимо, да.

Ко мне подошла соседка Вера. Сильно смущаясь, сказала, что у нее есть ко мне разговор. Оказалось, что Нюся меня поливает на чем свет стоит. И вредная я, и придираюсь «не по делу». И сына воспитала кое-как. Болвана, короче. Вот здесь я с ней совершенно согласна! Не просто — болвана! Законченного, клинического идиота.

Вечером я попросила Нюсю быть поаккуратней, в смысле языка. Доходит все здесь моментально.

Она, надо сказать, смутилась и даже покраснела. Но быстро пришла в себя. Дернула плечом и сказала, что «обсуждать разговоры придурошных старух» не намерена.

А кто старухи? Сорокалетняя соседка Вера? Нет, наверное, все-таки я. Наверное, Нюся имела в виду именно меня.

Ну и хрен с ней! Обедаем мы теперь вдвоем с Илюшей. Нюся ест позже, когда я укладываю Илюшу спать.

Вот так. Господи, когда же кончится это лето? Нет никаких сил!

Все-таки я размазня. Нытик и кулема. Оказывается, меня очень легко прогнуть под себя. Даже не думала, что так легко. Считала себя женщиной с характером и сильной волей. А не смогла защитить своего сына. Себя. Своего внука. Обезопасить свою семью. Значит, грош мне цена. Я не тигрица, оберегающая свой прайд. Я слабая и безвольная. И все это неуважение и хамство я вполне заслужила. Так. Хватит скулить! Вспомни свою свекровь, Лена! Ей было тяжелее, чем тебе!

И вообще, победителей не судят. А моя невестка Нюся — победитель. Однозначно!

А вот еще одна история. Капитолина Ивановна была женщиной кустодиевской красоты. Высокая, полная, с гладкой, шелковистой, очень белой кожей и нежным румянцем на щеках. К тому же она была женщиной невредной, беззлобной, жалостливой и очень доброй.

161

Она отчетливо понимала, что жизнь у нее сложилась крайне успешно. Ценить хорошее она тоже умела. Что, безусловно, говорит о добром нраве и нормальных мозгах.

Замуж она вышла удачно. Гагик Суренович занимал высокую должность в райпотребкооперации. А тогда это было более чем круто. Человек он был тихий, непритязательный и не жадный. Все в дом, все в семью. Чтобы обожаемая красавица жена и прелестный сынок Суренчик ни в чем не нуждались. Дом, конечно, был полная чаша. Квартира в сталинской высотке. Хрустальные люстры, ковры, дорогая посуда, картины на стенах, вазы на комодах. В холодильнике «Розенлев» дверцы закрывались с усилием. Была, разумеется, и домработница. Суренчик учился в спецшколе и играл на скрипке. Так постановила умница Капитолина. Никакой торговли — только прекрасное образование и хорошая специальность. Как не спит по ночам ее любимый муж и двадцать лет страдает от язвы, она помнила всегда. Такая жизнь не давалась легко — это факт. Своему обожаемому, единственному сыну подобной участи они точно не хотели. Суренчик их не подводил. Рос толковым и не наглым. Любил учиться и читать книжки. Родители ходили с ним в театры и в консерваторию. Словом, абсолютно счастливая семья. А такое бывает нечасто.

Но и Капитолина Ивановна не зарывалась. Понимала, что ей просто повезло. Мало, что ли, на свете красавиц? А сколько горе мыкают? Мужья пьют, дети — балбесы, и бедные бабы копейки считают до зарплаты.

И она старалась делать добро. Абсолютно искренне, кстати. Помогала всей своей обширной родне. Высылала деньги родне мужа в Ереван.

Домработнице Маше дарила подарки. Не то, что в доме завалялось, а специально для Маши купленные. Старенькую одинокую соседку Берту Лазаревну всегда угощала деликатесами и поздравляла с праздниками. Дворничихе Люсе и вахтерше Клаве тоже подкидывала дефициты. То баночку икры, то батончик сухой колбаски. Все любили Капитолину Ивановну. И даже если завидовали, то по-доброму. Ничего плохого ей не желая.

Еще у Капитолины Ивановны была неодолимая тяга к прекрасному. К красивым и ценным вещам. Во всех московских комиссионках она была совершенно «своя». Просто «свой человек из Гаваны» — был такой фильм. Товароведы оставляли для нее самое лучшее и ценное. Знали, что она никого не обидит. Все останутся довольны. И в антикварных магазинах она была «своим» человеком. Мела все подряд. Все, что глаз радовало. А радовало ее многое. Старинные чашки из тончайшего фарфора, статуэтки дам, кавалеров, ангелочков и животных. Вазы и бокалы. Обеденные столовые и десертные приборы. Кружевные скатерти. Настольные лампы и канделябры. Консоли и ломберные столики. Гобелены и рамки для фотографий. Подсвечники и зеркала. И, конечно, все то, чем можно себя украсить, нацепить и навесить. Кольца, серьги, цепочки и броши. Современные ювелирные изделия она презирала.

Надо сказать, что вкус у нее был хороший. И чутье тоже было. Квартира, конечно, выглядела богато и помпезно, но вещи попадались редкие и красивые. Антиквариат, одним словом.

Гагик Суренович, конечно, нервничал. А вдруг? Не дай бог, не приведи господи...

Но отказать любимой Капе не мог. Только еще горестней вздыхал и опять не спал и ворочался до рассвета.

Капа о плохом старалась не думать. Неприятные мысли от себя отгоняла. И еще сговорилась с Бертой Лазаревной, что та ее прикроет. В случае чего. Что все это — подарки одинокой соседки. Кстати, дочери купца первой гильдии. Даже оформили акт дарения.

А Суренчик тем временем вырос и поступил в институт. В Бауманский, между прочим. А туда дураков, как известно, не берут. На втором курсе Суренчик влюбился. Девушку звали Диной, и была она большая умница и легенда курса. В смысле способностей. Практически гений. Ей прочили большое и светлое будущее. Все предпосылки для этого у Дины были.

Решили пожениться. Суренчик привел невесту домой. Знакомить с родителями.

Бесцветная и неухоженная Дина Капитолину Ивановну, конечно, разочаровала. Не о такой невестке она мечтала. Но счастье сына важнее мечтаний и ожиданий. И мудрая Капитолина, глубоко вздохнув, приняла выбор сына и сказала себе, что с этого дня Диночка для нее — любимая дочка.

Свадьбу решили отгулять широко. Со всей рязанской и ереванской родней. В ресторане «Прага» сняли зал. Невесте пошили роскошное платье. Она не сопротивлялась. Ей было почти все равно. Просто надо было пережить это событие и все. Уважить родителей любимого жениха.

Свадьба отгремела — роскошно и шумно. Богато. Придраться не к чему. Родня осталась довольна. Свекор со свекровью тоже. Дина перевела дух, искренне и наивно полагая, что теперь ее оставят в покое.

Молодые переехали в свою квартиру. Двухкомнатный кооператив на Лесной улице. В кирпичном доме. Ремонт сделан, финская мебель завезена. На окнах шторы, в холодильнике продукты. Дина вошла в квартиру и вздохнула. Такая роскошь ее смущала. Как-то неуютно ей стало, не по себе. Родители ее, ученые, были люди скромные. Жили в Академгородке. Дешевая мебель и пластмассовый абажур. А тут такое!

Но главное, что есть письменный стол и настольная лампа. Свекровь стояла на пороге с загадочной улыбкой и ждала благодарностей и восторга. Дина тихо сказала «спасибо» и принялась развешивать в шкафу свои вещи — пару кофточек и пару юбок. Капитолина Ивановна заглянула в шкаф и вздохнула. Такое положение вещей ее не устраивало. Через пару дней она притащила тяжелые баулы из закрытой секции ГУМа. В одном из баулов лежала новенькая норковая шубка бежевого цвета. Дина увидела шубку, замотала головой и в голос зарыдала. Капитолина Ивановна решила, что это слезы радости.

Пока Диночка билась в истерике, зарывшись в подушку, Суренчик пытался объяснить маме, что так расстроило его молодую жену. Мама не понимала. Ну не понимала неглупая мама, что можно *так* огорчаться из-за того, что ее, мамины старания приносят невестке одни страдания. Ну не нужна Дине норковая шуба! Не наденет она ее ни за что! Потому, что считает это неприличным. Как, впрочем, и всю остальную роскошь. И еще — Дина очень любит свою старенькую польскую куртку, темно-синюю, с капюшоном и карманами. Теплую и уютную. И норковый берет ей тоже не нужен. Потому что у нее есть синяя шапочка, связанная мамой. Тоже любимая.

И сережки ей не нужны. Никакие! Потому что у нее не проколоты уши. И прокалывать их она не собирается. Так как считает это глупым и бесполезным занятием. И духи ей не нужны. У нее на них аллергия. И обувь на каблуках она не носит. Потому что на них ей неудобно! Даже на итальянской колодке!

И вообще, пожалуйста, оставьте ее в покое! И дайте написать очередной реферат.

Капитолина Ивановна, конечно, расстраивалась, обижалась и даже плакала. А как тут не обидеться? Любой бы расстроился и обиделся. Старается ведь человек от души. От всего сердца ведь старается!

Суренчик терпеливо объяснял маме, что люди *бывают* разные. Очень разные бывают на свете люди! Кому-то надо одно, а кому-то совсем обратное. И это не значит вовсе, что кто-то плох, а кто-то хорош. Просто надо это понять. А если понять не получается, то тогда просто принять. И все встанет на свои места. Все очень просто!

И еще Сурен объяснил маме, что он ее очень любит и ценит. И свою жену тоже — любит и ценит. И очень их обеих уважает. И очень просит уважать друг друга. Просто очень просит! Тогда все будут счастливы.

Капитолина Ивановна все равно рыдала. И растерянно спрашивала, обводя глазами свои богатства:

— А кому *все это*? Если *это* никому не нужно?

— Разберемся! — утешил ее мудрый сын.

Капитолина Ивановна, как говорилось выше, была женщиной неглупой. Поплакала пару ночей и успокоилась. «Здоровье дороже», — здраво рассудила она.

К невестке с подарками больше не лезла. Только когда увидела кольцо с кашмирским сапфиром, подаренное на свадьбу, небрежно валяющееся в мыльнице, полной раскисшего мыла, опять расплакалась. Правда, украдкой. Сына решила не расстраивать. Кольцо тихо помыла и положила в тумбочку в спальне. Чтобы не потерялось.

Дина делала огромные успехи. Ее труды печатали в зарубежных журналах, и к сорока годам она стала профессором. Лучшие университеты мира приглашали ее читать лекции. Ее имя было внесено в энциклопедию «Гениальные женщины двадцатого века».

С Суренчиком они жили очень дружно. Хотя он был просто способный, а она гениальная, это никак не мешало их счастью. Все Диной очень гордились. В том числе и Капитолина Ивановна. Не беда, что Дина была растеряхой, неумехой и не умела варить щи. Щи варила домработница. Каждому свое.

Да, кстати, Дина еще успела родить дочку. Без отрыва от производства. Внучкой занималась Капитолина Ивановна. С огромным, надо сказать, удовольствием.

Внучка Карина с малых лет обожала красивые платьица и туфельки. Просила бабушку сделать ей «нарядную прическу». В четырнадцать лет умело красила глаза и делала маникюр. Тогда же и проколола уши. Бабушка с удовольствием вставила в них бриллиантовые сережки. В шестнадцать Карина надула хорошенькие губки и попросила норковый жакетик.

Капитолина Ивановна от счастья разрыдалась. Вот теперь она отрывалась по полной! И перестала беспокоиться, кому достанется весь антиквариат и все драгоценности. Все уже и так было понятно. В общем, сердце Капитолины Ивановны обрело утешение и успокоение.

А учиться Карина не любила. Совсем. Что поделаешь, каждому — свое!

Ура! Мой отпуск подходит к концу! Следующий кандидат на пытку — Даниил Павлович! Перо тебе, сынок, и попутного ветра! А я тороплюсь уехать с дачи. Кидаю вещи в сумку — скорее в Москву! Скорее на работу! Никогда я так туда не рвалась!

С удовольствием еду в машине, напеваю. С удовольствием хожу по запущенной квартире и опять напеваю. Муж смотрит на меня с жалостью — все понимает. Мне совершенно не в тягость убрать квартиру, перестирать и перегладить кучу белья и сварить обед. Потом я беру телефонную трубку и удаляюсь в спальню. Позвонить надо маме, Соньке, Танюшке и Лалке. Все обсудить. Через два часа начинает болеть голова и заплетается язык.

Но все же мне становится легче. Нарыв прорвался. Я засыпаю.

На работе меня встречают с радостными воплями. Вопят Сашка и Алена. Лидочка тихо и нежно поскуливает. Ванесса яростно чмокает меня в обе щеки. Все ждут впечатлений. Я выкладываю всю правду. Без прикрас. Врать неохота. Все охают и сочувствуют. Сашка, конечно, орет, что «эту гадину надо гнать поганой метлой». Ее все горячо и шумно поддерживают.

Потом рассказывают свои новости. Алена съездила домой, на Сахалин. Там встретилась со своей

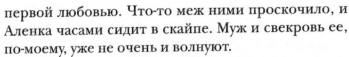

первой любовью. Что-то меж ними проскочило, и Аленка часами сидит в скайпе. Муж и свекровь ее, по-моему, уже не очень и волнуют.

Лидочкин муж попал в больницу с аппендицитом. Как все мужики, перенес это крайне трагично. Просил Лидочку не уходить домой и оставаться в палате на ночь. Целовал ей руки и объяснялся в любви. И еще просил прощения. За что — умная Лидочка уточнять не стала. Но настроение у нее было, как мне показалось, отличное.

Сашка орала на свою Феклу и требовала на ужин котлет из трех сортов мяса. Наголодалась с рыжей Матильдой, бедолага. А несчастная Фекла отдувалась за Матильдины суши и пиццы.

Ванесса находилась в каком-то непонятном настроении. В состоянии крайней задумчивости и какой-то растерянности, не очень ей свойственной. Мы переглядывались и пожимали плечами. Вопросов не задавали. Ванесса человек откровенный. Захочет — расскажет сама. Что лезть человеку в душу.

После работы я с радостью бежала домой. И еще — с ужасом ждала выходных. Данька ныл, чтобы мы приехали. Я скучала по Илюше. Несомненно. Но ехать на дачу не хотела. Режьте меня на части! Придумала неотложные дела. Сыночек расстроился. Ничего, переживет. Пусть получит свою Нюсю в полном объеме!

Про то, как они там питаются, я не спрашиваю. Не хочу себя травмировать. Не помрут, в конце концов. Взрослые люди.

Злая я. Не отрицаю. Да, недобрая. Но у меня есть на это все основания. Или нет?

Зоя, между прочим, к дочке и внуку не торопится. У нее посадки, прополка, окучивание и сбор колорадских жуков. Далее — сбор урожая и заготовки. Триста баллонов консервов. Мы помним.

У моей приятельницы Милки была сказочная свекровь. Свекровь-подружка. Мы ее звали по имени, Верунчик. Она не обижалась и даже наоборот — была счастлива. Верунчик обожала сидеть с нами на кухне, пить кофе и бесконечно курить. У нее был единственный сын Валик и муж Вадим Петрович. «Мужчина на все времена», — так говорила Верунчик. Верунчик была высокая, поджарая и спортивная — с виду. На самом деле больше всего на свете она обожала возлежать на диване с телефонной трубкой, чашкой кофе и сигаретой. Муж, который «на все времена», занимался научной работой в космической области и прилично зарабатывал. Верунчик ни в чем не нуждалась. Работала в полноги в какой-то невнятной организации. Ходила на работу, чтобы пообщаться с тетками. Больше всего на свете Верунчик любила байки про любовников и любовниц. У нее самой в жизни была пара непримечательных любовных историй, которые, кажется, ее не сильно удовлетворяли. Ей хотелось нечеловеческих, на разрыв, страстей. Слушала она жадно, перебивая и комментируя. Сначала мы стеснялись с ней делиться, да и опыт у нас, прямо скажем, был небогатый. Но ей было этого мало. Она убеждала нас, молодых и глупых, что жизнь надо проживать ярко. Бросаться в омут с головой. Не бояться приключений. Короче, заводить повсеместно интрижки и иметь любовников — постоянных и временных.

Я человек осторожный, в словах Верунчика искала подвох. Умоляла Милку за демаркационную линию не перешагивать. Свекровь — она и в Африке свекровь. Но наивная Милка расслабилась. Завела на работе вполне невинную интрижку и поделилась с Верунчиком. Та — ахала и охала. Искренне радовалась и ждала ежедневных Милкиных докладов по телефону. Та докладывала исправно. Когда дело зашло довольно далеко, Верунчик предложила Милке поехать с полюбовником в отпуск. И объявила, что «ради святого дела» готова сидеть с внуком Шуриком на даче.

Идиотка Милка на это дело купилась. Взяла путевки в пансионат в Хосту. Заняла денег и накупила летних тряпок и купальников. Считала дни до отъезда. Верунчик умоляла писать из Хосты подробные письма. Милка нервничала и смущалась.

В Хосте ее ожидало сплошное разочарование. Пансионат оказался убогим, еда — несъедобной. Погода словно решила усилить впечатление, и две недели шли непрерывные дожди. Милкин любовник оказался жутким жлобом и жалел денег на кофе и мороженое. Еще он начал скучать по жене и по детям и каждый вечер бегал на почту звонить семье. Милка плакала и мечтала вернуться в Москву. Но поменять в сезон билеты оказалось невозможно. Так они и сидели в номере и тихо ненавидели друг друга. Милка удивлялась, как она, имея такого приличного и славного мужа Валика, могла запасть на это жадное и неряшливое убожество! Потом она сообразила, что все это — дело рук Верунчика. Она ее сподвигла на эти дурацкие отношения и отправила в Хосту. И Милка Верунчика возненавидела. Со всей силой измученной дурацкой ситуацией души.

171

В Москву они ехали молча. Милке даже удалось перебраться в соседнее купе. На вокзале не попрощались, только обменялись такими взглядами, от которых можно было воспламениться и моментально истлеть.

Дома Милку ждал Валик. А еще чистая квартира, обед из трех блюд и любимый ее торт «Фруктовое полено» с желе и цукатами. Милка набросилась на Валика. Валик испугался, потом удивился, а дальше — обрадовался. Такой пылкой он еще свою жену не видел. И так пылко никогда она ему в любви не признавалась. Короче, с мужем у Милки было все замечательно. А вот на свекровь смотреть не хотелось. Когда Верунчик затащила Милку в уголок, чтобы та поделилась с ней впечатлениями, Милка холодно отстранилась и с усмешкой произнесла:

— А вы что решили, Вера Санна, что я и вправду с любовником на море отправилась? Чудачка вы, ей-богу! Я с подружкой ездила. С Леной.

И Милка растянула губы в змеиной улыбке.

— От такого мужа, как мой Валик, может гулять только законченная сука или идиотка. — Милка гордо вскинула голову и вышла прочь.

Верунчик хлопала глазками. Потом всхлипнула, расстроилась. Не ожидала от Милки такой подставы. И зачем она согласилась с Шуриком сидеть! Это было обиднее всего.

И вообще, Верунчик удивлялась и не понимала, почему Милка перестала с ней «дружить». Кофеек попивать и пересуды пересуживать. Чем не угодила! Золотая ведь свекровь! Каких мало!

А Милка со временем злиться перестала, конечно. Какая злость — смех один. С Валиком они переживали ренессанс отношений. Все было как в сказке. Лучше и не намечтаешь!

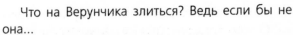

Что на Верунчика злиться? Ведь если бы не она...

Только с тех пор — строго: Вера Александровна. Никаких «Верунчиков». Тактично. С терпением и с уважением. Как положено невестке со свекровью!

Вот только Верунчику было грустно. Не поняли ее и не оценили. Все-таки правильно говорят: «От невесток благодарности не дождешься». Истина известная!

Нюся объявила, что после «такого лета» ей необходимы отпуск и восстановление. Короче говоря, поездка на море. От ярости я чуть не задохнулась. А Данька сказал:

— Пусть катится.

Так и сказал — «катится». Наверное, это хороший знак. Пусть катится. Деньги дали Ивасюки, пожалели дочурку. Нюся отправилась в Турцию, в Кемер. На две недели. Не позвонила ни разу. Раз в два дня эсэмэсила. Данька отвечал коротко: «Все нормально».

Высокие отношения. Ну и черт с ними! Я взяла две недели за свой счет — сидеть с Илюшей. Зоя обещала приехать помогать, но подвернула ногу — собирала в лесу грибы и споткнулась о корягу. Все-таки они буйнопомешанные со своими заготовками на зиму. Голода боятся, что ли. Я сижу с внуком. Он растет на глазах и радует нас. Наблюдаю за сыном. Огорчаюсь. К ребенку он по-прежнему, как мне кажется, довольно спокоен. Ну, подойдет. Сделает «козу». И пошел дальше по своим делам. Ночью Илюша тоже со мной. Даньке рано вставать на работу. Опять жалею и, наверное, опять не права. Отпустил жену, разбирайся сам. Зоя звонит ежедневно, оправдывается и переживает. Прислала Ивасюка. Он погулял с Илюшей два часа во дворе, потом два часа обедал и пил чай. Когда он выкатился, я с облегчением вздохнула — это не помощь, а лишние хлопоты.

Нюся пишет, что восстанавливается, но медленно. Две недели, скорее всего, недостаточно. Я не комментирую. Потому что слов нет.

Моя мама в сердцах бросает:

— Чтоб она провалилась!

Господь маму услышал!!! Нюся почти «провалилась». А точнее, решила не возвращаться. Любовь у нее случилась, понимаете ли. Всякое ведь в жизни бывает!

Короче, она написала Даньке, что у нее роман с турком по имени Кемаль. Турок Кемаль работает барменом в отеле. Любовь накрыла их внезапно. Они в потрясении и растерянности. У Кемаля в Кемере дом — полная чаша, беспокоиться за Нюсю не надо. Еще она просит развод. Про Илюшу ни слова. Словно его в природе не существует.

Данька пожелал Нюсе счастья в личной жизни. По-моему, он несказанно счастлив. Хорошие дела...

Вопросы есть? Вопросов нет. Вот оно — материнское сердце. То, которое вещун.

Короче, без комментариев.

Вроде бы надо радоваться такой развязке, но как-то не радуется...

Ивасюк собрался ехать в Кемер за милой дочуркой, но от переживаний его грохнул инсульт, и он в госпитале. Зоя возле него сутки напролет. Я понимаю, как они переживают. Тут и боль, и стыд, и чувство вины.

Пожалуй, им хуже всех. Мне их искренне жаль. Но помочь им я не могу, я с внуком. С работы я уволилась. Надо привыкать жить в данных обстоятельствах. А это очень непросто. В корне меняется вся наша жизнь. Моя, мужа, Даньки...

Нет, тут я не совсем права, в корне меняется *только моя жизнь*. Моя. И я уже отчетливо это чувствую и понимаю. Но деваться мне некуда. Я опять за всех отвечаю. Например, за своего сына. Которого я вырастила безответственным придурком.

И за своего внука. Который, кстати, ни в чем не виноват...

Еще одна жизнь — еще одна история. Виолетта Константиновна была женщиной, приятной во всех отношениях. Современной, модной, образованной и начитанной. У нее был неплохой муж Алексей Алексеевич, который обеспечивал Виолетте Константиновне не самую плохую жизнь. У них была прекрасная квартира из четырех комнат, со спальней, окнами на Нескучный сад и кухней в пятнадцать квадратов. Виолетта никогда толком не работала в полную силу и полный рабочий день. На работу — в какой-то профсоюзный комитет — ходила три раза в неделю. Как в клуб. Себя показать и на людей посмотреть. Причем, эта самая синекура давала ей вполне ощутимые блага. В виде путевок в лучшие санатории на теплых и не очень морях, в виде дешевых турпоездок, продуктовых заказов и талонов в различные

175

распределители. Ну и, разумеется, билеты в театры в третий ряд партера и лечение в прекрасной ведомственной поликлинике. С просторными светлыми холлами, отсутствием очередей и милейшим персоналом.

Но главное богатство ее жизни составляли, конечно, дети. Сын Антон и дочка Юлечка. Красивые и умные. Абсолютно беспроблемные дети. Ну, или почти беспроблемные. В юности, конечно, всякое бывало. Но если сравнивать с другими! Вот когда Виолетта сравнивала, то отчетливо понимала, что она очень счастливый человек. Тьфу-тьфу! Даже страшновато как-то!

Детки выросли и засобирались в свободное плавание. И опять никаких проблем. Дочка Юлечка встретила неплохого парня Гришу. Из хорошей семьи хорошего достатка. Гриша закончил юридический и собирался строить карьеру адвоката. Разумеется, были приложены все усилия, чтобы Гриша попал в адвокатскую коллегию. Впрочем, давать ему рекомендации — а были подключены очень серьезные люди — можно было спокойно. За Гришу наверняка краснеть не придется.

Юлечка работать не очень стремилась. Считалось, что она — женщина, созданная для семьи. Ну, и слава богу! На кусок хлеба зять всегда заработает. А о такой домашней жене можно только мечтать. На свадьбу молодым подарили новую квартиру. И Юлечка бросилась, как в пучину, в обустройство быта.

С утра они садились с мамой в машину и объезжали магазины. Строительных материалов, хозяйственные, мебельные, бытовой техники и те, где все для интерьеров.

Мотались они до самого вечера — с перерывом на обед, разумеется, и пару раз на кофе.

Вечером валились с ног. Юлечка показывала мужу образцы тканей на шторы, плитки в ванную комнату, каталоги итальянской мебели и светильников. Гриша смотрел невнимательно. И даже немного раздражался. Он устал и хотел есть. Юлечка обижалась и говорила, что она тоже без дела не сидела. И все это — будь здоров, какая работа. И она тоже, между прочим, без сил. И когда ей, кстати, было готовить?

Она уходила в комнату с надутыми губами и звонила маме. Пожаловаться. На черствость и непонимание.

Виолетта Константиновна, как мы уже говорили, была женщиной отнюдь не глупой. Дочь она с юмором успокаивала и против зятя не настраивала. Наоборот, советовала привести себя в порядок, надеть красивое платье, поправить макияж, улыбнуться и предложить Грише поужинать в ресторане.

Юлечка успокаивалась. Подводила припухшие глазки, надевала новое платье и улыбку и выходила к мужу.

Гриша дремал на диване, и перед ним на тарелке лежал кусок подсохшего сыра и подвядший огурец.

Юлечка присаживалась на край дивана и кокетливо теребила мужа за плечо.

Она опять надувала губки и говорила:

— Ну коть!

«Коть» испуганно вздрагивал. Молодая жена предлагала помириться. Гриша жалобно попросил чего-нибудь пожевать.

Юлечка ответила предложением пойти в ресторан. В тот, что недалеко от дома.

Гриша опять пугался. Но понимал, что его отказ повлечет за собой крупные неприятности. Он тяжело вздыхал, шел в ванную, умывался холодной водой и надевал ботинки.

Юлечка радостно крутилась у зеркала. Гриша смотрел на нее и улыбался. Раздражение проходило. Он искренне любовался красавицей женой и думал, что совсем несложно доставить ей удовольствие. Ведь не вагоны же она ему разгружать предлагала! А посидеть в приятном и уютном месте и к тому же вкусно поужинать.

«Молодая еще! — думал Гриша. — Всему научится. Когда срок подойдет».

Он вспомнил свою маму и опять вздохнул. Мама всегда встречала отца горячим ужином. Все, как он любил — картошечка с укропом, пышные сочные говяжьи котлеты и салат из редиски, зеленого лука и отварного яйца. Со сметаной, разумеется. А как вкусно она готовила мясо с черносливом, жареного карпа с картофельным пюре, оладушки из печени с кольцами лука, борщ с фасолью, кислые щи с грибами, гороховый суп с ребрышками.

«Охо-хо! — думал Гриша, глотал слюну и опять расстраивался. — Да нет, Юлька и вправду устала. Помотайся по пробкам по всем этим магазинам! Слава богу, еще меня за собой не тянет, с тещей мотается». Магазины Гриша ненавидел.

И они шли в ресторан, ели вкусную еду и выпивали бутылочку красного вина под мясо. На десерт Юлька, жуткая сластена, брала кусок торта. Гриша пил черный кофе без сахара, потому что немного склонен к полноте. А Юльке нравились худые и поджарые мужчины.

Дома Юлька его крепко обнимала и говорила, что она — самая счастливая.

Что еще нужно человеку? Он целовал Юльку в шею под волосами — самое заветное и любимое место. Юлькина кожа пахла жасмином и лимоном. Ему очень нравились Юлькины духи. И он тоже думал, что он совершенно счастливый человек. У него потрясающая жена. Замечательные родители. Вполне вменяемая теща и разумный тесть. Перспективная работа. Новая квартира и чудесная машина. Они молоды и здоровы. Вся жизнь — впереди! Сколько еще будет прекрасного и необыкновенного!

И, крепко обнявшись, они засыпали. Жизнь и вправду была прекрасна.

Утром Гриша чмокал спящую Юльку, варил себе кофе, делал бутерброд с подсохшим сыром и убегал на работу.

Юля вставала к одиннадцати. Тоже варила кофе и набирала мамин номер. Она докладывала маме, как замечательно прошел вчерашний вечер. Виолетта мудро и снисходительно посмеивалась. Юля благодарила мамулю за прекрасные — как всегда — советы. Виолетта опять посмеивалась. Потом они обсуждали планы на день. Юля красилась, одевалась и ехала за мамой. Какое счастье, что они с мамулей такие подруги! Никакие приятельницы не нужны. От них — либо зависть, либо фальшь.

Или сплетни.

А с мамуськой — сплошное удовольствие. Сплошной комфорт. И Юлечка прибавила газу. Из машины она позвонила Грише. Сказала, что очень его любит и уже соскучилась. И немного поныла, что сегодня опять куча планов. В смысле — тяжелый день.

День выдался и вправду насыщенный. Сначала искали картинки в коридор. Юлечке хотелось какие-нибудь пейзажи, что-нибудь «на воде». А мама советовала цветы. Купили пионы в темных рамах — белые и розовые. Потом искали постельное белье, шелковое и одноцветное. Стильное, короче говоря. Дальше проголодались и пообедали в итальянском ресторанчике. Мама обожала лазанью, а Юлечка паннакотту. Угощала, разумеется, мамуля. Потом искали босоножки Виолетте Константиновне. Итальянская обувь ей была узка и неудобна, а немецкая удобна, но совсем не элегантна. Так и не подобрали. Потом Юлечка вспомнила, что Грише нужен яркий галстук. На лето, под бежевый льняной костюм. Тоже проблема. Гриша не любил полоску, а Юля горох. Мама посоветовала клетку — бежевую с голубым. Очень здорово.

Потом пили кофе с маковым рулетом. Зашли в ювелирный, Юлечка захотела крупные серьги на лето. Что-нибудь с яркими прозрачными камнями. Но ничего не понравилось ни ей, ни маме. Потом у мамули разболелась голова, и она засобиралась домой. Расставаться не хотелось. Приехали к маме. Выпили чаю и легли отдыхать. Проснулись и опять выпили чаю. Потом пришел папа, немного поболтали. Мама посмотрела на часы и велела позвонить Грише. Гриша сказал, что будет дома через полчаса. Юлечка заторопилась домой. Хотя у родителей было, честно говоря, очень хорошо и душевно. Впрочем, как всегда.

В дверях мама строго спросила, есть ли у дочери ужин. Юлечка возмутилась:

— А когда?

В смысле, когда ей было готовить?

Виолетта Константиновна неодобрительно покачала головой и мягко дочь осудила. Сказала, что это не дело. Ужин должен быть всегда! Как «Отче наш»!

— Тебе хорошо! — заканючила Юлечка. — У тебя домработница!

Виолетта Константиновна опять дочь не одобрила. Доживи, дескать, до моих!

Потом дала напутствие — купить в супермаркете что-нибудь из кулинарии. Сейчас, кстати, в дорогих магазинах очень приличные отделы кулинарии.

Например, котлеты или плов. Или жареного цыпленка. Быстро сварить картошку и разогреть готовое!

— А вообще, на будущее! О муже надо заботиться! — И она недовольно покачала головой.

— Ну, мам! — заныла Юлечка. — Мне еще к плите вставать!

Мать строго сказала:

— Да, представь себе.

Юлечка наморщила хорошенький носик.

Виолетта Константиновна чмокнула ее в этот самый носик и сказала, что договорится со своей домработницей Люсей, чтобы та приходила и к Юлечке. На уборку. Два раза в неделю. Оплачивать, разумеется, будут они с отцом, и она тяжело вздохнула.

— И гладит пусть! — сообразила повеселевшая Юлечка и расцеловала любимую умницу мамулю.

Виолетта Константиновна шлепнула дочку по круглой попке и наказала вечером созвониться.

Еще бы! И не один раз! Можно подумать, что Юлечке надо об этом напоминать! Может быть, она не самая лучшая жена, но дочка точно самая образцовая! И без всякого напряга, кстати!

Юлечка заехала в магазин. Купила килограмм плова с бараниной, селедку «под шубой», салатик из свежей капусты с морковкой и набор для окрошки. Гриша окрошку обожал. Взяла бутылку кваса, сметану, сыр, свежий хлеб и творожки на завтрак.

Пулей влетела домой. Положила плов в казанок. «Шубу» на блюдо, салатик в миску, квас сунула в холодильник. Нарезала хлеб и поставила сметану. Через пятнадцать минут нарисовался Гриша, усталый и ни на что особенно не рассчитывающий — это было написано у него на лице. Юлечка повисела у него на шее, почмокала и строго приказала мыть руки.

Когда Гриша зашел на кухню, на столе стояла тарелка с окрошкой и селедочная «шуба». Черный бородинский хлеб. В казане разогревался плов. По кухне плыл сладкий запах баранины и чеснока. Гриша закрыл глаза и застонал от удовольствия.

— Господи, Юлька! — промычал он. — Чудо мое расчудесное!

Юлечка скромно повела плечом, подумаешь, делов-то!

Села напротив и скромно положила себе витаминного салата. Вспомнила слова премудрой мамули, что мужчинам не очень-то нравится, когда женщины много едят. К тому же она была совсем не голодна.

Гриша съел две тарелки окрошки. Селедку. Полную плошку плова. Откинулся на стуле и потянулся за телефонной трубкой. Набрал номер своей мамы и с гордостью подробно докладывал, что его любимая жена приготовила ему на ужин. Мама счастливо посмеивалась и просила передать «Юлечке огромный привет».

Потом Юлечка достала купленный галстук, и Гриша совсем растрогался, до слез, искренних и счастливых.

Дальше он завалился на диван, включил телевизор и сытно икнул. Юлечка рассмеялась, а он страшно смутился и долго извинялся.

Юля пошла в спальню и позвонила, разумеется, маме. Шепотом доложила ей обстановку. С подробностями. Они посмеялись, и Виолетта Константиновна ее все-таки слегка пожурила и сказала, что это — не выход. Так, на крайний случай. Готовить надо все же самой. Ну или, в конце концов, просить Люсю. И еще посоветовала дочке проверить, выкинула ли она чек из отдела кулинарии. Юлечка бросилась на кухню проверять. Чек лежал в пакете. Юлечка порвала его на мелкие кусочки и спустила в унитаз.

Плова хватило еще на два дня. Через два дня пришла Люся и сварила грибной суп из шампиньонов, потушила курицу с овощами. Ели два дня с удовольствием. Гриша был уверен, что и суп, и курицу приготовила его жена. Юлечка справедливо посчитала, что разочаровывать мужа не стоит. И правду знать ему тоже ни к чему.

Гриша докладывал любимой маме про кулинарные изыски любимой жены. Мама думала, что от избалованной невестки она этого не ожидала. Хотя девочка, конечно, неплохая. И еще и умелица, как оказалось! Приятный сюрприз. Впрочем, разве ее сынуля этого не заслуживает?

Когда Люся не успевала сготовить, выручала кулинария. Впрочем, и рестораны не отменялись.

Гриша же нормальный и продвинутый мужчина. Не домашний же тиран. Он прекрасно понимал, что молодой и современной женщине можно иногда и отдохнуть от плиты.

Тем более такой внимательной и старательной. Заслужила!

Ну а через полтора года надумал жениться сын Антон. Выбирал, надо сказать, долго и тщательно. И вполне имел на это право! Парень он был видный, успешный и образованный. Хорошая должность в престижном банке, дорогая машина и квартира на Пироговке — бабушкино наследство. Девицы у него были как на подбор — длинноногие красотки. И совсем не дуры, кстати. Все мечтали выйти за него замуж. Но он не спешил. Ждал любви. И дождался.

Девочку, как и сестру, звали Юлей. Она была красива яркой, средиземноморской красотой. Черные волосы, голубые глаза. Грудь без силикона, ноги и талия — все как положено. Юля была из Питера. Собственно, и познакомились они в дороге. В «Сапсане», в вагоне бизнес-класса.

Антон потерял голову. На выходные мотался в Питер. Бросал к ногам любимой корзины цветов. Даже зимой — сирень и ландыши. Потому что Юля любила сирень и ландыши. Поехали на Мальдивы. И там Антон сделал ей предложение. Очень изысканно и романтично. На берегу бирюзового моря, на белом песке, преклонил колено и надел на палец кольцо с бриллиантом в два карата.

Юля расплакалась и дала согласие. А кто бы устоял? У них была самая прекрасная ночь их любви — в полотняном гамаке на берегу. Оранжевое солнце уползло за горизонт. Официант принес шампанское и бокалы, а три музыканта в отдалении играли «Бесаме мучо» на семиструнных гитарах.

Вернулись в Москву и стали готовиться к свадьбе. Приехали Юлины родители. Папа — врач частной клиники и мама — домохозяйка, бывшая учительница музыки. Словом, вполне приличная семья. Даже очень.

Виолетта Константиновна приняла невестку не то чтобы прохладно, но спокойно. С достоинством, так сказать. Ненавязчиво всем своим видом показывая, как Юленьке крупно повезло. И с женихом, и с достатком. И с семьей жениха. Можно подумать, что Юленьку взяли со свинофермы из глубокого села!

Юлечка-сестра отнеслась к золовке тоже сдержанно. И немного ревниво. Нет, не в том смысле, что она ревновала ее к брату. А в смысле ревности женской. Ведь обе они были молоды, красивы и небедны. Почему-то она, совсем не злая и не вредная, с удовольствием подмечала у тезки подтекший макияж, мятую юбку и узковатую в груди блузку.

Но питерская Юленька подколок не замечала. Или у нее хватало ума на них не реагировать. Она была не только красавица, но и умница. И поэтому к сестре мужа и к свекрови относилась не как к стихийному бедствию, а как к неизбежности. К тому же она была очень счастлива. А счастливые люди, как правило, миролюбивы. К дружбе с родственницей она не стремилась. Достаточно просто хороших отношений. Она была гостеприимна, доброжелательна и терпима.

Та Юлечка, которая сестра, немного нервно среагировала на свадебный подарок брата своей невесте. В смысле кольца с бриллиантом в два карата. Припомнила, что Гриша ей подарил жемчужное ожерелье.

Виолетта Константиновна на свадьбу подарила невестке золотой браслет. Из магазина. А дочке отдала бабушкины серьги с изумрудами. На всякий случай. Ну, чтобы без обид.

Сыграли свадьбу и зажили. В любви и согласии. Юленька-невестка решила писать детективы. Все говорили, что у нее хороший язык и отменный юмор. Еще она неплохо рисовала. Пейзажи и натюрморты. А также обожала разводить цветы.

Даже самые экзотические и капризные у нее замечательно приживались и бурно цвели.

Словом, личность она была творческая и неординарная. Антон с удовольствием поощрял увлечения жены и очень гордился ее успехами. Правда, рукопись не взяло ни одно издательство, но хорошо известно, что иногда и к самым талантливым людям успех приходит не сразу. И он уговаривал расстроенную Юленьку писать дальше. Может быть, что-то получится в другом формате и жанре?

Юленька была домоседкой. Писала картины и книгу. Занималась цветами. Много читала. Диапазон ее интересов был широк — от Достоевского и Юнга до Шишкина и Улицкой. Весь день в квартире играла классическая музыка. Юленька любила Малера и Шнитке. Говорила, что под Губайдуллину и Вагнера хорошо пишутся психологические портреты. Пером и кистью.

Вот такая была Юленька. Непростая. Талантливая. Значительная. Тонкая.

Антон ею восхищался. При такой внешности — такая натура! Пока все шарашат по бутикам и спа-салонам, его жена развивается духовно.

Хозяйство Юленька считала делом пустым и неразумным. Очень трудозатратным. Нет, она совсем не была аскетом или пуританкой. Она любила качественные вещи, хорошую обувь и дорогие сумки. Стриглась у известного стилиста. С удовольствием носила дизайнерские украшения. И очень любила французскую кухню.

Но зачем тратить такое дорогое время на приготовление борща или котлет? Ведь за это самое время можно почитать книгу или написать картину. Посмотреть старую картину Феллини или Бертолуччи. Просто сходить в музей или на концерт.

Но не подумайте! Она не была человеком бессовестным и безразличным. Она прекрасно понимала, что в доме нужно прибираться и мужа кормить. Хоть и не любила все это до невозможности. Ну не бывает же все одновременно и сразу — и красота, и талант, и способности к домашнему хозяйству.

Юленька была не глупее Юлечки. Кулинария в супермаркете у ее дома тоже имелась. И она тоже ею с удовольствием пользовалась. Не брезговала. Покупала и готовые цыплята-табака, и мясо по-французски с сыром и луком. Пирожки с капустой и венгерские ватрушки. Винегрет и корейскую морковку. В общем, голодным любимый муж не ходил. Правда, в отличие от родственницы, она не приписывала себе гастрономических подвигов. Она вообще не любила врать. К тому же муж и не ждал от нее этих самых подвигов. Любил ее и без них. Иногда заказывали по телефону что-нибудь из ресторана. Тоже выход!

В субботу Антон пылесосил квартиру и мыл полы. Юленька смахивала пыль. Цветным ершиком. Пару раз попыталась что-то приготовить по рецепту ведущей кулинарного шоу. Той, что мечется по кухне как подорванная. Почему-то не получилось. То ли рецепт у ведущей был дурацкий, то ли Юленька что-то напутала. В общем, не вышло. Несъедобно. Совсем. Выкинули в помойку. Юленька расстроилась, а Антон смеялся и ее утешал. Говорил, что для хозяйства существуют специально обученные люди. Что готовка тоже требует таланта. И что не может у одного человека быть столько талантов одновременно. И что женился он не на поломойке и не на кухарке. Сознательно, между прочим. И предложил жене поужинать в модном итальянском ресторане. Самый сезон устриц.

187

Они поехали в центр. Погуляли по Чистым Прудам. Покормили лебедей. Купили билеты на вечерний спектакль в «Современник». И отправились обедать в этот самый ресторан, проводящий «фестиваль устриц». У нас ведь без пафоса не бывает. Непременно фестиваль, не меньше!

Устрицы были свежи и восхитительны. Пахли морем и быстро съеживались под лимонным соком.

Спектакль был трогателен. Актеры, как водится, талантливы. Домой вернулись наполненные и задумчивые. Зажгли свечи, налили вина и включили Моцарта. Уютно устроились на диване, под пледом в обнимку. И остро ощутили огромное, непомерное и спокойное счастье. Одновременно.

Виолетта Константиновна о невестке отзывалась сдержанно.

— Нормальная девочка, — говорила она. И добавляла: — Со своими тараканами, конечно. Не без этого.

Когда подружки интересовались, что там за тараканы такие, она в подробности не вдавалась. Просто объясняла, что «она мне родной не стала».

Одна далеко не глупая подруга ей на это сказала:

— У тебя есть дочь, сын, муж, сестра. Что, испытываешь недостаток в родне? Главное, чтобы сын был доволен и счастлив. А ведь он доволен и счастлив, по-моему? — уточнила ехидная подруга.

— Ну, вроде, — кисло промямлила Виолетта.

Иногда они с дочкой заскакивали на Пироговку. Называлось это «на кофеек». Но всем было понятно, что с инспекцией.

Невестка открывала дверь и расстраивалась:

— А что не предупредили? Я бы за пирожными сбегала.

Золовка отвечала, что пирожные они не едят. Следят за фигурой.

Соглашались на кофе. Юленька варила кофе. Предлагала бутерброды.

Виолетта интересовалась: «А что у тебя на обед?»

Юленька лихорадочно вспоминала и дергала ручку холодильника. Свекровь тянула шею и прищуривала глаза. Видела контейнеры из магазина. С салатами и мясом. Хмурила носик и переглядывалась с дочкой. Обе вздыхали. Потом пили кофе. Разговор почему-то не клеился. И свекровь, и золовка сидели с кислыми лицами. Юленька переживала и не знала, как развлечь нежданных гостей. Предложила посмотреть новые работы. Пошли в комнату. Родственницы молча постояли у полотен. Золовка сказала: «Ну, понятно». И опять вздохнули и переглянулись. Виолетта невзначай провела ладонью по журнальному столику. Стряхнула с ладони пыль. Естественно, скорчила гримасу. Невестка неловко оправдывалась, мы, дескать, еще не убирались.

Свекровь уточнила:

— Кто это «мы»?

Юленька залепетала, что «они» — это Антон и, собственно, она.

Свекровь вскинула бровь и спросила, какие обязанности по дому у ее сына. Невестка пролепетала, что «Антошка пылесосит».

Золовка сказала:

— Ну не хрена себе!

И было непонятно, чего в ее голосе больше — возмущения или зависти.

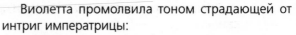

Виолетта промолвила тоном страдающей от интриг императрицы:

— Все ясно.

Короче, все действительно стало понятно. Юленька стояла, опустив глаза и ненавидя себя за правдивость.

В ванной Юлечка изучала кремы своей тезки. В ценах она не ошибалась.

Свекровь перед зеркалом в прихожей тщательно красила губы.

Уходили с мрачными лицами и без дежурных поцелуев.

Юленька села в кресло и расплакалась. Какие стервы! Специально застигли ее врасплох!

Юленька была бесхитростна, но не наивна.

И еще, как было сказано выше, очень умна. Мужу решила все преподать грамотно.

Виолетта возмущенно плюхнулась в машину. Юлечка дала по газам.

Через минут десять, после того как они нервно выкурили по сигарете, дочка не выдержала.

— Ну как? — спросила она у матери. И, не дожидаясь ответа, с возмущением добавила: — Хорошо устроилась!

Виолетта, с лицом, покрытым красными пятнами — высшая степень раздражения, — закивала. На лице неподдельная скорбь. Просто боль на лице душевная. Нечеловеческие страдания просто.

— Нет! — продолжала возмущаться сестра несчастного брата. — Везет же некоторым! Ни кожи ни рожи! А такая пруха! Сразу на все готовенькое! На блюдечке с голубой каемочкой. Ну как тебе все это нравится? Овца овцой! Пикассо, блин! Конан Дойль доморощенный! — продолжала «пылить» Юлечка.

Виолетта закурила новую сигарету и произнесла:

— Не волнуйся! Я мимо этого не пройду. Точки над «і» расставлю!

Конечно, насчет «кожи и рожи» Юлечка крепко загнула. Насчет «овцы» тоже. Но когда так сильно и искренне возмущение! И такая обида за брата!

Вечером Юленька с огорчением рассказывала мужу о визите внезапных гостей. Сокрушалась, что ее застали врасплох. Что она работала и ничего не успела приготовить. И прибраться тоже не успела.

В общем, переживает она ужасно. Даже разболелась голова. От расстройства, что не оказала родственницам достойного приема.

Антон тоже был далеко не дурак. С маман и сестрицей знаком был неплохо. Понимал, что это происки.

Жену успокоил, набрал телефон матери. Та ответила умирающим голосом. Он спросил, какие проблемы.

Маман вздохнула и с пафосом сказала, что, по ее мнению, зампред банка не должен мыть унитазы. Что питаться готовой пищей по меньшей мере невкусно. Не говоря уже о вреде. И совсем не говоря о ценах «на всю эту кулинарную гадость». И что надо нанять домработницу. Чтобы не жить в свинарнике. Правда, *так* никаких денег не хватит.

И вообще, почему «молодая и здоровая женщина не работает, а занимается всякой фигней?».

Сын выслушал всю эту тираду спокойно. Не перебивая. Потом сказал:

— Так! Во-первых, меня все устраивает. Всё! — повторил он угрожающе. — Во-вторых. Спасибо за совет про домработницу. Сам не догадался, дурак. В-третьих. Обрати внимание на свою дочь.

И откорректируй то, что не удалось воспитать. И в-четвертых. Критику в адрес своей жены не приемлю и не потерплю. Потому, что ее люблю. И потому, что, опять же, меня все устраивает.

И напоследок невежливо посоветовал маме и сестрице «наконец заняться каким-нибудь делом».

И еще попросил не заваливаться к ним в гости без звонка. Потому что «не все маются от безделья. Некоторые занимаются делом».

После этого спича он положил трубку. Довольно резко, надо сказать.

Виолетта Константиновна все поняла. Здраво решила больше не нарываться. Поняла, что разговаривать «с этим влюбленным подкаблучником» нет никакого смысла.

Раздрай в семье не нужен. Значит, придется смириться. Другого выхода нет. Потерять статус благополучной семьи нельзя. Нельзя доставлять подружкам подобную радость.

Конечно, она позвонила дочери. Конечно, поплакала и поплакалась. Дочь ее поддержала и пожалела. Подтвердила, что брат — кретин и половая тряпка. Добавила, что «всего еще нахлебается полной ложкой». Половником даже. Вспомнила, что в ванной видела кремы «Сислей». Ну, не фига же себе!

Скорбно добавила, что она себе такого позволить не может.

Что, впрочем, не было правдой.

Потом сказала, что к этой суке она больше ни ногой.

Мать ей ответила, что все надо терпеть. Ради сына и брата.

Дальше они долго утешали друг друга и сетовали на то, что «сын — отрезанный ломоть» и «что

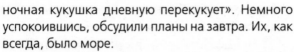

ночная кукушка дневную перекукует». Немного успокоившись, обсудили планы на завтра. Их, как всегда, было море.

Такие вот дела. Две Юлечки. Теща и свекровь. Дочь и сын. Невестка и зять. Два взгляда на одни и те же обстоятельства.

Данька в полном отрыве. К нам заходит только поесть. Глаза ошалелые. Может, он эротоман? Только не тайный, как в знаменитом и всеми любимом фильме, а явный?

Короче, раз, два, три, четыре, пять — вышел зайчик погулять!

Со съемной квартиры съезжать не собирается. Говорит, что в состоянии оплачивать ее сам. Ничего себе! Свил гнездо разврата! Не бывать этому. Пусть живет с нами. И со своим сыном, между прочим! Хорошо все, блин, устроились! Родители, мать их...

У Ивасюков дела хуже некуда. Валерий Петрович не разговаривает. Мычит. Рука и нога не работают. Все время плачет. Зоя совсем измучилась. Просто падает с ног. Бедные, бедные Ивасюки! Их прелестная дочурка звонит раз от разу. Про их беду, разумеется, знает. В Москву не торопится. Видимо, еще недостаточно загорела.

Мне их очень жаль, но я, к сожалению, им не помощник. У меня Илюша, и я тоже падаю с ног. Возраст есть возраст. Недаром репродуктивные возможности у женщин весьма ограничены. Природа мудра. Днем я еще держусь. Если бы высыпаться

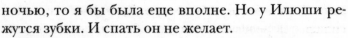

ночью, то я бы была еще вполне. Но у Илюши режутся зубки. И спать он не желает.

Муж смотрит на меня почти со слезами. Ему меня бесконечно жаль. Однажды он слышит, как я рыдаю в ванной. От усталости. И он твердо объявляет, что надо что-то делать. А решение, собственно, лежит на поверхности — надо найти няню. Помощницу. Конечно, вопрос в деньгах тоже. Муж разговаривает с сыном, закрывшись на кухне. Разговор я не слышу. Только интонацию. На следующий день наш красавец является домой. С вещичками. С квартиры он съехал. И мы начинаем поиски Мэри Поппинс.

Судьба ко мне благосклонна. Видимо, ей меня очень жаль. И она посылает мне Валечку.

Валечку я увидела во дворе, гуляя с Илюшей. Из подъезда соседнего дома вышла высокая и худая женщина. На руках у нее было что-то, завернутое в одеяло. Я подумала, что это больной ребенок. Женщина осторожно и бережно несла свою ношу. Подошла к скамейке и развернула одеяло. Долго усаживала «кого-то». Тщательно укутывала ноги, что-то поправляла и расправляла. Видно мне было плохо. Подойти неловко.

На следующий день история повторилась. Я сидела на соседней лавочке. И тут я увидела, что в одеяло завернут не ребенок, а крохотная, как гномик, старушка. Женщина устроила ее поудобней и взглянула на меня. Я ей кивнула. Она подошла и, сильно смущаясь, спросила, буду ли я на улице еще минут пятнадцать. Я сказала, что еще полчаса наверняка. Она спросила, не пригляжу ли я за бабулей. Так, глазами. А она сбегает в булочную. Я, разумеется, согласилась и пересела на лавочку с бабушкой. Женщина побежала в магазин. Я крикнула ей, чтобы она не спешила. Я посмотрела на старушку и поняла, что она слепая. Ярко, не по-зимнему, светило солнце. Так иногда бывает в январе. Бабуля не жмурилась. На ее лице блуждала мягкая улыбка. Я о чем-то ее спросила. Она вполне разумно ответила. Мы разговорились. Бабушка сказала, что живет с дочкой, Валюшей. Что они одни на белом свете. Что ослепла она десять лет назад после неудачной операции. Что в этом году ей исполнится девяносто пять лет и что ей очень жалко дочку, которая с ней так мучается. Потому что бабуля не ходит уже давно. Валюша носит ее на руках в туалет и в ванную.

Вернулась запыхавшаяся Валюша. Горячо меня благодарила. Села рядом, и мы проговорили еще полтора часа. С тех пор началась наша дружба. Мы рассказали друг другу про себя все. Или — почти все. То, что посчитали нужным. И Валечка сама предложила мне помощь. Договорились, что она будет гулять с Илюшей. Два часа утром и два вечером. Господи, за это время я могу переделать кучу дел! Сбегать в парикмахерскую. В магазин. Съездить к маме. Сварить обед. Убраться в доме. Наконец, поспать! Это было абсолютным счастьем!

Валечка честно сказала, что в деньгах она очень нуждается, живут они на две пенсии и половину денег платят за квартиру. А еще отсылают маминой сестре в деревню, которая когда-то их спасала от голода. Извинилась, что не может гулять бесплатно, и что ей крайне стыдно за это и неудобно.

Как будто я бы пошла на то, чтобы пользоваться ее услугами на дармовщину! Цену она назвала копеечную, половину от того, что берут другие. Еще она добавила, что может отпускать нас вечерами, если понадобится, в гости или в кино. Я сказала ей, что летом можно поехать всем составом на дачу — мы и Валечка с мамой. Все будут на воздухе, и нам вдвоем будет легче. Валечка растрогалась до слез.

Каждый день Валечка пекла. Пироги и пирожки. Говорила, что тесто ее слушается и что выпечка очень выручает — дешево и сытно. И еще очень вкусно. Она рассказала, что мама ничего не хочет есть, кроме сладкого. Сластеной была всю жизнь, а наесться досыта не могла, такая была бедность. Хватало только на хлеб и дешевую рыбу. Карамельки — самые дешевые — покупались только к праздникам. Карамельки и бутылка кагору — тоже сладкого, как известно. Мама рассасывала конфету и жмурилась от удовольствия. Хорошо, что в те нищие годы помогала сестра, та, которая деревенская. Присылала фасоль, горох, лук, картошку, сушеные грибы. Мария Тимофеевна, Валечкина мама, варила густую похлебку — горох, фасоль, грибы, самую дешевую перловую крупу. Побольше картошки и моркови. Чтобы было сытнее.

А сейчас дочка печет пироги с вареньем, тортики со сгущенкой. Мария Тимофеевна обожает варенье — две кружки чаю и баночка варенья. А фрукты сейчас не копеечные. Варенья Валечка варит на всю зиму и весну, осень и лето. На весь год — литров тридцать. Бабуля еще очень любит мед, но мед нынче удовольствие не из дешевых.

Я поехала на ярмарку в Манеж и купила две трехлитровые банки меда. Валечка расплакалась. В тот же вечер она принесла пирожки. Целую миску. Правда — какое-то чудо. Тают во рту. Мы смолотили эту самую миску за один вечер.

Потом наглец Данька все время спрашивал, когда тетя Валя еще напечет. Можно подумать, заслужил. Детка малая!

Валечка была крепкая, жилистая. В ней чувствовалась здоровая деревенская сила. Руки большие, пальцы длинные и сильные. Ноги как у молодой женщины — без выступающих вен и целлюлита. Лицо хорошее — правильные, строгие черты. Не яркое, но очень благородное. Совершенно никакой простоты — тонкий нос, красивые, широкие брови, большие глаза. Только краски на лице поблекшие, выцветшие. Ни грамма косметики, седина, старческий пучок на затылке.

Валечка показала семейные фотографии — все красавицы, глаз не оторвать. И Мария Тимофеевна, и ее сестра Аннушка. Та, что присылала посылки. И мать обеих сестер. И тетки, и бабки. Просто иконописные лица. Я шумно восторгалась, а Валечка вздыхала и грустно улыбалась.

— А толку? — глядя на очередное фото, сказала она. — Все красавицы, да. Из соседних сел сватались. Знали, что у Юрьевых все девки как на подбор. А вот счастливой — ни одной. У кого муж пил, кого бил. У кого — и то и другое. У кого погиб. На войне или в лагерях. Теткин муж утонул в болоте. Мой отец заблудился на охоте и замерз в лесу. Такие вот судьбы. А еще — нужда, нужда. И беспросветная, тяжелая работа всю жизнь.

Мария Тимофеевна приехала в Москву с пятилетней Валечкой. Хотела для дочки городской жизни, той, что полегче. Мечтала, чтобы дочка получила образование, профессию. Сама устроилась дворником. Дали служебную комнату в полуподвале, дворницкую. Там же и лопаты, и метла. «В сенях». Газа не было. Готовили на керогазе. Отапливались «буржуйкой». В туалет ходили в ведро. И это — в центре Москвы. Целый день на улице. Летом неплохо. А зимой? Особенно снежной? Валечка говорила, что больше всего на свете она боялась снегопада. Утром тревожно смотрела в окно — не намело ли? Если намело, помогала матери. Одной ей было не справиться. Через пятнадцать лет дали однокомнатную квартиру на первом этаже. С горячей водой и газом. С теплым туалетом. Какое же это было счастье!

Когда мама вышла на пенсию, поменяли эту квартиру в центре на двухкомнатную на выселках. Тоже на первом этаже. У мамы тогда уже отказывали ноги, и Валечка выносила ее на улицу на руках.

Валечка поступила в техникум связи. Работала телефонисткой на АТС. Хороша была — глаз не отвести. На улице познакомилась с молодым человеком. Стали встречаться. Виталий жил с матерью, актрисой Театра эстрады. Дама она была светская и своевольная. Валечку признавать не желала — слишком простая, не их поля ягода. Но они поженились. Переехали к Виталию. Парень он был неплохой, не злой и не вредный. Молодую жену-красавицу очень любил. Но ИМЕЛАСЬ у него одна паршивая страстишка: Виталий был игрок. Играл на деньги — в карты, нарды и даже в домино. По воскресеньям пропадал на ипподроме. Валечка умоляла его бросить эти привычки. Куда там! Он проигрывал. Она отдавала ему все свои деньги. Он каялся и обещал завязать. Но, понятно, не мог. Недаром сейчас игромания признана болезнью. Тогда про это никто не знал. Считалось, что это глубокий порок. Валечка сильно мужа любила. И очень страдала оттого, что не может ему помочь. Свекровь, конечно, об этом знала. И даже сама отчасти была к этому причастна. Собиралась с подружками и по ночам играли в преферанс. Тогда сыночек к игре и пристрастился. Скандалила с ним, конечно. Кричала, рыдала в голос. А что толку? Потом Виталий начал поддавать. Не до скотского состояния, но все же пил.

Валечку свекровь как будто не замечала. Даже здороваться забывала. Семейных обедов и ужинов не было. Валечка покупала продукты, готовила, а сама есть стеснялась. Схватит хлеба с колбасой и к себе в комнату. Свекровь скандалила с сыном. Валечка не встревала. Сидела, как мышка, у себя и дрожала, как осиновый лист.

А однажды у свекрови пропал золотой браслет. И в краже она обвинила Валечку. Кричала, что та ничего в жизни, кроме дерьма, не видела, вот и польстилась. Валечка клялась, что она ни при чем. Что в жизни не взяла чужого — ни рубля, ни нитки. Что скорее умерла бы с голоду, чем позарилась на чье-то добро.

Свекровь объявила, что воровку она в доме не потерпит. Валечка дрожавшими руками собирала в старенький чемодан свои нехитрые вещички.

Виталий курил у окна и вяло мямлил что-то типа: «Мам, ну хватит». Валечка вышла в коридор. Посмотрела на мужа и спросила:

— Ты тоже так думаешь?

Он пожал плечами:

— Да нет, не думаю. Но браслет-то пропал! А в доме чужих людей не было...

Ей вслед свекровь кричала страшные вещи. Посылала проклятия. Назвала «нищей подзаборной тварью». Попрекала, что Валечку вытащили из помойного бака.

— Так и подохнешь нищей! И золото мое тебе счастья не принесет! — брызгала ядом свекровь.

Валечка выскочила из квартиры. На улице ее вырвало. Накануне врач поставил ей шесть недель беременности.

Валечка вернулась к маме. Через четыре месяца она случайно на улице столкнулась с Виталием. Он увидел ее живот. Она прибавила шагу. Почти побежала. Он бросился за ней. Догнал. Признался, что браслет взял он, чтобы покрыть карточный долг. Сказал, что побоялся объяснить матери правду. Что страшно мучился и терзался. Умолял его простить, обещал, что больше играть не сядет. Говорил ей, что очень ее любит. Страшно по ней тосковал. Что счастлив оттого, что будет ребенок. Клялся, что теперь у них будет совершенно другая, нормальная жизнь. Целовал ей руки. И обещал, обещал, обещал...

Валечка не проронила ни слова. Потом вздохнула, с жалостью посмотрела на него и удивленно спросила: неужели он думает, что после всего этого она сможет ему поверить? Простить? Жить с ним дальше? Как будто ничего не было?

Он растерялся и сказал, что все имеют право на ошибку. Что даже преступников прощают.

Она кивнула:

— На ошибку да. Но это — не ошибка. Это называется другим словом. Это предательство.

Она вырвала свои руки и пошла прочь.

Он приходил к ней в течение месяца. Каждый день. Умолял, клялся, божился, обещал. Плакал под дверью. Она дверь не открыла. Ни разу. А однажды ночью ей стало плохо. Вызвали «Скорую». Увезли в больницу. Той же ночью она родила мертвую девочку.

Больше она замуж не вышла. Да что там замуж. Больше она не встречалась ни с одним мужчиной. Не могла и не хотела. Потому что больше никому не верила.

Умница Валечка. Красавица Валечка. И истончилась, истаяла Валечкина красота. Без любви.

Такая вот судьба.

* * *

У мамы юбилей. Вообще-то она свои дни рождения не любит и не справляет. Но я настояла. Умолила просто. Сказала, что все приготовлю сама. На ресторан, разумеется, денег нет. Обсудили меню и количество гостей. Родни осталось не так много. Но есть мои подружки, которые маму обожают и тоже считаются ее подружками. Все — и Сонька, и Лалка, и Танюшка, и Милочка.

201

Слава богу, есть Валечка, и я могу заниматься маминым юбилеем. Валечка, кстати, обещает напечь своих волшебных пирогов. Мы закупаем продукты, и я еду к маме с ночевкой. Валечка остается с Илюшкой на сутки.

Мама нервничает и сетует, что поддалась на мои уговоры. Что все это не надо ни ей, ни всем остальным. Кокетничает, короче говоря.

Она уже успела сварить холодец и приготовить свое фирменное сациви. Остаются салаты, язык в желе, печеночный паштет и заливная рыба. Это на мне. Здорово выручат Зоины банки — грибы, лечо, маринованные огурцы и помидоры. На горячее — баранья нога.

Торт привезет Лалка. Из какой-то «сумасшедшей французской кондитерской». Сонька звонит три раза и просит «огласить весь список». В смысле, меню. Сообщает, что мы больные на голову. И даже выражается в наш адрес еще покрепче.

Танюшка тоже звонит и предлагает помощь. Я долго отказываюсь, но потом сдаюсь и прошу приехать пораньше и накрыть стол. Потому что с утра мы поедем с мамой на кладбище. Так как в этот день еще и годовщина маминой и папиной свадьбы. Так вот получилось. И, несмотря на все мои уговоры поехать в другой день, мама решительно сказала, что мы поедем именно завтра. Точка.

Спорить с моей мамой бесполезно. Мама по профессии судья. Со стажем работы в тридцать лет.

Папа похоронен вместе с бабушкой. Кладбище старое и, если можно применить к нему такое слово, уютное. Густая тень деревьев, старые памятники, узкие дорожки. Помню, как я пришла в ужас от нового кладбища за Кольцевой. Безразмерный, до горизонта, бескрайний город мертвых.

Папа лежит под соснами. Мы убираем могилу, сажаем цветы. Молчим. Потом мама что-то шепчет и гладит ладонью папин портрет. Я отхожу в сторону.

Дальше мы идем по аллее к выходу. И опять молчим. Я смотрю на маму и думаю — бедная! Выпала ей любовь, которая случается одна на миллион. Выпала всего на три месяца. И все. Дальше — сплошное «устройство» жизни. Сплошная проза. Разум и логика.

Я обожала отца. Лучше человека не встречала. Но мне всегда казалось, что это — тот самый случай, когда мама просто *позволила* себя любить. А его и это устроило. Бедная мама и бедный, бедный мой папочка!

Словно услышав мои мысли, мама вдруг сказала:

— Знаешь, Ленка, какая я счастливая женщина! Ведь с Марком я испытала настоящую страсть. Яркую вспышку. А вспышка не бывает долгой. А с папой я поняла, что такое любовь. Истинная, глубокая, всепрощающая. Я никогда не боялась предательства, да что там предательства. Банальный обман был просто невозможен. И при всей его, казалось бы, мягкости последнее слово, решающее, всегда было за ним. По мелочам я не спрашивала, бытовые вопросы решала сама. А он в них и не лез. Как настоящий мужик. А вот жизнеопределяющие вопросы и проблемы решал он.

Для меня это было открытием. Абсолютным, почти непостижимым откровением. Оказывается, я совершенно не знала отца. Не понимала. Хорошая дочь! Ничего не скажешь.

Дома уже были накрыты столы. Танюше помогала Сонька, хватавшая с блюд куски. Танюшка на нее покрикивала, Сонька не реагировала.

Аргумент ее был прост и лаконичен — жрать хочу!

Танюша восстанавливала разруху на блюдах и осуждала нетерпеливую Соньку.

Потом мы сели на кухне попить кофе. Сонька рассказывала киношные байки — кто с кем и почем. Сонька забросила прежнюю профессию и с удовольствием работала гримером на «Мосфильме».

Мы заливались от хохота — в Соньке пропала большая комедийная актриса.

А дальше «косяком пошел гость» — Сонькино выражение.

Первой пришла моя свекровь, Тамара Аркадьевна, с горшком герани и коронным подарком в виде ночной рубашки. Мы с мамой переглянулись. Потом завалилась Анеля — как всегда, шумная и восторженная. Сокрушалась, что у метро не было цветов. Ха-ха! И эта в своем репертуаре. Приехали мои — Павел и Данька с Илюшей. Наконец все собрались, и мы расселись за столом. Все было очень вкусно, гости искренне нахваливали. Мама встала и произнесла тост за отца. Сказала, что благодарна ему за все годы жизни и что сегодня главный праздник не ее юбилей, а годовщина их с папой свадьбы.

Илюшка уминал Валюшины пирожки и веселил публику. Все умилялись. Говорили, что Илюшка — вылитый Данька.

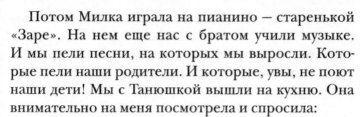

Потом Милка играла на пианино — старенькой «Заре». На нем еще нас с братом учили музыке. И мы пели песни, на которых мы выросли. Которые пели наши родители. И которые, увы, не поют наши дети! Мы с Танюшкой вышли на кухню. Она внимательно на меня посмотрела и спросила:

— Ну что, рада, что эта свалила?

Я пожала плечами.

— Как посмотреть. То, что она исчезла из нашей жизни, — счастье, конечно. А вот то, что Илюшка остался без матери... Хотя вряд ли ее можно назвать матерью. И еще — меня ни на минуту не отпускает страх, что она может потребовать назад Илюшу. И суд будет на ее стороне.

Танюшка сказала, что нужен опытный и знающий юрист. Чтобы оформить ее отказ от ребенка и спать спокойно. Хотя и засомневалась, что Нюсе понадобится Илюшка. А потом, помолчав, добавила:

— Ленка! А Данька-то мимо! В смысле, мимо Илюшки.

Я кивнула головой и вздохнула:

— Мимо.

А что я могу сделать? Только расплачиваться за его ошибки. Потому что в этом есть и моя вина. И я ее признаю. Как честный человек.

Да, Танюшка права. Все в жизни бывает. А если у нее, Нюси, в Турляндии не сложится? А если она вернется? И примется нас шантажировать? Конечно, надо себя обезопасить. Получить развод и отказ от ребенка. И заниматься этим придется, естественно, мне. Как, впрочем, всегда. Слава богу, у меня есть Валечка. И я смогу решать эти проблемы. Как всегда — все смогу. Только вот одного не смогла — воспитать из своего сына мужика. А что тогда стоят все мои остальные «смогу»? Ничего. Ноль. Зеро.

Сонькину вторую свекровь мы называли Жабка. Хотя звали ее Нонна Васильевна. Она действительно была похожа на жабу — маленькая, пучеглазая, вечно моргающая, со ртом, похожим на щель.

Жабка когда-то, в период дефицита, была женщиной зажиточной, так как работала кассиршей в чехословацком магазине «Власта». В застойные годы он славился посудой, хрусталем и бижутерией. Конечно, связи у Жабки были обширные. Во всех отраслях легкой и не очень промышленности. Многие в те годы к таким людям шли на поклон. Поклоны Жабка любила. Еще Жабка обожала украшать свою квартиру. Хрусталь — слоями, это естественно. Блюда, вазы и вазочки, ладьи и салатники. Каждое воскресенье Жабка самозабвенно мыла все это богатство в тазу с нашатырем. Надо признать, что женщиной она была аккуратной и бережливой. Что правда, то правда. Была она вдовой, и от мужа ей досталось приличное наследство в виде машины, теплого гаража и дачи в Ильинке.

Гостей Жабка не принимала — тоже в силу бережливости. И еще откровенной нелюбви к людям. Ей казалось, что все от нее чего-то хотят. В смысле, достать. А «доставала» она только нужным людям, которые могут ей чем-то ответить. Друзей у нее не было. С соседями она не сходилась умышленно.

Короче, перетирала и перемывала свой хрусталь и чахла над своим богатством. С удовольствием, надо сказать. А вот Соньку приняла без всякого удовольствия. Языкатая, презирающая материальные блага (вспомним Сонькин брак с немцем). Насмешливая — не всегда по-доброму. Дерзкая. Небольшая, мягко говоря, аккуратистка. Да и еще из бедной, интеллигентной семьи.

Словом, чужая. Жабка мечтала женить своего сына Митю на знакомой продавщице Галине. Галина была ярко крашенной блондинкой с пышной грудью и работала в отделе сервизов. Дамой была очень ловкой. Короче, деньги к деньгам. К тому же у Галины была кооперативная квартира и машина «Жигули». При этом раскладе Митя бы свалил к Галине, а она, Жабка, осталась бы наедине со всеми своими богатствами.

Но сочная Галина Мите не понравилась. А понравилась некрасивая, но умная и бескорыстная, остроумная и веселая Сонька.

Жить пришли к Жабке. Сонька распухала от запаха нашатыря. Пару раз вызывали «Скорую» — начинался отек Квинке. Митя нашел единственное и правильное решение — нашатырем не пользоваться. Но Жабка сказала, что у нее свои правила и привычки. И менять их она не собирается. Потом Сонька грохнула пару ваз и блюдо богемского стекла. Увидев это, Жабка легла на диван и попросила вызвать врача. Сказала, что ей плохо с сердцем. Вызвали «Скорую». Сделали кардиограмму. Врач вышел в коридор и сказал Мите и Соньке одно слово: «Сочувствую».

Жабка оказалась классической симулянткой. Чуть что, ложилась в постель и объявляла о скорой смерти. Тихим, предсмертным голосом начинала подробно обсуждать свои похороны. Сильно беременная Сонька еле таскала свой непомерный живот и подносы с завтраками, обедами и ужинами Жабке в постель.

Потом родилась Аська, очень дохлая и болезненная. Сонька не спала ни одной ночи — Аська орала как резаная. В пять месяцев она подхватила бронхит, осложненный пневмонией. Антибиотики и, как следствие, дисбактериоз. Желудок не принимал никакой пищи. Далее дичайшая аллергия, доставшаяся от Соньки в наследство. Зубки резались с температурой под сорок. Экзема на щеках расползалась в малиновое мокнущее пятно. Аппетита у бедного ребенка не было вовсе.

Зато хороший аппетит был у Жабки. Слабым голосом она говорила, что обязательно надо кушать. Иначе совсем не будет сил. И она, надо сказать, кушала. А сил не было у Соньки.

Жабка объявила себя тяжелой больной. Кряхтя, по стенке, добиралась до туалета. К вечеру начинался очередной сердечный приступ. Через день приезжала «неотложка». Участковый врач стал в доме родным человеком. Практически членом семьи. Жабка говорила, что она тяжелый гипертоник. При давлении 125 на 85. Когда медицина с ней не согласилась, она назначила себе другой диагноз — вегетососудистая дистония. Диагноз, известный только в нашей стране. Врачи его ставили на основании жалоб больного. Без клинических признаков.

У Соньки было «рабочее» давление 80 на 55. Она просто падала с ног. Митя пахал как вол. Жабка денег на хозяйство не давала. Типа «забывала». Участковая врачиха, вполне вменяемая тетка, от души жалеющая бедную доходягу Соньку, жарко советовала «бежать от этой манипуля-

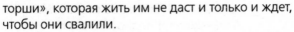

торши», которая жить им не даст и только и ждет, чтобы они свалили.

На одной руке Сонька держала вечно орущую Аську, а другой помешивала ложкой в кастрюле борщ. Жабка кушала по часам.

Если Сонька просила почитать Аське книжку — хотя бы полчаса, чтобы успеть что-то по дому, через десять минут Жабка визжала, чтобы Сонька Аську забирала. А однажды, когда Сонька выскочила на двадцать минут в магазин и оставила внучку бабушке, придя домой, застала такую картину — свекровь, открыв рот, в голос храпела, а Аська сидела на полу и запихивала в рот пуговицы из коробки с рукоделием. Сонька успела выгрести из дочкиного рта все пуговицы. Счастье, что Аська не успела их проглотить и не нажралась иголок.

Митя все понимал. Соньке сочувствовал. Пытался говорить с матерью о размене квартиры. Жабка закатывала глаза и начинала хватать ртом воздух. Дело кончалось, как всегда, вызовом «Скорой».

Митя сказал, что больше этих разговоров он вести не будет. Мать есть мать. Какая бы она ни была.

Однажды Жабка расщедрилась и объявила, что она «дарит детям» машину и гараж. Митя пошел в школу ДОСААФ учиться на права. Курсы были трехмесячные. Когда он сдал экзамен, они с Сонькой поехали в гараж забирать машину. Чтобы начинать ее осваивать. Мечтали о поездке на море — в Прибалтику или в Крым. Остановились на Коктебеле. Сонька там проводила все детство и знала и любила эти края.

От метро они почти бежали, хотелось поскорее опробовать старенькую «Волгу», на которой ездил еще Митин отец.

Сторож гаража посмотрел Митин паспорт и очень удивился, что Митя, собственно, не в курсе. И гараж, и машина были проданы два месяца назад. По доверенности от владелицы — Нонны Васильевны Корешковой.

Сонька впервые увидела, как Митя расплакался. В тот же день они стали собирать вещи. Жабка бросалась на дверь и пищала, что сразу после их отъезда она умрет от разрыва сердца.

— Ради бога! — ответил Митя.

Жабка сползла по стене на пол.

Нет, она, конечно, мечтала о том, что детишки подхватятся и съедут. И она опять самозабвенно и с упоением будет намывать хрусталь и пылесосить искусственные цветочные лианы.

Но она хотела все же расстаться по-хорошему. Отношений не разрывать. Понимала, что никого на свете у нее больше нет и никому она не нужна. Ну и сына, наверное, любила, не без этого. Хотя странная, на мой взгляд, любовь.

А еще Жабенция была очень хитрая. Она пролепетала, что деньги от продажи гаража и машины предполагаются на внесение первого взноса за кооператив. Для любимых и таких неблагодарных детей!

Такой вот ход! И Жабка победила. Дети не уехали. Все обнялись и простили друг друга. И пошли на кухню пить чай.

Вступили — не без проблем — в кооператив. Когда нужно было вносить деньги, Жабка, хлопая глазами, дала ровно половину обещанной суммы. Сказала, что денег просто больше нет.

Это был удар. Сильнейший, надо сказать. В себя пришли не сразу.

Пришлось занимать. Отдавали еще несколько лет, во всем себе отказывая.

Через десять лет Сонька с Митей развелись. Митя ушел к другой. Развелись мирно, но квартиру поделили. Сонька с Аськой оказались в однушке с крошечной, в четыре метра, кухонькой.

Потом Митя и его новая жена уехали в Америку. Новая жена Жабку брать с собой отказалась.

Дама она была резкая и Жабку ненавидела, не скрывая.

Митя, конечно, высылал деньги. Присылал подарки. Да и Жабка уже в Америку не рвалась — сильно болела. Позвонила Соньке и пригласила ее на разговор.

Сказала, что ухаживать за ней некому. А в уходе она очень нуждается. Если Сонька возьмется ее патронировать, то свою трехкомнатную квартиру она запишет на Аську. Типа Мите и его крысе — шиш. Не заслужили. Что, кстати, правда. Как правда и то, что Аська, так, между прочим, ее родная внучка.

Сонька согласилась. Жили они по-прежнему в той же однушке. Аська выросла, было тесно. Да и надо было думать о перспективе.

Сонька ухаживала за Жабкой четыре года. Возила продукты, убирала и готовила. Моталась по больницам. Жабка оформила завещание. Не ренту и не дарение. А завещание, как известно, вещь ненадежная. Переписывать его можно хоть каждый день. Наивная и приличная Сонька о подвохе и не думала. Ведь квартира должна достаться родимой внучке. Кровиночке, так сказать.

Последний год Жабка уже не вставала. Сонька наняла сиделку — на день, за бешеные деньги. А ночевала у Жабки. Работала как вол. Тянула из последних сил.

Жабка умерла. В весьма преклонном возрасте.

После похорон, на поминках, сиделка из Винницы по имени Руслана предъявила Соньке завещание на Жабкину квартиру. На свое, как вы понимаете, имя. Завещание Жабка написала за полгода до смерти. В полном, надо сказать, разуме.

Сонька молча прочла завещание, молча надела пальто и сапоги и молча вышла из квартиры. Неделю она лежала лицом к стене.

Мы сидели у Сонькиной постели и уговаривали ее бороться. Сонька сказала, что делать ничего не станет. Мы продолжали настаивать. Сошлись, наконец, на том, что Сонька дает Милочке доверенность и сама ни в чем не участвует. А Милочка у нас тот еще танк. Или — танкер.

Потом мы нашли адвоката и подали в суд. Дело Сонька выиграла.

Через год поставила на Жабкиной могиле памятник и забыла туда дорогу. Навсегда. Кстати, сын Митя на похороны матери не приехал — болел ангиной.

А в его в семье к здоровью было принято относиться трепетно.

В выходные мы поехали навестить Ивасюков. Валерий все время плачет и не отпускает от себя Зою. На Зое нет лица, и от нее осталась ровно половина. Здоровой рукой Ивасюк гладил Илюшку по голове. И опять плакал.

Господи! Как же их жалко! Простые, трудолюбивые, непритязательные, честные и открытые люди. Без всяких подводных камней. И как они вырастили такую дочурку? Уму непостижимо.

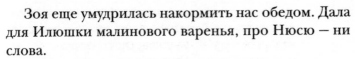

Зоя еще умудрилась накормить нас обедом. Дала для Илюшки малинового варенья, про Нюсю — ни слова.

Потом мы вышли с Зоей на балкон. Курила она теперь уже в открытую. Разговор начала сама. Плакала и сокрушалась. Извинялась, каялась — за дочь и за то, что не может мне помогать.

Я ее обняла и принялась успокаивать. Вопрос про Нюсю выскочил сам: «Ну откуда она такая? Как у вас могло так получиться?»

Зоя вздохнула и сказала: «Гены».

У Валеры была ужасная мать. Детей рассовала по родне и приютам. А всего их было пятеро. Рожала как кошка. От прохожего мужика. Попивала. Гуляла лет до шестидесяти. Подала на детей на алименты. Ей, разумеется, было отказано. Но дети сами ей присылали деньги, кто сколько мог. Кстати, у всех детей судьбы сложились. Все получили какое-то образование, завели семьи. Общались между собой и очень дружили.

Здоровье у свекрови было отменное. Утонула по пьяни в реке. Дети приехали ее хоронить. Все как один. И даже плакали у могилы.

Вот вам Вавилов, а вот вам — Лысенко. Кровь — не водица, как говорится.

Вот картина и прояснилась.

Я положила в коридоре на комод деньги. Потихому, чтобы Зоя не заметила. Они ей пригодятся.

Денис, сын Елизаветы Николаевны, Танюшкиной соседки по даче, долго не женился, хотя был и неплох собой, и при финансовом достатке. Девиц было море, но за душу никто не цеплял. В тридцать лет Денис объявил маме, что собрался жениться. Нашел, наконец, свою судьбу.

Мама Дениса, впрочем, как и любая из матерей, боялась хищницы. Акулы, ищущей только материальные блага. Ее можно понять — подобная тенденция имеет место быть.

Она подробно выспрашивала сына о невесте. Оказалось, что будущая сноха — москвичка, со своей жилплощадью. С импортным автомобилем и дачей в придачу. С хорошим образованием — переводчик с французского и норвежского. Красавица и умница, как утверждал влюбленный жених.

Елизавета Николаевна вдовела с молодых лет. Сына тянула одна. В отношениях с ним была самых душевных и распрекрасных. Сын возил маму в Париж на Рождество. В Прагу и Барселону. Покупал ей дорогую одежду и украшения. Короче говоря, человеком был приличным и благодарным. Жила Елизавета как у Христа за пазухой. Но дурой и эгоисткой не была. Понимала, что сыну надо жениться. И еще очень хотела внуков.

Сын объявил, что знакомство состоится в ближайшую субботу, но пыхтеть на кухне мамуле не придется, поскольку они втроем отправятся в ресторан.

Елизавета Николаевна нервничала. Сделала прическу и надела новый костюм. Встала на каблуки. А дама она, надо сказать, была очень стройная, интересная и моложавая. Да и что за возраст пятьдесят лет?

Настал час «икс». Они сидели за столиком в уютном полумраке во французском ресторане. От волнения Елизавета Николаевна много курила и пила крепкий двойной кофе эспрессо. Денис чмокнул маму в щеку, посоветовал не волноваться и пошел на улицу встречать Ольгу. Свою нареченную.

Через десять минут они появились в зале. К столику подошла очень стройная и высокая девушка. С распущенными до плеч волосами. Она поцеловала Елизавету Николаевну, села напротив и улыбнулась. А Елизавета Николаевна смотрела на нее во все глаза. С восторгом.

Ольга была несказанно хороша. Просто невозможная красавица. Правда, у Елизаветы Николаевны было неважное зрение, да и в зале царил полумрак, но все равно она разглядела огромные глаза Ольги, прекрасные зубы, пухлый рот и точеный носик. При такой волшебной красоте у нее был не менее волшебный голос. Прекрасная речь, выдающая образованного и остроумного человека.

Обсудили свадьбу. И опять Елизавета Николаевна удивилась разумности Ольги. Никакого пафоса, никаких безумных трат. Все достойно и пристойно. Потом Денис сказал, что жить они будут у Ольги. И просил маму не обижаться. У Ольги большая квартира в центре. До работы — рукой подать.

Какие обиды! Только будьте счастливы! А жить с родителями — погибель для молодой семьи. Конечно, отдельно!

— Любить на расстоянии свекровь гораздо проще, — пошутила Елизавета Николаевна.

Ольга погладила ее по руке и сказала, что видеться они будут каждую неделю. В обязательном порядке. Елизавета Николаевна прослезилась.

На десерт ели вкуснейшие крепы. Денис расплатился, и они пошли к выходу. Он подал пальто сначала маме, потом — Ольге. Елизавета Николаевна это не без удовольствия отметила. И в который раз подумала, что инвестиции в сына не напрасны. И очень осталась собой довольна.

Вышли на улицу. Ранняя весна, апрель. На улице еще вполне светло. Особенно после полумрака ресторана. Стали прощаться. Ольга сказала, что доберется сама. До дома недалеко. Она взяла руки Елизаветы Николаевны и поблагодарила ее за такого чудесного сына. Встретить которого — огромное счастье. И такую свекровь — счастье еще большее.

«Как умно и как интеллигентно!» — подумала счастливая Елизавета. Все-таки вымолила она себе такую девочку одинокими и бессонными ночами. Жизнь прожила не зря. Ольга стояла напротив будущей свекрови. Горячо произносила свои прекрасные и искренние, задушевные слова. В ее глазах мелькнула слеза неподдельного восхищения.

Елизавета Николаевна проморгалась, хлюпнула носом и вытерла платочком счастливые и влажные глаза. Ольга наклонилась, чтобы поцеловать будущую свекровь.

И тут... Тут Елизавета Николаевна увидела Ольгу вблизи. На свету, без полумрака ресторана.

И она... Она замерла. Сердце почти перестало биться.

Нет, Ольга выглядела прекрасно. Просто замечательно выглядела ее потенциальная сноха, ухоженная и очень красивая. Только вот возраст Ольгин все равно проступал. И никуда от этого было не деться! Несмотря на стройность, идеальную фигуру, тонкую талию и распущенные по-девичьи волосы. Да к тому же еще выглянуло солнышко. Неяркое, но вполне ощутимое.

Навскидку Ольге было за сорок. Это отчетливо видела даже прилично близорукая Елизавета Николаевна.

Вот тебе, бабушка, и Юрьев день! Хотя то, что Елизавета Николаевна в скором времени станет бабушкой, скорее всего откладывалось. На неопределенный срок.

На негнущихся ногах она дошла до машины. Со скорбным выражением села на переднее сиденье. Тронулись молча. Денис все понял.

— Сколько ей лет? — трагическим голосом спросила Елизавета.

— Тридцать пять, — не сразу ответил Денис.

— Значит, у нее была очень тяжелая жизнь, — сказала Елизавета голосом, не предвещающим ничего хорошего.

Еще минут десять ехали молча. Потом Елизавета истерично выкрикнула, что сын ей лжет.

Сын молчал. Она разрыдалась.

Слез матери он вынести не мог.

— Какое это имеет значение? — спросил он. — Я ее люблю. Она умна и красива. И ты это видела своими глазами. Ни одну женщину на свете я так не хотел. Ни с одной женщиной мне не было так легко, интересно и комфортно. Ну что еще надо для совместной жизни? — чуть не плакал он.

— А дети? — загробным голосом произнесла Елизавета. — Или ты считаешь, что такой генофонд, как ты, не стоит продлевать? Или вы возьмете ребенка из приюта? А может быть, — голос становился все более зловещим, — у нее уже есть пара-тройка детей? И ты им станешь родным папочкой?

Сын молчал.

— Так сколько же ей лет? Я повторяю свой вопрос! — Голос матери окреп.

— Сорок два, — тихо произнес Денис. Тихо и виновато.

— Понятно, — сказала Елизавета Николаевна. — Больше вопросов у меня к тебе нет.

Они подъехали к дому. Молча вышли. Молча зашли в подъезд и в лифт. Потом в квартиру. Елизавета ушла в свою комнату. Не раздеваясь, легла на диван. Закрыла глаза. Даже плакать не было сил.

Сын заглянул к ней через полчаса. Сел на край дивана. Взял ее руку и поцеловал. Руку она выдернула. Попросила оставить ее в покое.

Он начал нервно ходить по комнате. Сокрушаться, в чем, собственно, его вина? В том, что он полюбил прекрасную, но зрелую женщину?

В том, что он нашел «своего» человека? В том, что он безгранично и невозможно счастлив?

Елизавета Николаевна молчала. Не потому, что была неплохой актрисой и умела держать паузу. Она действительно чувствовала себя глубоко несчастной и глубоко обманутой. Жизнь посмеялась над ней и повернулась к ней спиной.

Она еще раз попросила сына оставить ее в покое.

В десять вечера она приняла двойную дозу снотворного.

Назавтра было воскресенье. Она поднялась с тяжелой головой и пошла на кухню. Денис сварил ей крепкий кофе и поджарил тосты. Виновато смотрел. Тяжело вздыхал. Глаз на него она не поднимала.

— Мамуль! — начал он.

— Я тебя внимательно слушаю, — голосом Снежной королевы произнесла Елизавета Николаевна. — Что нового ты хочешь мне сообщить?

Он предложил еще раз обсудить свадьбу. Она усмехнулась и ответила, что это ее занимает мало. Так как на свадьбу она не придет. Уговаривать ее бесполезно. Участвовать в этом позоре и фарсе она не намерена. Точка. Железная леди. Маргарет Тэтчер.

Денис заплакал. Потом оделся и ушел. Вечером позвонила Ольга. Попросила о встрече. Елизавета Николаевна сказала, что у нее болит голова. И добавила, что говорить им, в принципе, не о чем.

На свадьбу она не пошла. Как ни уговаривали подруги и родня. Потом ей рассказывали, что свадьба была печальная. Денис выглядел подавленным. Ольга плакала в туалете. У нее, кстати, очень милые родители и полное отсутствие детей.

— Ну и ладно, — ответила бессердечная Елизавета Николаевна. — А если в этом возрасте у нее нет детей, значит, она бесплодна, — уверенно сделала свои выводы она.

Денис звонил на домашний. Трубку она не поднимала. Мобильный сбрасывала. Тетка Дениса, ее сестра, конечно, докладывала ему обстановку. Мать жива. И скорее всего, здорова. Артистка она еще та. Ничего, пусть перебесится. Сама взвоет и прибежит. Куда денется? Кто у нее есть на белом свете?

Прошло восемь месяцев. Страдали все. Жить было невыносимо. В день рождения Елизаветы Николаевны в дверь раздался звонок. Она открыла. На пороге стояли Денис и Ольга.

Елизавета отступила в коридор. Они молча зашли в квартиру. Ольга протянула свекрови букет ландышей. Любимых цветов Елизаветы. Сын бросился к ней на шею. Оба разрыдались и обнялись. Ольга к ним присоединилась. Рыдали все втроем. В полный голос. Потом еле оторвались друг от друга и пошли пить чай. Мир был восстановлен. Крепость пала. Не без осады, заметим.

И началась прекрасная жизнь. Елизавета, наконец, прозрела. Увидела счастливые глаза сына. Разглядела, какая замечательная жена и хозяйка ее сноха. Вместе ходили в театры, на выставки и в ресторанчики. Ольга приглашала ее в гости и накрывала волшебные столы. Денис был ухожен, отглажен и отутюжен. С Ольгой они ходили за руку. Каждый вечер умница Ольга звонила Елизавете Николаевне, и они часами беседовали обо всем на свете. И лучше и интересней собеседницы у Елизаветы не было. Какие там подружки!

Летом Ольга и Елизавета поехали в Италию. Денис вырваться не смог — дела. Он получил крупное повышение по службе.

Взяли машину и месяц катались по всей стране. И еще раз Елизавета поняла, какая замечательная у нее невестка — остроумная, ненавязчивая спутница, легкий и тактичный человек.

Ни с кем еще Елизавете не было так уютно и комфортно. Никто не был так заботлив и предупредителен с ней!

Кстати, в Венеции Ольга сообщила ей по секрету, что она, кажется, беременна. На радостях выпили по чуть-чуть шампанского. Договорились, что Денису об этом объявят в Москве.

Но самое забавное в этой истории совсем другое. А именно — в пятьдесят два года Елизавета Николаевна встретила мужчину. Успешного и разведенного. Они сошлись и даже официально поженились. И были очень счастливы. Теперь у них была большая семья — сын с женой и внуком

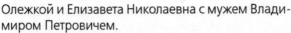

Олежкой и Елизавета Николаевна с мужем Владимиром Петровичем.

Кстати, Владимир Петрович моложе Елизаветы Николаевны на восемь лет. Это так, к слову.

У нас новости. Как мне все это вынести? Как перенести? Этот болван, который мой сын, опять влюблен. Опять витает где-то в эмпиреях и ходит с сомнамбулическим взглядом.

Зайка наш ушастенький! Ангелочек ясноглазый! Чем бы дитятко ни тешилось...

Идиот и сексуальный маньяк. В кого, интересно? У нас в семье таких нет. Может, я что-то не знаю про своего мужа? Интересно...

Ее зовут Марьяна. Окончила Сорбонну. Невообразимо хороша собой. Это, безусловно, радует.

И еще — папа у нее олигарх. Что радует меньше. Например, меня.

И я, устойчивый пессимист, как всегда, готовлюсь к худшему.

Подруги злятся и говорят, что на меня не угодишь. Вот только мама, моя умная мама, со мной согласна и тяжело вздыхает. И насторожена не меньше, чем я.

Сыночек показывает мне фотографии возлюбленной. От нее и вправду нельзя отвести взгляд. Пепельные волосы, зеленые, русалочьи глаза. Губы Анжелины Джоли. Рост под стать нашему дурику, под метр восемьдесят. Фигура тоже на месте. Не придерешься. В общем, его, конечно, понять можно. Просто пирожное кремовое эта Марьяна после черной горбушки Нюси.

Я посмеиваюсь: зачем мой нищеброд нужен этой Марьяне? С ее Сорбонной, внешностью модели и папой-олигархом?

Я подозреваю, что таким невестам подбирают соответствующих женихов. Нет, влюбиться в моего красавца, конечно, несложно. Все при нем. Пара они, безусловно, красивая. Глаз не оторвать. Ну а дальше, наверное, ее папаша все разрулит и расставит по местам. И прикроет эту лавочку без моего участия. Я очень на это надеюсь. А пока пусть попасутся на зеленом лужку. Думаю, недолго.

Я заставила его дозвониться Нюсе и потребовать отказа от ребенка. Иначе никакого развода. Она преспокойно ответила, что развод ей не нужен. Все эти вопросы она и так решит. Про Илюшу молчок.

Тогда позвонила я и сообщила ей, что сведения в российское посольство о ее нерасторгнутом браке и брошенном ребенке все равно дойдут. Я постараюсь. Она, по-моему, струхнула.

Это не мои методы. Но у меня нет выхода. Мне надо бороться за внука и жить спокойно.

Господи! О каком покое я говорю!

Позвонила Сашка с работы и сказала, что они собираются устроить Ванессе сюрприз — отметить ее день рождения в кафе. Девчонки скидываются и «накрывают поляну».

Ванесса ни о чем не догадывается. Я, конечно, согласилась на участие. В назначенный день прибыла. В грузинском кафе, недалеко от работы, был накрыт красивый стол. Цветы в вазах. Все уже собрались. Сашка должна была привести саму именинницу.

Ванесса вошла в кафе и, естественно, разревелась. Все повторяла:

— Девочки, девочки мои родные!

Я поняла, что, несмотря на обширный круг друзей и поклонников, наша Ванна в душе очень одинокий человек. Сначала все немного погрустили — Ванесса сказала очень проникновенный тост про каждую из нас, а потом стало весело, остроумно и очень вкусно. Молодец, Сашулька! Бис и браво!

Ванессин мобильник разрывался от звонков. Лишь однажды она вышла и вернулась с заплаканными глазами. Очень счастливая. Мы поняли, что позвонила итальянская дочь.

Потом каждый рассказывал мне про себя. Удивила Санька. Шепнула мне, что уже два месяца встречается с парнем. Все — тьфу-тьфу, не сглазить.

Почему шепотом? Как будто она этого стесняется! Дурочка!

Слава богу, у нас ночевала Валюша. Бабушка из меня в этот вечер была никакая. Прямо скажем.

Вспомнилась тут одна история... Веня был прекрасным сыном. Да что там прекрасным! Веня был сыном-мечтой, на зависть любой матери. Не знаю, правда, любой бы жене...

Мама для Вени была лучшим и самым близким другом. Самым душевным и справедливым. Веня ее боготворил. Родила она Веню без мужа и вопреки всем законам медицины и логики. Со здоровьем у нее было очень и очень неважно.

223

С самого детства. Врачи рожать категорически запрещали. Набор был полный — и порок сердца, и больной позвоночник, и больные почки. Но ребенка она хотела страстно. И вымолила! Мужчину подбирала именно как донора. А так он ей был не нужен. Понимала, что и на мужа и на ребенка ее просто не хватит. В тридцать лет, в санатории, закрутила двухнедельный роман. С китобоем с Дальнего Востока. Красавцем с отменным здоровьем. Через месяц — о, счастье — поняла, что беременна. Врачи были в ужасе, никто не ожидал, что это в принципе произойдет — с ее-то букетом болезней.

Жила она с очень престарелой мамой, рассчитывать на которую было в принципе смешно. Всю беременность Анна Борисовна пролежала ногами кверху. Боялась выкидыша. Но, слава богу, родила.

Веню поднимали тяжело — во всех смыслах. И денег катастрофически не хватало, и болезни Венчик хватал все подряд, ничего не пропуская. И по больницам каждый год.

Но Анна Борисовна была большая умница. Понимала, как из мальчика сделать мужчину. Плавание, хоккей, дзюдо. Выставки, театры, книги. Море каждое лето. Самая крошечная комнатка, самый дешевый курорт. Подсчет — в буквальном смысле — копеек. Но ребенок набирался сил и крепнул день ото дня. Учился Венчик замечательно. В десятом классе даже растерялись. Куда поступать? И по точным наукам, и по гуманитарным везде успевал прекрасно. Решили, что все же лучше податься в точные. И Венчик без проблем поступил на физмат.

На третьем курсе он познакомился с девушкой Надей. Нашей дачной соседкой. Надя училась в педе. Готовилась стать учителем биологии. Из семьи она была довольно простой. Мама — швея на фабрике, папа — водитель на домостроительном комбинате. Но семья была дружная, и Надина мама была женщиной разумной и очень проницательной. Сразу поняла, что Веня будет прекрасным семьянином и отличным мужем и отцом. Жить вместе со свекровью, к счастью, не пришлось. Надиному папе на комбинате дали квартиру. И молодые зажили своей семьей.

Анна Борисовна приняла Надю доброжелательно. Ну, может быть, ей и хотелось невестку из более образованной семьи, и не такую простоватую, прямо скажем. Но выбор сына — святое. Потом она видела, что молодые живут неплохо. Веня обихожен, в доме чисто и всегда есть обед. В конце концов, не всем же быть интеллектуалами. А ума у Венчика хватит на двоих. К тому же Надюша красавица. Варвара-краса длинная коса. Значит, и дети получатся славные. Хорошо бы умом в папу, а красотой — в маму. Неверующая Анна Борисовна упорно верила в мудрость Всевышнего.

В общем, все было замечательно. На выходные дети обязательно заезжали к ней в гости. Привозили торт и цветы. Веня каждый вечер брал телефонную трубку и подолгу беседовал с мамой. Жаловаться было не на что, и роптать на судьбу смешно.

Потом Надя забеременела и родила двойню — двух девчонок, Машу и Дашу. Девчонки были глазастые и очень хорошенькие — в мать. Теперь оставалось ждать и надеяться, что мозгами пойдут в отца. Хотя и Надя отнюдь не была дурой. Просто читать не любила, да и в театрах позевывала, скучновато ей было.

А Анна Борисовна, и смолоду слабая здоровьем, с возрастом из болячек и вовсе не вылезала. Совсем измучилась, бедная. Веня заезжал теперь к матери через день. Проведать, помыть посуду, постирать белье. Да просто посидеть на краю ее кровати и подержать маму за руку. И поговорить обо всем. Темы их разговоров были неисчерпаемы.

Анна Борисовна звонила Наде и извинялась:

— Прости, деточка! Совсем расхворалась. И тебя, и сына измучила!

Надя не была злодейкой, ни в коем случае. И к свекрови, невредной и добродушной, относилась вполне хорошо. Но... осуждать ее не надо. Любая женщина, предполагаю, на ее месте бы раздражалась. Мужа никогда нет дома — ни вечерами, ни на выходные. А она одна разрывается с девчонками. Очень, надо заметить, шустрыми и проказливыми. Да еще и ждет третьего. Надеются, что мальчишку.

Но родилась снова девочка. Надю все уверяли, что это очень хорошо. В смысле того, что дочки к матери ближе, чем сыновья. Хотя Надин муж Веня эту теорию опроверг всей своей жизнью и всем своим поведением.

Вене она своего неудовольствия не высказывала. Ума хватало. Ну, почти. Только сетовала на то, как ей нелегко и как она устает. Жаловалась она своей маме. Раздражение на свекровь и мужа, конечно, росло. И кто ее осудит?

Только мама у Нади была женщиной очень умной от природы. Ум и мудрость не зависят от происхождения и образования. Екатерина Петровна внушала недовольной дочери одну простую истину: как сын относится к матери, так же он будет относиться и к жене.

И еще говорила, что мужу про мать ни одного плохого слова. Как про покойника — или хорошо, или никак.

Молодая и здоровая Надя отмахивалась — когда это будет? А пока она в одиночку тянет свой тяжелый воз.

Но время, как известно, бежит быстро. Быстрее, чем нам хочется и кажется.

Анна Борисовна умирала очень тяжело. Отказывали почки. Веня ночевал в больнице. На полу, на старом надувном матрасе у маминой кровати. В последнюю ночь, словно чувствуя ее близкий уход, не отпускал мамину руку. Умерла Анна Борисовна на рассвете, с улыбкой облегчения на губах.

Веня молчал почти два месяца. Надя его не трогала, все понимала. А потом он начал ездить на кладбище. Каждую неделю по субботам.

К жизни его вернули детки — двойняшки Машка с Дашкой и крошечная Анечка.

Надя уже почти не злилась, привыкла, что в субботу утром Веня уезжает на Востряковское. Машу и Дашу он брал с собой.

И Надя немного отдыхала. И девочки на воздухе, и домашние дела можно переделать. Анечка, младшая, кстати, была очень спокойным ребенком. Никаких хлопот. А внешне — вылитая бабушка Аня. Даже как-то не по себе. Просто реинкарнация какая-то.

В общем, все к этому привыкли. Что поделаешь, так, значит, так. Веню не переделаешь. Анну Борисовну не вернешь. Заботы с многодетной матери не снимешь.

Только иногда Надя срывалась, ну если очень уставала или были какие-либо неотложные домашние дела. Дела откладывались — Веня ехал на кладбище.

Даже простуженный, он не пропускал ни одной недели. Летом на дачу приезжал в субботу вечером, после кладбища.

Надя высказывала недовольство маме. А мама спокойно отвечала:

— Мужу ни слова. Терпи. Воздастся сторицей. А его за это только можно уважать.

Вот такая мудрая была у Нади мама.

В сорок лет Надя заболела — онкология. Слава богу, подхватились вовремя, сделали операцию, потом вторую. Веня не выходил из больницы. Спал у Надиной кровати на том же старом надувном матрасе и держал ее за руку. Потом вернулись домой. С девочками сидела, дай бог здоровья, любимая теща.

Началась химиотерапия. Веня ставил раскладушку у кровати жены и поил ее кефиром с солью — так Надю меньше тошнило. Носил на руках в ванную. Мыл под душем мягкой детской губкой. Расчесывал волосы. Кормил с ложечки. В общем, Веня оставался Веней.

Надя, слава богу, поправилась, даже сняли с инвалидности. Пришла в себя, и началась обычная жизнь, со всеми ее проблемами и заботами. Только сейчас Наде казалось, что все проблемы и заботы не неприятности, а одни удовольствия. Многое поняла для себя Надя. Многое пересмотрела и многое вспомнила.

А однажды на кладбище, в день рождения свекрови, стоя у ее могилы, тихо прошептала: «Спасибо, мама».

Хотя при жизни никогда ее мамой не называла. А здесь почему-то назвала. Само вырвалось.

Нюся объявила, что даст отказную на Илюшу при одном условии — ей нужны деньги — десять тысяч долларов, и ни копейкой меньше.

Я пообещала ей большие неприятности. Такие, о которых она и не предполагает. Неделю телефонную трубку она не брала. Видимо, думки думала.

Мне себя не жалко. Я с ней, скорее всего, больше не увижусь. Хотя бы я на это могу рассчитывать и надеяться.

Мне жалко Ивасюков. Валерия и Зою. Они от нее отказаться не могут. Родная дочь. Им нести этот крест до конца жизни.

Ну а мне — свой. И еще я думаю про генетику. И про Илюшу. И мне становится жутковато. Не приведи господи! Пусть эта ржавая кровь Зоиной свекрови кончится на моей бывшей невестке.

С нас довольно. Мы свое уже получили. Или нет?

Две истории из очень прошлой жизни. Немного похожие, но все же разные.

История первая — о нашей родственнице Рите, жене бабушкиного брата. Рита вышла замуж за Колю, дядю Колю, как все мы называли его, перед войной. Приехала она с Украины, из города Павлодара. Была хорошенькая — кудрявая и голубоглазая. Большая рукодельница — и шила, и вязала, и прекрасно готовила. Бабушка со своей невесткой была в очень дружеских отношениях. У Риты с Николаем родился мальчик Толик. Тоже голубоглазый блондин. Жили Рита с Колей не то чтобы в большой любви, но мирно и без скандалов.

В сорок первом, в июне, Рита отправила сына в Павлодар, к родне. Тепло, фрукты, любимые бабка с дедом. Мальчику было семь лет.

Дальше война. Пришли немцы и стали уничтожать местное население. Дед, понимая, к чему все идет, пошел к соседу Прохору, сыну покойного священника, попросил спрятать Толика, тем более что мальчик мало походил на классического иудея — и цветом глаз, и цветом волос. И курносым носом. Так же, как и его мать Рита.

Прохор спрятал мальчика. Хотя прекрасно понимал, что пойдет на виселицу вместе со всей своей семьей — старухой матерью, женой и тремя малыми детьми. Если немцы об этом прознают. Толика одели в холщовую украинскую рубашку, вышитую бывшей попадьей и короткие штанишки. И он ничем не отличался от белобрысых и курносых детей Прохора Быленко.

Ритиных родителей спустя пару недель бросили в яму, которую старики под прицелами автоматов вырыли своими руками.

Ритин отец только молил Всевышнего, чтобы выжил Толик и чтобы у его дочери Риты не разорвалось больное сердце от того, что она в Москве ничего не знает про своих. А вот предполагать и догадываться может.

Стон над ямой стоял еще несколько дней, и шевелилась, стонала от страшного, непосильного груза земля.

Толик, ни о чем не подозревая, бегал по городку с ребятами и играл в лапту.

Жена Прохора, Марийка, отдавала ему лучшие куски.

Через неделю в их избу пришли немцы. И велели выдать мальчика. Прохор встал у двери и перекрыл вход. Марийка закрыла Толика собой.

Первым получил пулю Прохор. Марийку ударили прикладом по голове. Толика расстреляли и бросили в яму в тот же день. Место для него, как вы понимаете, нашлось.

Марийка хоронила Прохора и не плакала. Глаза у нее были белые и сухие. Больше она не заговорила. Молчала до конца своих дней.

Все считали, что она помешалась.

После войны, в сорок седьмом, когда Рита с Колей уже все знали, они приехали в Павлодар, поклониться Марийке и родным. Им рассказали, что Быленок выдал сосед из дома напротив. Учитель местной школы Усаченко.

Рита поцеловала Марийке руки. Тогда — в первый и последний раз — Марийка заплакала. Но это было после. А пока была война.

Колю вскоре комиссовали после тяжелого ранения. Но, приехав в Москву, с Ритой он не встретился. Она была в эвакуации, но к ней он не поехал. А отправился в Магадан.

В Магадане он работал начальником планового управления Магаданзолото. Посадили тогда многих, было крупное дело. А он оказался чист. И вот он встретил Веру, говорили, что она была необыкновенная красавица. Полюбил ее отчаянно. Жили они семейно несколько лет. Но через какое-то время она ушла от Коли к его начальнику.

В сорок шестом он приехал в отпуск в Москву, остановился у моей бабушки, у своей сестры. На Петровке у бабушки было две комнаты в огромной, на тринадцать семей, коммуналке. Я прекрасно помню эту громадную квартиру с кухней в пятьдесят метров и четырьмя газовыми плитами. Сейчас, кстати, там уютно устроился какой-то банк.

Бабушка прописала Колю и отдала одну из комнат. В другой жила она со своей матерью, моей прабабушкой, и маленькой мамой. Про Риту ничего слышно не было. Никто не знал, вернулась она из эвакуации или нет. Выжила или погибла. Он пытался ее найти по разным инстанциям, но тщетно.

Отгуляв отпуск, Коля вернулся в Магадан. Прошло какое-то время, и моя прабабка, Колина мать, увидела на барахолке в Тушино, тогда это был край света, женщину, похожую на Риту. Она закричала и бросилась за ней вдогонку. Пожилая и тучная женщина невестку не догнала.

Но вскоре моя бабушка довольно быстро Риту нашла. Это было несложно. В Лосинке у Риты жила тетка. И бабушка со своей матерью отправились к ней. Рита и вправду оказалась у тетки.

Она смутилась и впустила бывшую родню в дом. С некоторым сомнением, как заметила ее свекровь. В крошечной, шестиметровой комнатке с печкой на стульчике сидела маленькая девочка и играла с куклой. Молча сели на кровать, стола и стульев в комнате не было. Они просто не поместились бы. Долго молчали. Потом прабабка вытащила из кармана конфету и протянула девочке.

Девочка растерянно посмотрела на мать. Рита кивнула. Девочка подошла к старухе и взяла конфету. Старуха ее обняла и посадила на колени. Она гладила ее по голове, приговаривая: «Ах ты, моя красавица, ах ты, куколка моя».

Разревелись и невестка, и золовка. Не плакала только свекровь — моя прабабка. Она продолжала гладить девочку по смоляным кудрям и целовать в щеки.

Потом, когда все более-менее пришли в себя, Рита рассказала свою историю.

В эвакуации, в Казахстане, она получила письмо от дальней родственницы. Та писала, что у Коли новая семья и молодая красавица жена. Отплакала Рита свое горе, и жизнь взяла свое. Там, в Казахстане, она сошлась с мужчиной. Родила дочку Наденьку. Но жизнь у них не сложилась. Он сильно пил. Она подхватила дочку и вернулась в Москву. Про свою родню в Павлодаре и про сына Толика она уже все знала. Кормилась портняжным делом — что-то перелицовывала, что-то перешивала. Нашла у тетки довоенную шерсть и вязала носки. На барахолке их и продавала.

Опять плакали, рассказывая друг другу про свои мытарства. А потом моя прабабка сказала:

— Все, хорош. Намучилась, намаялась по чужим углам. А здесь что? Разрушенная печка и вода на улице? Собирайся!

Рита замотала головой. Тогда, тяжело вздохнув, прабабка кивнула своей дочери:

— Пакуй вещи.

И моя бабка начала собирать в чемодан немудреный Ритин багаж. Через час они поехали на Петровку. Устроили Риту с дочкой в маленькой Колиной комнате. Надюшка бегала по квартире и заглядывала в соседские двери. Везде ее угощали — кто яблоком, кто печеньем, кто леденцом.

В общем, зажили.

Прабабка написала сыну в Магадан, что Рита, слава богу, нашлась. Да не одна, а с чудесной дочуркой.

Коля приехал через две недели. Надюшка бросилась к нему на шею и закричала:

— Папочка приехал!

И надо заметить, никто ее этому не учил!

Спустя неделю они уехали в Магадан. Все вместе — Коля, Рита и Надюшка.

Через два года Рита родила двойняшек — Катю и Толика, названного в честь погибшего братика. В Москву она с детьми вернулась в шестидесятом. Наде надо было поступать в институт. Готовилась она в музыкальный, в училище Ипполитова-Иванова. А занималась с ней мать самого Ростроповича, между прочим.

Это так, к слову. Коля умер совсем не старым, от долгой и тяжелой болезни. Всю жизнь они прожили вместе — не без разногласий, но в целом неплохо. Дети получились удачные. И никогда Коля не делал разницы между своими двойняшками и Надей. И, кстати, когда он тяжело заболел, именно Надя бросилась на амбразуру и подняла всех врачей. И продлила ему жизнь.

А о том, что он не ее родной отец, она узнала спустя много лет, будучи совсем взрослой.

Казалось бы, поступок моей прабабки прошел в этой человеческой драме по касательной. Между строк. Но! Если бы не ее поездка в Лосинку! Если бы она, увидев Надюшку, уехала прочь...

Свою свекровь Рита любила всю жизнь. Свекровь всегда жила со своей дочкой, моей бабушкой. Но каждое воскресенье Рита с детьми приезжала к ней в гости. Шила ей теплые халаты — прабабка была большой мерзлячкой. Вязала носки и жилетки. Да что там носки! Хотя это тоже проявление любви и заботы. Всю жизнь она была ей благодарна. За сына — не всегда верного мужа — и за детей.

И главное, она не забывала ей об этом говорить! Что, кстати, тоже немаловажно!

И вторая история. Александр был профессиональным военным, из потомственной генеральской семьи. Ушел на фронт в первые дни войны. Совсем молодым, только после военного училища. На фронте полюбил медсестру Марусю. Маруся была родом из белорусского села. Простая сельская девчонка.

В Москве у Александра оставалась невеста. Студентка консерватории Светлана. Дочь известного композитора.

Когда Александр сошелся с Марусей, а это называлось «походная жена», он честно написал об этом Светлане. Просто потому, что был порядочным человеком. Светлана была умницей и написала в ответ, что все понимает. Война есть война. А мужчина — есть мужчина. Та жизнь, дай бог, окончится, а в Москве будет новая жизнь. Другая. Где они обязательно будут вместе. Какая там крестьянка из-под Гомеля! Когда у них со Светланой столько общего — и Москва, и родители, дружившие друг с другом, и приятели. И театры, и консерватория, и музеи. И свадьба в ресторане «Москва». Как они мечтали. И свадебное путешествие в Крым!

«Только возвращайся живым! И поскорее!» — писала умница Светлана и каждый вечер приходила в гости на Арбат. К маме Александра.

Александр не вернулся. Погиб при взятии Вены. Посмертно был награжден орденом Красной Звезды.

Про родителей все ясно, говорить нечего. Погиб единственный сын — красавец, умница и надежда. Светлана по-прежнему приходила к ним в дом. Оплакивала Александра. Стала известной концертирующей пианисткой. Замуж вышла нескоро, только в пятьдесят пятом.

А много раньше, в сорок шестом, на пороге квартиры на Арбате появилась молодая женщина с ребенком на руках.

Это была Маруся, «походная жена» Александра. Ее пустили в дом, напоили чаем. Ребенок, укутанный в одеяльце, крепко спал. Потом он заплакал, и одеяльце развернули.

Перед ними лежал маленький Сашенька, любимый сынок. Абсолютная его копия.

Марусю никуда не отпустили. Определили ей и ребенку самую большую и светлую комнату. Называли доченькой. Маруся была сиротой, вся ее семья погибла — сожгли всех жителей белорусской деревни. Всех согнали в сельский клуб и сожгли.

Маруся поступила в медицинский. Выучилась на врача. Работала оперирующим хирургом в Первой градской.

Замуж не вышла, хотя свекровь очень уговаривала устроить личную жизнь. Прожила со свекровью до конца ее лет. Сын Сашенька вырос прекрасным человеком. Очень образованным. Его образованием занималась бабушка.

А со Светланой, кстати, Маруся подружилась. Детей у Светланы не было. Она стала Сашенькиной крестной и названой матерью.

Как отрадно, когда у людей человеческие лица, действия и поступки.

Как-то на душе становится легче и светлее. Проще жить.

Адвокат нас всему научил, и мы получили от Нюси развод и отказ от Илюши. Пытаемся ее забыть как страшный сон, но пока не очень получается. По ночам я по-прежнему плохо сплю. Боюсь, что однажды она заявится и потребует сына. Черта лысого ей, а не сына! Но покоя как не было, так и нет.

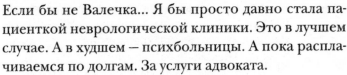

Если бы не Валечка... Я бы просто давно стала пациенткой неврологической клиники. Это в лучшем случае. А в худшем — психбольницы. А пока расплачиваемся по долгам. За услуги адвоката.

Данька дома почти не появляется. Бывает набегами. Живет у Марьяны в ее пентхаусе в «Алых парусах». Ужинают они в «Пушкине». Отовариваются в «Азбуке вкуса».

Я интересуюсь, не давится ли он черной икрой, купленной за деньги Марьяниного папаши.

Может, мой сын еще и альфонс? И я еще осуждаю Ивасюков за плохое воспитание дочери! Там, по крайней мере, гены. А у нас в роду халявщиков вроде не было.

Однажды они с Марьяной пригласили нас на ужин. Во французский рыбный ресторан.

Муж отказался сразу. А я сломалась. Я — мать. Вставая в позу, можно потерять сына. А я его, похоже, уже почти потеряла. В общем, я поехала. Оделась скромно, без парада. Перед кем мне выпендриваться?

Данька встречал меня у входа. Как только я вошла, сразу поняла, что «в таком кино я не снималась». Как говорит моя подруга Сонька. Пафос, пафос и пафос. И еще гламур. Заметила, что на моем дураке новый свитер и ботинки. Стоимость не представляю. Могу только предположить. Очень приблизительно.

Мы подошли к столику у окна. Ко мне повернулась сидящая за ним девушка. Протянула руку и сдержанно улыбнулась уголками рта. Не встала.

Может, я не знаю правила этикета? Может быть, женщина, приветствуя другую женщину, даже старше по возрасту, вставать не должна? Не знаю. Но я хотя бы привстала. Приподняла бы задницу.

Рука у Марьяны тонкая, невесомая. Ногти красивые, ухоженные, покрытые бесцветным лаком.

Я угнездилась в мягком кресле напротив мадемуазель. Отметила, что уже настроена заведомо негативно. Разве это правильно? Справедливо? Что я про нее знаю? Может быть, она умница и хороший человек? Разве она виновата в том, что ее папа оседлал нефтяную трубу или прибрал к рукам алюминиевое производство. Кто успел, тот и съел. Или меня раздражает чужое богатство? Раньше такого за собой не замечала. Правда, раньше и не сталкивалась так близко. Или это глубинные комплексы? Несоответствие, так сказать...

Но ведь влюбилась она в моего нищего сына? Значит, не корыстна. А зачем ей богач, если своего добра навалом? Можно и для души — полюбить свинопаса. К тому же такого красавца.

Не знаю, корыстна она, умна или добра. Вижу только, что она прекрасна. Абсолютное совершенство. Огромные глаза цвета изумруда, точеный нос, смуглая кожа. Пепельные волосы и идеального рисунка божественные уста. Полное отсутствие косметики. Серый свитерок и черная узкая юбка. На пальцах единственное кольцо — крупная черная жемчужина. Нитка жемчуга на шее, тоже черного. От нее восхитительно пахнет какими-то незнакомыми мне духами. А нос у меня очень чуткий — собачий нос.

Она изучает меню. Очень тщательно. Данек молчит и улыбается, как придурок. Бросает на меня взгляды — типа, ну как? Я не реагирую.

Она советует мне взять теплый салат с тунцом и лобстера. Сетует, что устрицы ныне мелковаты.

Я беру ситуацию в свои руки. Читаю меню и заказываю *все* абсолютно другое. Игнорирую ее советы. Короче, первый вызов отправлен.

А она, похоже, не поняла. Ладно. Посмотрим, что будет дальше.

Ужин проходит почти молча. Редкие фразы о погоде. Говорить нам не о чем. Она не очень разговорчива в принципе или ей совершенно наплевать, какое я составлю о ней мнение. Понравиться мне не старается. Я ей тоже.

Потом она идет в дамскую комнату, и сыночек меня спрашивает:

— Ну как?

Шепотом. Оглядываясь назад. Я пожимаю равнодушно плечами.

— Как? Да никак. Как говорила моя бабушка, пойди да покак.

А чем мне, собственно, восхищаться? Ее неземной красотой? Тоже мне заслуга!

Я пью кофе и смотрю в окно. Данька нервничает и много курит. Значит, мое мнение для него все еще что-то значит...

Уже отрадно. Возвращается Марьяна. Одно сплошное ходячее достоинство. Совершенство такое ходячее. Как себя ощущает человек, лишенный каких-либо недостатков? Даже интересно. И еще мне интересно, кто будет расплачиваться за ужин.

Предпочитаю при этом не присутствовать и выхожу в дамскую комнату. А там — бронзовые вазы с белыми лилиями и полотенца с золотым шитьем, картины на стенах. Позолоченные краны и фиолетовая туалетная бумага, пахнущая ночной фиалкой. Музей просто какой-то. Ну вот, приобщилась и я к жизни нуворишей.

Очень хочется прихватить с собой полотенчико с золотыми хризантемами. Но воспитание не позволяет. А зря. Наступаю своему порыву на горло и выхожу из этого храма гигиены и красоты. Вот где можно попросить политического убежища! И жить в душевном ладу с окружающим миром и, собственно, с собою.

В гардеробе Данька накидывает на плечи Марьяне меховое манто. По-моему, соболь. Могу и ошибаться. Он предлагает мне заказать такси, но мадемуазель говорит, что «маму они подвезут».

Так. «Маму». Хорошие дела. Я как-то пугаюсь. Нервная я стала. Пугливая. Вздрагиваю от этих слов. Неврастеничка, короче. Сыночкины «поиски счастья» даром для меня не прошли.

За руль шикарного «Лексуса» садится Данька. Она предлагает мне переднее сиденье. Вот вам, мама, почет и уважение! А вы боялись!

Я усаживаюсь сзади. Говорю, что меня не укачивает. Дура я все-таки! Надо было плюхнуться на переднее. И поставить всех на место! И себя в том числе. Но поздно пить боржоми.

Я себя ругаю. Я себе не нравлюсь, я собой недовольна. У бедных собственная гордость. Вот как это называется.

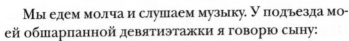

Мы едем молча и слушаем музыку. У подъезда моей обшарпанной девятиэтажки я говорю сыну:

— Зайти не хочешь? С Илюшей повидаться?

Вот так. Свои пять копеек я все же вставила. А что мне молчать? Скрывать Илюшу? А если она про него не знает? Ну, тогда это вообще запредел! «Тогда я не хочу знать и Илюшиного папашу!»

Нет, знает.

— А не поздно? — спрашивает Марьяна и смотрит на часы. Потом добавляет: — И с пустыми руками! Неудобно как-то. — Кивает. — Да, в другой раз. Поздновато.

Ладно. Живи, дочь олигарха! Пока я тебя не съем. А там посмотрим! Жизнь покажет.

Я благодарю ее за ужин и двигаюсь к подъезду. Сын выскакивает меня провожать. Пытается чмокнуть. Я уклоняюсь. Почему? Сама не понимаю. Он мне неприятен? Опять же — почему?

Я захожу в лифт и вижу его расстроенные глаза. Наплевать! Пусть живет спокойно дальше! И получает от жизни удовольствия! От лобстеров и «Лексусов»!

А мы как-нибудь! Без него справимся!

Я вхожу в квартиру абсолютно без сил. Как будто разгружала вагоны. Муж уже спит. Илюшка тоже. Валечка на кухне смотрит телевизор. Видит меня и ни о чем не спрашивает. Молча наливает мне чаю и тихо уходит. Святой человек!

Я почему-то плачу. Нет, определенно я стала истеричкой. Ну что мне плакать? Все живы и здоровы, тьфу-тьфу! Илюшка спит в соседней комнате.

Ну почему мне так плохо и тоскливо? Почему?

Может, я просто разучилась радоваться жизни? Просто устала? Или мои проблемы серьезней? И мне нужен специалист по душевному устройству?

Или все проще простого? Материнское сердце — вещун...

Повеселю. Хотя, может быть, это и не так смешно, как кажется.

У меня была приятельница Вера. Не то чтобы приятельница — знакомая. Наши дети вместе ходили на плавание.

Вера жила с мужем хорошо. Небогато, но мирно и дружно. Детей у них было двое — мальчик и мальчик. Вова и Гоша. Погодки. Для детей — все. Английский, спорт, рисование, музыка. Все средства, весьма ограниченные, на физическое и духовное развитие мальчишек.

Но денег категорически не хватало. Вере надо было выходить на работу. Мальчишки были, как решила Вера, «не садовские». В этом Веру убеждала свекровь. И убедила. Жила свекровь в Бердянске, на Азовском море. В собственном домике с пышным садом и виноградником. В десяти минутах ходьбы от пляжа. Она названивала Вере ежедневно и умоляла привезти детей к ней.

Наверное, это было разумно. Воздух, море, фрукты. Родная бабушка. Вера долго не соглашалась. Жизни без мальчишек не представляла. Каково? Приходить вечером с работы, а в квартире пустота. Не слышно детских голосов, топота ног и шумных разборок.

Муж Петя тоже раздумывал. А свекровь все прессовала и прессовала. Требовала включить разум. Говорила Вере, что она эгоистка и думает не о детях, а о себе. И ребята сдались. Успокаивали себя: ну каких-нибудь пару лет!

А детям — вольница и витамины. У бабушки свои куры. Свежие яйца. Груши, виноград, черешня и абрикосы. Свежий творог, сметана и молоко — соседка держала корову. Солнце и море, наконец.

Права свекровь! Эгоисты они еще те! Да и мальчишки — тощие и зеленые в синеву. Кашляют весь год, все в соплях. А в детском саду? Будут хватать все инфекции подряд! Все равно Вере не работа, а один сплошной, без перерыва, больничный.

Вопрос был вот в чем — все-таки далековато. На выходные не наездишься. Два-три раза в год от силы. Да и расходы на дорогу...

И детей отвезли. Бабушка, увидев зеленолицых внуков, два дня прорыдала в голос. На улицу их не выпускала, говорила, что стыдно перед соседями. Через неделю Вера и Петя уезжали. Вера вцепилась в мальчишек и завыла в голос. Муж Петя героически молчал и отводил в сторону глаза.

Свекровь отодрала Веру от мальчишек и выкинула их чемодан за ворота. Потом взяла Веру за шкирку и отправила вслед за чемоданом. Петя вышел сам.

В такси Вера продолжала голосить. Потом стала скулить. Дальше — подвывать. Успокоилась она только в поезде, под вечер. После того как сердобольная проводница налила ей стакан валерьянки и полстакана коньяка.

Утром Вера просыпалась и подолгу смотрела в потолок. Не надо было вскакивать с кровати, будить мальчишек, умывать их в ванной, заставлять чистить зубы. Под их громкие вопли. Не надо было варить кашу и жарить сырники. Выжимать морковный сок. Надевать кучу вещей — одеваться, как все дети, они не любили. Тащить их в детский сад — опять же, под громкие вопли. Вечером бежать с работы. Опять напяливать на них кучу вещей и слушать жалобы воспитательницы. Прибегать домой и вставать к плите. Стирать изгаженную кашей и борщом детсадовскую одежду. Разнимать их во время дележки игрушек. Купать на ночь. Укладывать спать, непременно со сказкой.

Потом мыть посуду, падать в кровать и с тоской думать о том, что завтра все повторится. Все — то же самое. С небольшими вариациями. Короче, День сурка неистребим.

Что бы делали тысячи женщин на Верином месте? Правильно. Радовались жизни. Свекровь человек ответственный и надежный. Дети на воздухе и наверняка в порядке. Каждый день купаются в море и едят свежие и полезные продукты.

А ты наслаждайся свободой! Получи от жизни все! Сходи в парикмахерскую. Купи абонемент в бассейн. Пообщайся с подружками. Пойди вечером с мужем в кино. После работы полежи в ванне с ароматной пеной. Закрыв глаза.

И тебя никто не будет дергать! Тебе не надо будет носиться как подорванной с раннего утра до поздней ночи. В субботу и в воскресенье тебя не разбудят! Ты с наслаждением выпьешь кофе с тостом с малиновым вареньем и бухнешься обратно в постель. С журналом и яблоком. И через полчаса глаза начнут закрываться, и ты положишь журнал на живот и ...

Но нет! Вера не умела получать от жизни удовольствие. Вера любила страдать. И именно от этого получать удовольствие. После работы она садилась в кресло, и у нее опять останавливался взгляд. В таком виде и заставал жену Петя. И умолял ее не устраивать ему «вырванные годы». Вера кричала, что она «не слышит топот детских ножек». Петя предлагал послушать «топот его ножек» и, тяжело вздыхая, шел на кухню жарить яичницу. Потихоньку Вера пришла в себя и успокоилась. Почти. Радости от свободы она не испытывала, но и страдания ее утратили остроту. Да и к тому же вскоре они собирались поехать на неделю к детям. Навестить.

Взяли билеты и накупили кучу подарков. В поезде Вера оживилась и начала болтать с соседкой, что было ей совсем не свойственно. Выйдя из вагона, она рванула на стоянку такси. Там, растолкав толпу и презрев очередь, громко бурлящую справедливым гневом, плюхнулась в машину. Интеллигентная и воспитанная Вера.

Подъехав к дому свекрови, Вера выскочила из машины, не закрыв за собой дверцу. Петя расплачивался с водителем. Водитель, человек простой, провинциальный и без затей, с жалостью посмотрел на Петю и спросил, давно ли «не в себе» его жена. Петя только махнул рукой.

А в это время в саду навстречу Вере ковылял незнакомый толстый мальчик и приветливо улыбался.

«Странно! — подумала Вера. — Для курортников еще рановато. Наверное, соседский мальчик. Приятель наших пацанов».

Но мальчик подошел к Вере и уткнулся в подол ее платья.

— Вова? — прошептала Вера. И, не веря себе, повторила: — Вова, это ты?

Вовка поднял глаза и изумленно посмотрел на свою мать. В этот момент из дома выскочил еще один мальчик. Немного крупнее Вовы. И с радостными воплями бросился к Пете.

— Папа! — закричал мальчик.

— Гошка? — удивился Петя.

На пороге дома стояла Верина свекровь, сложив на животе натруженные руки, и с нескрываемым удовольствием и гордостью обозревала эту сцену.

— Мама... — тихо, с сипом, сказала Вера. — Что вы сделали с детьми?

Голос ее сорвался, и она захрипела.

— Нравится? — довольно осведомилась свекровь. — Людей из них сделала. Вот что сделала, — сказала она резковато. Видно, почуяла подвох.

Вера села на скамейку, прижала к себе детей и закрыла глаза. Смотреть на детей ей было больно. Она только гладила их по головам и приговаривала, что все будет хорошо.

— А что, сейчас плохо? — растерялась свекровь.

Вера открыла глаза и четко произнесла:

— У детей ожирение.

Завтра надо срочно сдать кровь на сахар, проверить печеночные пробы и холестерин. Ожирение грозит болезнью сердца и суставов. Они уже не бегают, а переваливаются как утки. Она слышит, как тяжело они дышат. Какие они потные. А ведь жары на улице нет! А какие последствия всего этого кошмара ожидают несчастные желудок, печень и поджелудочную?

— Чем вы их кормили? — голос Веры крепчал.

Мальчишки и Петя наблюдали за происходящим с тревогой.

— А шо? — растерялась свекровь. — Утром яички. Тепленькие еще, только из-под курочки.

246

— Сколько? — грозно спросила Вера.

— Да по три штучки всего. Свеженькие ведь. Желточек оранжевый, — жалобно пролепетала свекровь.

— Дальше, — проговорила Вера.

— Ну шо дальше? — напрягла память свекровь. — Дальше творожку со сметанкой. По мисочке. С сахарком, конечно. Как дитю давать без сахару? Сметанка хорошая, из первых сливочек. Желтенькая — чистое масло. Хоть ножом режь! — И она блаженно заулыбалась.

Вера кивнула. Свекровь перевела дух и продолжила:

— Ну а потом оладушки с вареньем. Вовке с клубничным, а Гошке с абрикосовым. Не любит Гошка клубничное, — горестно вздохнула она.

— Сколько? — спросила Вера.

— Чего — «сколько»? — не поняла свекровь.

— Оладушек сколько? — монотонно повторила Вера.

Свекровь оживилась.

— Та шо — сколько? Ерунда, а не сколько. Штучек по шесть, по семь. Они-то маленькие, с ладошку.

— С чью ладошку? — уточнила Вера с иезуитской улыбкой.

Свекровь пожала плечами и отвечать не рискнула.

— Ясно, — кивнула Вера.

И выразительно посмотрела на свекровь.

Та встрепенулась и ответила:

— Ну, дык все.

Вера смотрела с недоверием.

— А, ну еще кашки манной. По плошечке. — Голос бабушки начал затухать.

Вера кивала головой.

— А в обед? — поинтересовалась она.

— Да чего там, — отмахнулась бабушка. — Тюлечка соленая с хлебушком. На закуску. Икра из синеньких. Тоже на закусочку. Борщик на уточке со сметанкой, по тарелочке всего. Ну и второе. А как без него? — Она бросила на невестку полный презрения взгляд. — Ну, котлетки с пюрешкой. Или курочка с макаронами. Или отбивнушки с гречкой. С салатиком, конечно. Помидорчик, огурчик. По сезону. Ну а потом киселек с булочкой. Или с пирожком. И на бочок. Отдыхать. После обеда-то!

Вера молчала, покачивая стройной ногой. Потом она подняла брови и посмотрела на свекровь. Молча.

— А дальше? — догадалась та.

Вера кивнула.

— Ну, как поспят — простокваши свеженькой. Или варенца. С булочкой, понятно. Это часов в пять. — Она бросила испуганный взгляд на невестку.

— Ну? — невежливо поторопила ее хорошо воспитанная Вера.

— А, ужин! — догадалась свекровь. — Да там совсем ерунда! Запеканочка мясная или блинчики с курочкой. Или перчики фаршированные. Или вареннички с вишней или с картошкой. Чего попросют, короче говоря. Мне для родных внуков вареников налепить труда нет! — гордо сказала она и подняла подбородок. С вызовом, надо сказать.

— А на ночь? Еще что-нибудь? — дотошная Вера решила идти до конца и не побоялась узнать всю страшную правду.

Свекровь небрежно махнула рукой. Дескать, и говорить-то не о чем. Так, бутербродик-другой, с сальцем и черным хлебушком.

Вера молчала. Петя тоже. Дети испуганно жались к отцу. Свекровь нервно покашливала, не понимая, что произойдет дальше. Но хорошего не ждала. Сердцем чуяла.

— Вы решили погубить детей. Моих детей, — сказала Вера тихим и страшным голосом. — Вы варвар. И я ни за что не поверю, что можно не знать, чем все это может кончиться для их здоровья. Такое можно сделать только назло! Это просто какой-то каменный век!

Свекровь охнула и прикрыла рот рукой.

— Вера! — тонко выкрикнул Петя. — Подумай, что ты несешь!

— Это я своим внукам добра не желаю? — просипела бабушка и начала заваливаться на бок.

Петя бросился к матери. Дети дружно заревели. Вера смотрела перед собой и упорно молчала. Петя отвел мать в дом и уложил на кровать. Накапал сердечных капель. Минут через пятнадцать бабушка заголосила. Ее крики слились с воплями внуков. Потом зарыдала Вера. Петя носился между ними и проклинал свою несчастную жизнь.

Когда все успокоились, было решено сесть за стол переговоров. Молчали все, кроме Пети. Красные и опухшие. Петя пытался объяснить маме, что во всем должна быть мера и доля разума. Мама опять заплакала. Она искренне не понимала, что происходит и чем она так прогневала невестку.

— Какие гладкие ведь стали! — сокрушалась бедная женщина. — На людей ведь похожи стали! Соседям не грех показать. А то — привезли как из Освенцима. Не дети, а курята синие размороженные по рупь тридцать. На ногах не держались! А сейчас! Илья Муромец и Добрыня Никитич! Как есть!

Петя пытался объяснить маме, что фанатизм до хорошего никого и никогда не доводил. Мама никак не могла понять, чего от нее хотят и чем недовольны сын и невестка.

Потом Петя увещевал Веру, что мама желала детям только добра. Просто добро она понимает по-своему. Как бабушка и деревенский житель.

Вера роняла горькие слезы обиды и приговаривала, что такой дикости она не могла ожидать даже от Анастасии Федоровны.

— Почему даже? — теперь обиделся Петя.

Притихшие мальчишки сидели на диване, крепко держась за руки.

Потом все еще пообижались-пообижались и наконец успокоились.

— Все-таки мы одна семья! — заключил мировую Петя и подвел упирающуюся жену к отвернувшейся матери.

Через пару минут они неловко обнялись.

Потом Вера объяснила, что маме нужно пересмотреть свою позицию и более щадяще относиться к любимым внукам. Если она, конечно, желает им добра.

Свекровь опять хотела было обидеться, но суровый взгляд сына остановил ее от опрометчивого шага.

Вера объявила ряд своих условий. Петя записывал их в тетради. Свекровь, скривив губы, обиженно молчала.

Вера ее открыто, не стесняясь, шантажировала. Грозила, что заберет детей в Москву.

Свекровь охала и прижимала руку к сердцу.

Петя старательно расписывал в тетрадке меню и подсчитывал калории.

Бедную свекровь заставили под меню расписаться.

Все последующие дни готовила Вера. Свекровь стояла рядом и училась варить вегетарианский борщ, щи из шпината, морковные оладьи и капустные котлеты. Когда Вера нарезала винегрет, свекровь презрительно бросила, «что такой помоей соседка Люська кормит поросят».

Но делать нечего. Свекровь была человеком честным, дала слово — надо его держать. Да и что поделаешь, если невестка — малахольная дура.

Вера купила напольные весы и взвесила мальчиков. Отметила вес в тетрадке и велела их взвешивать каждые три дня.

— Делать мне больше нечего! — буркнула свекровь и хлопнула входной дверью.

Перед отъездом Вера опять рыдала. И Петя опять ее с силой отрывал от детей.

Свекровь с невесткой попрощались более чем сухо.

Вера гордо вскинула голову и села в такси. Анастасия Федоровна громко хлопнула калиткой.

В поезде до самой Москвы Петя с Верой не разговаривал. Она даже начала заискивающе заглядывать ему в глаза.

Бабушка, тяжело вздыхая, варила шпинатные щи и, пробуя их, в сердцах сплевывала. Морковные оладьи мальчишки есть не хотели и требовали плюшек с повидлом. Бабушка говорила твердое «нет», и ее сердце обливалось кровью. Спустя пару дней она поняла, что больше так страдать она не в состоянии и сварила густой борщ на молоденькой, только что ощипанной ею самолично курочке. Это ж не на утке! — утешала она себя. На ужин спекла тонюсенькие блинчики и полила их полезным медом. Дети наконец остались довольны, хоть и не вполне сыты.

251

Петя звонил еженедельно и заносил в тетрадь результаты взвешивания Вовки и Гошки.

Вера свекрови не звонила долго. Хотя понимала, что обижаться на Анастасию Федоровну довольно глупо. Она, конечно же, обожала внуков и желала им только добра. Просто понятия о некоторых вещах у них с Верой не совпадали.

Разное воспитание, разные культуры. Разные поколения.

Свекровь тоже Веру долго не прощала. Обида никак не уходила из сердца. А ведь как она старалась! Как трудилась у плиты! Сколько сердца вкладывала в свои борщи и котлеты! А ведь все это давалось ей непросто! Немолодой и тучной нездоровой женщине! Как мечтала она увидеть счастливые лица сына и невестки! Как рассчитывала на похвалу! Нет, не на благодарность! Хотя бы — на похвалу! А что получила? Горько вспоминать! Горько и больно...

Как-то вечером она достала старую сумку с фотографиями. Нашла снимок молодого Пети. Перед поездкой в Москву, в институт. Залюбовалась — весил Петька тогда килограммов сто, не меньше! Щеки как помидоры! Грудь как у борца. А сейчас? Смотреть не хочется. Сердце щемит. Не мужик, а хлыщ в ботинках. Жидкий какой-то...

Она убирала фотографии и горестно вздыхала.

А мальчишек родители забрали под самую школу. Окрепших, смугленьких и здоровых. И все же немного упитанных. Так, в пределах дозволенного.

Ведь понимали, что бороться с бабушкой было бесполезно. Человека в ее возрасте уже не переделаешь! Да и надо ли?

Да и вообще, как мне кажется, в чужой монастырь со своими правилами не ходят. Доверяешь — доверяй! Или тащи свой воз сама. Тогда претензии только к себе.

Да, кстати! Мужа-то она Вере воспитала неплохого! Вера вроде довольна...

Наш сын торжественно объявляет о своей помолвке с Марьяной. И приглашает на «семейный ужин». В честь этого события.

Нет! Расстраиваться и страдать совершенно бессмысленно! Ко всему этому надо относиться с большой долей юмора. Иначе нам просто не выжить.

Вечером я говорю мужу:

— Интересно, а в кого он у нас такой? Ну, просто так ведь ничего не бывает!

Я пристально, с прищуром и подозрением смотрю на мужа. Муж тяжело вздыхает и крутит пальцем у виска.

Итак, ужин. В коттедже папы-олигарха. Приглашены только родители молодых. Чувствую, что Даниил Павлович нервничает. С чего бы? Боится, что мы опростоволосимся? Придемся не ко двору? Ляпнем откровенные глупости, напьемся, устроим дебош?

Чего нас стесняться? По-моему, нами можно только гордиться. Приличных людей осталось не так уж много на этом свете. А, совсем забыла! Мы бедны! Мы абсолютные нищеброды! Какой толк в наших образованиях и познаниях в области культуры, музыки и литературы!

Мы неудачники! Это про нас — если ты такой умный, что же ты такой бедный?

Ужасней высказывания нет. Ужасней и унизительней! Сколько умнейших и образованнейших людей отнюдь не богаты! А сколько воров и бандитов в «шоколаде»? Особенно в нашей милой стране! Разве все в этом мире раздается по заслугам и справедливости? Нет, конечно, бывают исключения. Мой одноклассник Васька Попов. Богатый человек. Создал свою империю сам. Ей-богу! Я знала его семью. Почтальон мама и слесарь папа. Васька прогорал раз пять до полной нищеты. Мы подкидывали ему на хлеб и сигареты. А потом поднялся. Просто из руин. Сейчас владелец холдинга. Дай ему бог!

Или Алик, двоюродный брат моего мужа. Программист. Все — своим умом. Не миллионер, но очень обеспеченный человек.

Или наша дальняя родственница Вика-Ежевика. «Подняла» три ресторана. Очень, кстати, популярных в столице. Сейчас открывает еще два. Умница и трудяга.

Но они не олигархи. Они — таланты и труженики. Ну, и еще чуть-чуть удачи.

А то, что «трудом праведным не наживешь палат каменных», — это точно. Русские пословицы — кладезь мудрости.

Ладно. Что я так завелась? Может, эти олигархи и не такие плохие люди? Ведь не за миллионщика свою дочурку выдают. Значит, чувства уважают. Ну, посмотрим!

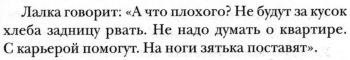

Лалка говорит: «А что плохого? Не будут за кусок хлеба задницу рвать. Не надо думать о квартире. С карьерой помогут. На ноги зятька поставят».

Не знаю. Но на сердце нерадостно. Опять не из нашей песочницы. А значит, и понимать друг друга будет непросто.

Не зря ведь в старину брали из своего сословия! И не было разводов. Почти. Про исключения не будем. На то они и исключения.

Лалка названивает и интересуется, в чем я собираюсь пойти на суаре.

Я говорю, что это — не суаре, а аутодафе. Образованная, блин. Острячка.

Лалка предлагает что-либо из своего тряпья. Я отказываюсь. У бедных собственная гордость. Да и потом, разве я их могу удивить? Это после Марьяниных-то соболей...

Данька сообщает, что папа-олигарх предлагает прислать за нами машину. Дескать, чтобы мы расслабились. Я? Расслабилась? Не дождетесь! Я уже готова к отпору и защите.

Суббота. Нервненько. Бросаюсь на мужа и цыкаю на Илюшку. Валечка его спешно одевает, и они уходят гулять.

По дороге молчим. Вижу, в каком напряге муж. Не утешаю. Вредничаю. Въезжаем в дачный поселок. КПП, как на израильско-сирийской границе. Выходит человек с автоматом. Мы предъявляем паспорта. Поднимается шлагбаум. В поселке три дома. *Три!* У одного нас встречает человек в форме. Открываются ворота, и мы въезжаем в другой мир. То, что он другой, видно сразу. Участок необъятен.

Дом стоит в глубине, и его почти не видно. Огромные клумбы с разноцветными рододендронами. Английский газон. Мраморные белые скамейки — Ленин в Горках. К нам, растерянным и потерянным, выходит человек во фраке. Мажордом, вспоминаю я. Он вежливо кланяется и ведет нас в дом. Муж нервно теребит букет бордовых роз из магазина «Цветы оптом».

Мы входим. В холле с розовыми мраморными колоннами нас встречают хозяева. Олигарх и олигархша. Он — высокий, полноватый, краснолицый мужчина. Лицо простое, глаза острые. Она — невысокая, стройная пепельная блондинка. Лицо невнятное, но очень гладкое и ухоженное. И лицо, и прическа, и руки — все говорит о том, что их очень холят, лелеют, всячески ублажают и вкладывают в них немереные деньги.

Он представляется по имени-отчеству — Константин Андреевич. Она — по имени. Алла. На ее лице слабокислая улыбка. Вернее, ее подобие. Мгновенно она оглядывает всю меня и делает выводы. Думаю, неутешительные для меня.

Мы проходим в гостиную. Вернее, в каминную. Аперитив, блин! Уточняют наши предпочтения. Мужу легче, он за рулем. Я прошу мартини. Или это — не аперитив? Ну и хрен с вами. Появляются дети. В белых шортах и майках. С теннисного корта. Данька нас радостно целует и тревожно заглядывает в глаза. Я отвожу взгляд. Никакой поддержки! А, кстати, почему?

Разговор не клеится. Типа, про погоду. Я мысленно оглядываю себя. Юбка из «Зары» и свитерок

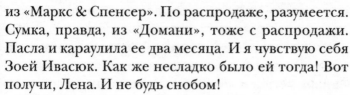

из «Маркс & Спенсер». По распродаже, разумеется. Сумка, правда, из «Домани», тоже с распродажи. Пасла и караулила ее два месяца. И я чувствую себя Зоей Ивасюк. Как же несладко было ей тогда! Вот получи, Лена. И не будь снобом!

Мы проходим в столовую. Дети переоделись и присоединились к нам. Глаз не оторвать! Просто какие-то марсиане! Нет, правда! Оба хороши так, что прямо сейчас на обложку глянцевого журнала с подписью «Люди будущего».

Держатся за руки. Мажордом, или как его там, рассаживает нас по местам. Согласно купленным билетам. Хозяин стола — во главе.

На столе никаких блюд. Все сервировано на серебряных и фарфоровых тарелках и разносится каждому. Спаржа, карпаччо из рыбы, тартар — сырой фарш с луком и перцем. Перепелка, начиненная фуа-гра. Розовое шампанское. Алла ковыряется в своей тарелке с кислой миной на лице. Видимо, она давно убедила себя, что еда — это не удовольствие, а одно сплошное и большое зло. Хозяин ест спокойно, с большим достоинством. Марьяна сдержанна, в матушку. А Данька рубает будь здоров! И от этого мне становится как-то неловко, не по себе.

Потом в узких стеклянных стаканчиках подают по шарику лимонного шербета. Я решила, что это конец трапезы, но нет. Это для того, чтобы сбить вкус закуски и подготовиться к горячему. Тонко.

Далее на выбор. Мясо или рыба. Или дичь. Ладно, хватит про еду. Общение слегка оживляется. Олигарх рассказывает про путешествие по Мексике. Маршрут, естественно, не туристический. Тур индивидуальный, редкий и довольно опасный. Мы узнаем про деревню, где раз в год жители едят галлюциногенный кактус и далее галлюцинируют весь последующий год. Ко дню поедания тоже готовятся пару месяцев. Этот процесс страшно разрушает организм, и живут они крайне мало. Но после этого обряда их посещают какие-то неведомые сны, и они начинают писать неправдоподобно красивые картины на глиняных досках, подготовленных заранее. Сочетание красок, сюжеты — все как с других планет. Само растение, источник вдохновения, они держат в строжайшей тайне. Не продают ни за какие деньги. Конечно, на них давно делают бизнес. Даже построена «потемкинская» деревня, где они якобы живут, и при ней открыт магазин. Но наш будущий родственник — не дурак. За бешеные деньги он подрядил гида, и тот доставил его в истинную деревню. Там олигарх и оторвался. По полной. Нет, конечно, он мог все купить и в магазине, деньги совершенно не имели значения! А интерес? Драйв? Приключения? Поездка на вездеходе по джунглям? Опасности на каждом шагу, дикие звери, реки, кишащие пираньями и кайманами. Джунгли со страшными насекомыми и змеями.

Вот, оказывается, в чем весь кайф! А я-то думала, что кайф — это пляж на берегу Средиземного моря, приличный отельчик в четыре звезды с удобной кроватью и телевизором, сувенирные лавочки и кофейни на три столика.

У олигарха кайманьи глаза. Желтые, с узкими поперечными зрачками. Он, разумеется, не дурак, этот дядя-олигарх. Долго карабкался, сжевал на пути много чего несъедобного. Давился, тошнило. Знает — в этом просто уверен, — что и почем. Убежден, что все покупается и тем более продается. Считает, что видит людей насквозь. Гордится этим. Знает цену людской подлости, и никто его не убедит, что бывает на свете порядочность и бескорыстие.

Он прост и непрост одновременно. Считает себя знатоком человеческих душ и очень плохо относится к человечеству в целом.

Он не догадывается о том, что он очень примитивен. И что я тоже вижу его насквозь. А может, догадывается.

Он целует мне руку, и его кайманьи глаза холодны и равнодушны. Я понимаю, что как женщина не представляю для него ни малейшего интереса. Но когда-нибудь же он расслабляется и ослабевает его каймянья хватка? В постели, к примеру? Даже интересно! Ну, любил же он кого-нибудь, в конце концов! Был наивным юношей...

Хотя столько воды утекло.

Не хотелось бы быть его врагом. Или просто подозреваемым. Клацнет каймяным зубом — и нет врага. И мне страшно за моего Даньку. Он — не хищной породы.

При въезде на Рублевку надо сменить указатель. Не Рублевка — Каймановы острова.

Ну, очень я остроумная! От страха, наверное.

Алла все время молчит. Слегка улыбается. Но глаза у нее не очень счастливые. Богатые, видимо, тоже плачут. Потом олигарх рассказывает — не без гордости, — как был простым тульским пареньком.

Работал на заводе, занимался общественной жизнью. В отпуске шабашил по деревням — строил коровники. Денег не хватало, семья была многочисленной и бедной. Потом приехал в столицу и тоже начинал с нуля. Вокзал, завод, общежитие. Батон хлеба и бутылка кефира. Пельмени — как деликатес. В парке Горького познакомился с девушкой Машей, студенткой биофака. Случилась пылкая любовь. Машенька была умница и красавица. Сыграли свадьбу. Любили друг друга до дрожи. Машенька заставила его закончить институт.

А потом... Умерла при родах. Вместе с младенцем. Он тогда пытался наложить на себя руки. Спасли. Потом запил. Страшно, по-черному. Всплыли чертовы дедовские и отцовские гены.

Жить не хотелось года три. А однажды проснулся и увидел в окне клен с красными листьями. Заплакал и решил жить. Ради памяти Машеньки и сына.

Через пару лет встретил Аллу. Рассудительную и спокойную. Понял, что лучше жены не найти. Поженились, родилась Марьяна. Гордость и краса. Тоже прошли через огонь и воду — коммуналки, съемные квартиры, раздолбанные «Жигули» и одну курицу на три дня — первое и второе.

Рассказывал он все это с видимым удовольствием. Вообще, я заметила, что состоятельные люди очень любят рассказывать о своем голодном прошлом. Ну, очень им это в кайф! Хотя понятно, всего достигли, через многое прошли. Выстояли, выдюжили. Гордятся собой.

Только способы обогащения, как правило, плохо пахнут. Не все, конечно... Про способы своего обогащения олигарх промолчал. Упустил такой незначительный вопрос из рассказа.

Молчаливая Алла оказалась себе верна — за весь длительный мужнин монолог не произнесла ни слова. Будто ее это и вовсе не касается. Может, за это ее и держат? За покорность и послушание?

Сыночек с Марьяной шушукались на диване.

Наступила пауза. Мы с мужем переглянулись. Олигарх перехватил наши взгляды и сказал, что лирики и воспоминаний довольно, пора обсудить насущное.

«Насущным» оказалась будущая свадьба. Все было решено до нас. Нам оставалось только, собственно, выслушать. Нашего мнения никто не спрашивал и никого оно, в принципе, не интересовало. Что ж, верно. Кто девушку «ужинает», тот ее и «танцует». Спасибо, что хоть заранее посвятили. А могли бы просто за две недели до свадьбы прислать приглашение. Или не прислать.

Нам приносят коньяк и кофе и подают альбомы. В альбомах фотографии замка в Луаре. Где, собственно, и будет проходить свадьба принцессы и нашего свинопаса. Потом Алла показывает эскизы Марьяниного платья, заказанного в Лондоне. Токсидо — подобие фрака с широким поясом — для нашего сыночка.

Олигарх оглашает программу праздника, зачитывает цитаты из меню. Замечаю, что там много неизвестных мне слов.

Потом осторожно интересуется, сколько будет гостей с нашей стороны. Я теряюсь и обещаю подумать. Он объясняет нам, дуракам, что надо заказывать номера в гостинице для гостей и места в самолете. Частном, арендованном.

Мы переглядываемся с мужем и говорим, что сводку передадим через пару дней.

Потом встаем, благодарим за «прекрасный вечер и чудесный ужин» и собираемся домой.

Алла слегка оживляется и интимно шепчет мне в ухо, что поможет мне с нарядом на свадьбу. В смысле, отправит к своему дизайнеру. Видимо, считает, что на меня полагаться не стоит. Да и рисковать тоже. Нас провожают на улицу. Марьяна мне нежно улыбается и касается губами моей щеки. Данька меня обнимает и нежно целует. Олигарх смотрит на него одобрительно-снисходительно, похлопывает его по плечу, говорит, что он — неплохой парень, и обещает «сделать из него человека».

Правильно. Все правильно. *У меня это не получилось.* Пусть теперь попробует олигарх.

Хотя мне кажется, что в эту фразу мы вкладываем совсем не одно и то же. А нечто даже и вовсе противоположное.

Но мне уже, честно говоря, почти все равно. Я устала. И не хочу сопротивляться. Пусть все будет, как будет. Но я знаю точно — ничего хорошего из этого не получится.

Пошли все к черту!

В машине я реву. Громко, с подвыванием. Муж молчит и смотрит на дорогу.

Скорее домой! В родные стены. Не нужен мне берег турецкий и дворец на Рублевке. И замок в Луаре!

Это я знаю точно.

Беда пришла, когда Рашели было почти восемьдесят. До юбилея оставалось три месяца.

По вечерам, еще до беды, собиралась вся большая семья, и все обсуждали предстоящий юбилей. От ресторана Рашель отказывалась, слишком стандартно и пошло. А два этих слова были самыми страшными в ее лексиконе.

Старший сын, тот, который известный режиссер, предложил свою дачу в Валентиновке — лесной участок, никаких грядок и клумб. Можно поставить шатры, зажечь факелы. Пригласить поваров и обслугу. От поваров вся женская часть семьи с возмущением отказалась. Столько еще вполне работоспособных и крепких женщин! А внучки! На них только пахать! Обсуждали меню и списки приглашенных. Подруг и любовников юбилярши почти не осталось — так, последние жалкие крохи.

Но семья была огромна! Сыновья, их многочисленные бывшие жены и подруги, жены и подруги настоящие, действующие. Куча детей от этих жен и подруг. Уже выросших, со своими семьями-отростками. Два больших клана от бывших мужей Рашели. Тоже с детьми и внуками. От последующих жен. Дружила она со всеми.

Просто друзья сыновей, невесток и внуков. Ее обожали все. Без исключения.

Было решено, что лучшим подарком для Рашели будет путешествие в Италию, на Капри. Где она прожила несколько лет в далекой молодости. Со своим первым мужем, молодым, но уже известным художником. Даже была найдена *та самая* вилла! Ее и арендовали на два месяца. Вместе с прислугой.

Но не случилось...

Рашель попала под машину. В результате аварии пришлось ампутировать ногу. Выше колена.

Конечно, была задействована вся медицинская Москва. Операцию делал друг среднего сына — гениальный хирург. Конечно, Рашель лежала в отдельной палате. И, разумеется, ни на минуту не оставалась одна. Кто-то из родных или знакомых бесконечно мыл в палате полы. Кто-то сидел у кровати и пытался хохмить. Кто-то читал больной свежие новости. Кто-то пытался кормить с ложки. Рашель со всеми общалась — по мере сил. Когда уставала, просила дать ей поспать. Все выкатывались из палаты и смиренно торчали в коридоре или в курилке.

Приезжала Нино и привозила в термосах с широким горлом горячее лобио и густую солянку. Рашель обожала грузинскую стряпню и ставила ее выше высокой французской кухни. Когда-то, лет в двадцать пять, у нее был сумасшедший роман с грузинским поэтом, и она прожила в Тбилиси несколько лет. Нино и была дочерью этого самого поэта.

Потом приезжала Маруся, последняя жена ее второго мужа, и привозила в кастрюле, укутанной старым оренбургским платком, еще теплые пирожки с картошкой, лепить которые она была большой мастерицей и которые очень ценила Рашель.

Аппетита у Рашели не было. Но она понемногу ела, стараясь не обижать окружающих.

Внучка Регина, абсолютная копия бабки, читала ей Ахматову и Пастернака. Рашель лежала с закрытыми глазами и изредка кивала головой.

Потом она засыпала, а Регина брала Рашель за руку и не отводила глаз от ее все еще прекрасного лица. И ей казалось, что она видит себя в старости. И это зрелище не пугало ее, а, наоборот, успокаивало.

Внук Алешка притащил магнитофон — дорогой японский двухкассетник, над которым он дрожал как над младенцем. Для бабки было ничего не жалко. Рашель слушала с одинаковым удовольствием и битлов, и Бетховена. Иногда просила поставить Утесова или Окуджаву.

Она, безусловно, уставала от бесконечного людского потока. Но капризничать и обижать невниманием или раздражительностью людей она бы себе никогда не позволила.

Пару раз привозили ее подругу детства Танечку Бово. Та передвигалась уже только на коляске, было ей годков так восемьдесят семь. Она и сама толком не помнила, слишком часто врала про свой возраст.

С Танечкой они вспоминали былые подвиги и общих — а были и такие — любовников.

Танечка была туговата на ухо, и Рашель смеялась, что это от бесчисленных комплиментов, получаемых бывшей первой красавицей Москвы. Уши не выдержали лести и вранья.

Еще вспоминали Коктебель и неуклюжего медведя Волошина, влюбленного одновременно и в Танечку, и в Рашель. Подругу Зиночку Серебрякову — нежную и стойкую, очаровательно курносую, с длинной темной косой. Бесконечно талантливую. Лилю Брик, восхищавшую их когда-то и впоследствии осужденную ими. Понятно, по какой причине. Зиночку Нейгауз, которую было почему-то жалко вначале и совсем не жалко в конце. Много кого вспоминали и поминали.

Через неделю после операции Рашель попросила принести ей из дома серьги и кольца. Регина вдела крупную яркую бирюзу в бабкины длинные мочки и надела четыре любимых кольца. Все — со значением и своей историей. Черный агат, белый опал, розовый сердолик и древняя римская монета, вставленная в простую серебряную оправу. Другая внучка, Лелька, надушила бабку любимыми духами — пряными и терпкими.

Невестка Лиля делала педикюр на единственной оставшейся, все еще стройной и гладкой, совсем не старушечьей ноге.

Потом Рашель попросила покрасить ей волосы — увидела в зеркале седину. Эту процедуру она доверяла только жене внука Серафиме. Та была профессиональным парикмахером. Серафима долго расчесывала густые и длинные волосы Рашели и тщательно промазывала каждую прядь беличьей кисточкой. Краска была иссиня-черная. Такого цвета волосы у Рашели были всю жизнь.

Приведенная в полный порядок, усталая, но счастливая, Рашель вещала о том, как ей крупно повезло.

А если бы она осталась без глаз? И не могла бы видеть всех своих любимых людей? Не могла бы читать, смотреть альбомы по искусству? Видеть картины на стене?

А без слуха? Не слышать музыку, радио, стихи, пение птиц? Голоса своих любимых и родных?

— Нет! — заключала Рашель. — Все кончилось очень даже удачно! Могло быть гораздо хуже! А так — подумаешь, нога! Вторая-то на месте!

Ну, бегать стану помедленней! Делов-то! — И она счастливо смеялась. И все, переглянувшись, начинали смеяться вместе с ней.

Перед сном, страхуемым приличной дозой снотворного, она вспоминала свое детство.

Красавицу мать, дочь богатого купца, известного торговца лесом. Сбежавшую прямо из-под венца к нищему еврейскому скрипачу и проклятую старовером отцом.

Бесконечную и недостижимую родительскую любовь, которую она с восторгом и замиранием сердца наблюдала все свое детство, до посадки отца в тридцать седьмом.

Похороны матери, наложившей на себя после этого руки. И толстый узел петли из серой пеньковой веревки, которую дрожавшими и холодными руками развязывала сама Рашель.

И свой первый брак, и второй, и третий. И троих рожденных сыновей, живущих в здравии, слава господу, и по сей день. Удачных и состоявшихся. И могилку умершей в полтора года единственной дочери Таси, названной в честь матери и погибшей от дизентерии. Маленький и высокий холмик, присыпанный цветами и издали похожий на торт.

И своих возлюбленных, всегда прекрасных, так мало разочаровавших ее. Потому что она никогда, никогда не обращала внимания на мелочи. А умела ценить и рассмотреть главное, суть. Зерно.

Она засыпала с тихой и блаженной улыбкой на лице, потому что у нее абсолютно не было претензий к своей судьбе. Несмотря на потери, порой невосполнимые, голод, болезни и войны.

А в старом больничном кресле всегда, каждую ночь, возле ее постели дремал кто-то из своих.

И с этим ничего невозможно было поделать! Как она их ни гнала по домам.

Они даже спорили, кому дежурить сегодня.

Спустя пару недель невестка Лия, последняя жена второго сына Рашели, вывезла ее на коляске в больничный парк. Поставила коляску на нежное майское солнце и побежала за сигаретами.

Рашель окружили больничные тетки. Ах, как давно они пытались прорваться «к телу», но бдительная охрана их не допускала. А тут они окружили бедную Рашель и загалдели как птицы. Наперебой. Они пытали ошалевшую Рашель, кем ей приходится тот или иной член ее многочисленной семьи. Их было так много! Такого внимания не видела ни одна из пациенток. Даже те, кто имел неплохих сыновей, не говоря уж о дочерях.

Рашель с беспокойством поглядывала на больничные ворота, из которых должна была появиться курящая Лия. А ее все не было. И пришлось отбиваться.

Она терпеливо отвечала на вопросы и поясняла запутанные степени родства.

— Не дочки? — не могли поверить больничные товарки. И еще раз на всякий случай информацию с недоверием уточняли. — Неужели не дочки? — продолжали искренне удивляться тетки.

Рашель внятно и, как ей казалось, вполне доходчиво повторяла, что дочек у нее нет в принципе. А есть — невестки. Бывшие и настоящие. В большом, надо сказать, количестве.

Тетки переглядывались и по-прежнему отказывались верить в подобные чудеса. Уж они-то пожили на свете! И всякое повидали! А тут... Просто издевательство какое-то. Удар по самолюбию просто.

— И что, они вас все любят? — наконец решила поставить точки над «i» одна из них.

— Так ведь и я их люблю! — теперь удивилась Рашель. — Они же ничего плохого мне не сделали! И я им тоже, надеюсь! Они любили моих сыновей, а мои сыновья любили их! Да и вообще, что тут *такого*?

Тетки тяжело вздохнули и пересели на другую скамейку.

В больничной калитке появилась запыхавшаяся и счастливая Лия. В руках она держала берестяную корзинку с ранней клубникой — любимой ягодой Рашель.

Рашель ей радостно замахала рукой. Тетки, наблюдавшие за этой картинкой, обиженно отвернулись.

А как, оказывается, все просто! Все друг друга просто любят. Всего-то!

Только не каждый на это способен. Увы...

Ура! Я не еду на свадьбу во Францию! У меня — уважительная причина! Я сломала ногу! Упала на ступеньке в подъезде. У меня всегда были слабые лодыжки. Нога подвернулась — и чик-чирик. Я нетрудоспособна на три ближайших месяца. Ура! Ура! Ура!

Никогда я еще так не радовалась своим болезням. У меня индульгенция. Официальная, заверенная врачами. И я лежу в больнице! И домой, надо сказать, не тороплюсь.

Мама, остроумная моя мама, сказала, что, если бы я не сломала ногу, ее надо было бы сломать.

Муж сказал, что готов был взять членовредительство на себя. По телефону мы поздравили молодых. Я посоветовалась с Лалкой. Не послать ли нам на торжество цветы?

Лалка сказала, чтобы я не выпендривалась — подобный заказ стоит немереных денег, а там мой жалкий букет затеряется среди других и его никто не заметит.

И правда! Пусть веселятся и выпендриваются без нас! Думаю, что всем так спокойней.

В больницу приехала Зоя, моя бывшая сватья. Привезла кучу вкусностей и букет полевых ромашек. Какая она простая и милая! Я вспомнила Аллу — молчаливую, с застывшим лицом. Как я могла наезжать на Ивасюков! Насмехаться над Зоиными нарядами и коврами на стенах? Зоя искренна и человечна. И еще — бесконечно добра и терпелива. Мы с ней если не подруги, то точно родственники. И не самые дальние. Она рассказывает, как ей непросто с мужем. Как испортился у него характер. Как он страдает без работы. Говорит, что через неделю заберет Илюшку на дачу. Про Нюсю ни слова. Ни она, ни я.

Приезжают Танюшка и Лалка. У Лалки новый роман. Приличный дядечка. Зовет замуж. Лалка в раздумье. И это — впервые в жизни. Мы с Танюшкой переглядываемся и начинаем мягонько так поддавливать. Но с Лалкой этот номер не проходит. Советов она не слушает. Страшилок про одинокую старость тоже. Ладно, поживем — увидим.

Заезжает Сашка, узнала у моего мужа, что я в больнице. У нее горе и радость. Вернее, радость у нее, а горе — у нас.

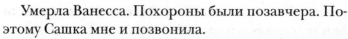

Умерла Ванесса. Похороны были позавчера. Поэтому Сашка мне и позвонила.

Ванесса умерла как истинная праведница. Приняла на ночь душ, почистила яблочко, почитала хорошую книжку и уснула. Навсегда.

Хватились на работе — на службу не вышла, к телефону не подходит. У Аленки были ключи от ее квартиры. Приехали. Дальше — понятно.

Стали обзванивать знакомых. Пришла целая толпа друзей. Только дочка итальянская не сподобилась. Сказала, что не поспеет. Дела.

Поминки сделали у Ванессы. Когда искали скатерти, в буфете нашли завещание. Свою квартиру она завещала Аленке. По сути — чужому человеку. Которому эта квартира спасет, между прочим, жизнь. Аленка проревела два дня.

А мне вспомнилась Жабка с ее завещанием в «пользу» родной внучки.

Теперь про Сашкину радость. Санька выходит замуж! Ура-ура! Она влюблена до полусмерти. Правда, добавляет при этом, что с ней произошел «несчастный случай» и все равно, все мужики — козлы. Ладно, пусть повыпендривается. Нужно же ей оправдание о смене жизненной концепции!

Сыночек шлет на почту фотографии. Все сказочно красиво. Неправдоподобно красиво. И замок. И невеста. И гости нарядны и прекрасны! И сказочны цветы в корзинах и вазонах (как хорошо, что я послушала Лалку и не потратилась на букет). Да и взятки с нас, плебеев, гладки!

И главный «кайман» элегантен. Не кайман, а вполне себе аллигатор. И прекрасна Алла — молчаливая и покорная. Но даже на дочкиной свадьбе у нее почему-то несчастные глаза. Или я придумываю?

И наш дурачок из общей картинки не выпадает. И очень даже вписывается в каймáново племя.

Фиг с ними! Пусть будут счастливы, раз уж так вышло.

Недобрая я опять. Недоброжелательная. Стерва какая-то.

Нет! Не так! Я просто очень устала. И у меня болит нога! И я имею право на хандру! Мне тоже досталось — будь здоров!

И еще я понимаю, что теряю своего сына...

А с этим сложно смириться. Невозможно просто.

А жить надо.

У Танюшки есть родная сестра Марта. У нее вот такая история. Марта вышла замуж совсем девчонкой, в восемнадцать лет. За разведенного. Любила она своего Олежку до потери пульса, просто трепетала при встрече. Температура от любви поднималась. Олежка недавно развелся и, в принципе, под венец по новой не торопился. Марта и не настаивала — главное, чтобы Олег *в принципе* существовал в ее жизни. В каком статусе, значения не имеет. Но Олег оказался человеком порядочным. Понимал, что Марта еще совсем девочка, да и семья строгая, просто так сожительствовать родители не отпустят.

У Марты был чудесный характер, абсолютно безвредный. Что для женщины, согласитесь, большая редкость. К тому же юная и влюбленная

Марта смотрела на Олега с обожанием. А мужики это ох как любят. Короче говоря, сыграли свадьбу. Марта переехала к мужу. У того была отдельная квартира. Молодая жена старалась, как могла. Опыта не было, но была любовь и желание доставить любимому радость. А с этими приправами получится любое блюдо.

Марта штудировала кулинарные книги. Пыталась приготовить что-то совсем небанальное. Например, цыпленка по-провански. Или — баранину в красном вине. Или гурьевскую кашу по старинному рецепту, с цукатами и молочной пенкой в пять слоев. Что-то получалось, а что-то не очень. Еще, став хозяйкой отдельной квартиры, Марта целыми днями терла полы, чистила ковры и мыла люстры и окна. Все сверкало до неприличия. Мы с Танюшкой приезжали к ней в гости, и нам становилось стыдно. Я лично мыла окна два раза в год — весной и осенью. А Марта после каждого дождя.

Еще она крахмалила мужнины рубашки и отпаривала борта пиджаков.

Муж не мог нарадоваться на свою молодую жену. Вот повезло, так повезло. К тому же у него за плечами уже был негативный опыт. Даже поругаться с Мартой было проблемой. Она совершенно не поддавалась на провокации.

Но абсолютно безоблачной жизнь не бывает. Это известно каждому. В каждой сладкой судьбе непременно найдется ложка густого, черного и вонючего дегтя.

У Олега была мать. Мартушкина свекровь. Звали ее Ядвига Васильевна.

Первый звонок от Ядвиги поступал в девять утра.

— Спишь? — интересовалась она у Марты.

273

И Марта почему-то сразу начинала оправдываться. Словно на часах было два часа дня.

Далее следовали вопросы: «Что Олежка ел на завтрак? В каком костюме пошел на работу? А рубашка? А галстук? Нет, голубой не подходит. Нужно было серый в полоску. О чем ты думала? У тебя совершенно нет вкуса! А шарф? Ты проследила, чтобы он надел шарф?»

Марта покорно и подробно отвечала на вопросы. Потом свекровь, не прощаясь, вешала трубку.

У Марты было испорчено настроение.

Следующий звонок раздавался ближе к обеду.

— Ну? — без всякого «здрасьте» начинала Ядвига.

Не «как дела?», а «что поделываешь?». Словно старалась уличить сноху в бездействии и безделье.

Марта рассказывала про свои успехи. Погладила. Убралась. Готовлю обед. Поставила тесто на пирожки. С луком, как любит Олежка.

Свекровь требовала конкретики: «Что на первое и что на второе. Из чего компот? Почему опять борщ? Борщ был на прошлой неделе. Первое — максимум на два дня. Свинину ешь сама! А Олегу — телятину. Свое здоровье можешь не беречь, твое дело. А мужу изволь как положено и как он привык. Какая отбивная? Сплошной холестерин! Или тебе неважно, что у него будет с сосудами? Курица жирная? Слей первый бульон! В печенье добавь корицу. Пора бы запомнить, что он любит с корицей. И в сырники тоже. И в тертое яблоко! Яблоко — обязательно! Перед сном! Ковер не мой порошком! Будет пахнуть. Разведи детский шампунь. Совсем немного».

Дальше следовало еще звонка три или четыре. И опять критика и недовольство. Марта не переставала оправдываться. Еще свекровь учила сноху, что про всех своих подруг и посиделки в кафе она должна забыть раз и навсегда. Вещи покупать только на распродажах. Зря деньги не транжирить — Олежке они достаются непросто.

И в таком духе, в таком разрезе, как говорил великий Райкин.

Марта держалась довольно долго. Мужу не говорила ни слова. Зачем его волновать? Это, в конце концов, его мама. Она родила ей любимого человека. Родила в муках, не спала ночей. Дала сыну прекрасное образование. Хорошее, кстати, воспитание. Взрастила в нем ответственность за близких. Олег аккуратен — редкое качество для мужчин. Никаких разбросанных носков и зубной пасты на зеркале. Олег внимателен — цветы раз в неделю без всяких исключений. Не скуп. Не курит и не пьет. Где найдешь такого мужа?

А свекровь? Тут ничего не попишешь: в конце концов, она — всего лишь приложение к ее, Мартиной, счастливой жизни. Не самое приятное, конечно, но неизбежное. Да и вместе они не живут, слава господу! А терпения Марте было не занимать! Повторяю, не женщина, а чистый ангел.

Но все имеет свой предел. И даже такая устойчивая константа, как Мартино терпение.

Терпение начало иссякать, когда Ядвига Васильевна вдруг начала сравнивать Марту с первой женой сына.

Приехав к сыну в его же отсутствие, она начинала приподнимать крышки кастрюль и проверять на жесткость воротнички сыновних сорочек.

Губки при этом опускались «в скобочку». Независимо от результата. И далее: «У Олеси был борщ наваристей. У Олеси компот был вкуснее. Она в него добавляла листики мяты. Тесто пышнее. Котлеты сочнее. Сырники нежнее. У Олеси носки лежали по цвету — темные к темным, светлые к светлым. Олеся не забывала класть мужу в карман носовой платок».

Как будто Марта забывала!

Короче, жуть зеленая! У Марты начали сдавать нервы. Валерьянку она заваривала литровыми банками. Флаконами пила новопассит. Начали дрожать руки и без конца наворачивались слезы на глаза.

Свекровь сладострастно наблюдала за нарастающим Мартиным неврозом, придиралась еще больше. Ее ревность и вредность плавно перетекла в злокачественную форму садизма. Она интересовалась, не было ли в роду у Марты душевнобольных.

Марта говорила, что свекровь — это унитаз, в который насыпали дрожжи.

И мы постановили, что хватит молчать и надо открываться Олегу. Чтобы он посадил мамашу на заднее место. Иначе мы «потеряем» нашу ангелицу Мартушку.

Марта не спала три ночи. Наконец решилась. Долго извинялась, мялась и оправдывалась. Сбиваясь, изложила суть проблемы.

Реакция мужа ее удивила.

— Да ты что? — расхохотался он. — Сравнивает тебя с Олеськой? Да та яичницу поджарить не умела! Какой там борщ и пироги? Рубашки? Рубашки я сам носил в прачечную! Она и стиралку-то не включила ни разу! Пылесос в руки не взяла! И вообще, мать ее ненавидела. Лютой ненавистью. И было, кстати, за что.

В общем, Олег веселился от души. От души удивлялся. Сказал, что с мамашей надо быть построже. И еще — держать ухо востро. Ядвига Васильевна была прирожденной интриганкой. При дворе французского короля Людовика ей бы не было равных. Всю жизнь она сталкивала друзей и родственников лбами и, видимо, ловила от этого кайф.

Словом, Олег дал добро на усмирение мамаши. Мы проводили с Мартулькой многочасовые тренинги. В этих вопросах мы с Танюшкой были уже дамами опытными. Марта плакала. И говорила, что «у нее не получится». Мы провоцировали. Писали инструкции. Учили хамским словам. Ну, не хамским, а жестковатым.

Ничего не получалось! Ядвига продолжала изгаляться, а Марта страдать. Ну не могла она поставить эту стервозину на место! Не хватало наглости и мешало хорошее воспитание.

И вот однажды... Однажды настал час «икс». Сошлись звезды или упала комета. Сдвинулись оси земли или прошла магнитная буря.

Короче! Все оказалось до невозможного просто! Проще не бывает!

У Марты, бессловесной и беззлобной Марты, произошел переворот в сознании, и она...

Она просто послала свекровь. На три всем хорошо известные буквы.

Просто внимательно посмотрела на Ядвигу в приступе очередного приступа садизма и громко и внятно сказала:

— А пошли бы вы, мама, на х...!

Слова эти, кстати, Мартулька произнесла в первый и, скорее всего, в последний раз в жизни. Хотя кто знает...

Как говорится, главное — начать.

После этой значительной и увесистой фразы некурящая Марта закурила и неумело выдохнула облако дыма в лицо свекрови.

Про это самое лицо говорить не будем. И так все понятно. Ядвига лишилась дара речи на несколько дней. Не звонила неделю. А потом — позвонила. Сила привычки, наверное. И поинтересовалась, «как Мартуленька спала и какое у нее настроение».

«Мартуленька» капризно ответила, что неважное и что «вообще все надоело».

Свекровь предложила прошвырнуться по магазинчикам — только завезли новые коллекции. Посидеть в хорошем ресторане. Марта ответила, что будет целый день валяться в кровати, и просила ее не беспокоить. Засим положила трубку.

Теперь первый звонок от Ядвиги поступал не раньше часу дня. Она осторожно интересовалась настроением невестки. Предлагала помощь. Интересовалась, не слишком ли она ей докучает.

Марта милостиво отвечала, что не слишком. Иногда.

Невроз у Марты прошел, и она и вправду начала спать до двенадцати. Суп варила на четыре дня. Мясо тушила на неделю.

Нет, Марта совсем не обнаглела. Просто она поняла, что есть «жизнь на Марсе». Что есть родители. Ее родители. Сестра. Подруги. Вкусный кофе в маленькой кофейне на Патриках. Симпатичные магазинчики, интересные выставки, любопытные киношки.

Она была по-прежнему хорошей женой. И своими обязанностями не манкировала. В доме было чисто, всегда был обед и свежие сорочки. Но хозяйничала теперь без фанатизма.

Она перестала *служить*. И обрела себя. Ведь когда человек *служит*, он непременно пригибается. И теряет веру в себя. И уверенность.

А с Олегом они по-прежнему жили хорошо. Родили дочку. Правда, когда Марта впервые увидела малышку, поперхнулась и отошла от нее минут на десять. Говорила, что испытала шок — дочка была вылитая свекровь. Дорогая Ядвига Васильевна. Слава богу, младенцы меняются со скоростью звука — через день дочка была похожа на свою тетю, Мартину сестру и мою подругу Танюшку. Черты Ядвиги Васильевны испарились, как будто их и не было. Потом Марта поступила в институт. Училась на заочном.

А Ядвига Васильевна стала очень осторожной. Без дела нос свой не совала. Боялась, что прищемят.

И все основания для этого у нее были. Можете мне поверить!

Молодые проживают в пентхаусе на Кутузовском. Двести квадратов. С прислугой, разумеется. Я была там один раз. Больше не хочу, не тянет. Данька работает в компании тестя, ездит на шикарной машине, хвастается костюмами от Дольче и Габано, Армани и Бриони. Собрал всех педиков мира. Говорит, что работа интересная, он о такой и мечтать не мог.

Ясное дело! А кто же мог? Только в страшном сне...

К Илюшке он заезжает раз в месяц. Ему достаточно. Однажды заехал с Марьяной. С Марьяной и с пустыми руками. Марьяна в сторону Илюшки не глянула. Выпила чаю из моих плебейских чашек и заторопилась домой.

Они собираются на Лазурное побережье. Я спросила, не хотят ли они взять на море Илюшу. Мой вопрос застал сына врасплох. Он здорово задумался. Думаю, что дальше объяснять не надо. Улетели без Илюши.

Он промямлил:

— Мам, ну ты же понимаешь...

Я — нет. И даже не стараюсь войти в его тяжелое положение.

Все праздники они отмечают у «каймана». Правда, зовут и нас. Вяленько, но зовут. Мы с прежней стойкостью отказываемся. У них своя свадьба. У нас — своя. На Новый год приглашаем к себе Зою и Валерия.

Я понимаю, что происходит катастрофа. Я почти потеряла сына. Или совсем потеряла? Просто боюсь в этом признаться?

А если он счастлив? Ну, в конце концов, разве быть богатым — преступление? Неужели во мне так сильна классовая ненависть?

Нет. Ерунда. Не в этом дело. Просто я сердцем чую... Своим болящим материнским сердцем.

Однажды спросила его, как прежде:

— Сыночек, ты счастлив?

А он не ответил, растерялся. Отвел глаза.

Такие вот дела...

Из него активно «делают человека». А мы тут уже ни при чем.

С Ольгой мы познакомились в Прибалтике, в Юрмале. Мой Данька и ее Ромка вместе начали строить замки из песка. Мы, две скучающие мамаши, естественно, разговорились. Ольга оказалась питерской, работала научным сотрудником в Русском музее. Приятная внешне, очень мягкая и доброжелательная женщина. Конечно, мы разоткровенничались. С малознакомым человеком это иногда бывает несложно. И Ольга рассказала мне историю своего брака.

Муж Ольги, Юрик, работал художником на «Ленфильме». Его отец, Роман Борисович, был известным питерским скульптором. Жили они в самом центре, в огромной квартире на Невском. Роман Борисович всю жизнь тяготел к прекрасному. Собирал антиквариат. Тогда, когда мало кто в этом разбирался и люди годами стояли в очереди на югославскую стенку и гэдээровский палас. А в Питере в те годы можно было откопать все, что угодно.

Ольга говорила, что, когда она вошла в первый раз в их квартиру, у нее перехватило дух. У нее, выросшей в пятиэтажке на окраине Питера, в семье скромных и бедных советских инженеров.

Конечно, жить стали у Юрика. Кроме папы, Романа Борисовича, у молодого мужа была мама. Раиса Степановна. Если Роман Борисович происходил из интеллигентной семьи питерских искусствоведов, то Раиса Степановна приехала в город из глубинки. Этот факт она тщательно скрывала. И имя ей свое не нравилось, а отчество и подавно. И она назвалась Розой Стефановной. Так ей казалось благозвучней и благородней.

В прошлом Раиса-Роза служила балериной в Мариинке. В кордебалете. В молодости, кстати, была очень хорошенькой — маленькая, хрупкая, с тонкой и длинной беззащитной шейкой, с яркими голубыми глазами, вздернутым носиком и легкими белыми кудряшками. В общем, кукольный тип женщины — слабой, нерешительной. Ищущей защиты и широкой мужской спины. Тип, на который очень падки мужчины.

Роман Борисович, нагулявшийся к тому времени по полной программе, влюбился как мальчишка. Прелестная Роза смотрела на него во все глаза. Внимала каждому его слову. Кивала милой кудрявой головкой. После образованных и ушлых роковых питерских дам наивная и доверчивая Розочка казалась ему абсолютным подарком судьбы.

Протанцевала Розочка недолго. Начала побаливать коленка, и был поставлен диагноз — артроз. Розочка впала в транс и сказала, что любое движение ей приносит одно сплошное страдание. И Розочка бухнулась в постель. Как оказалось, на всю оставшуюся жизнь.

С состоянием вечно болеющей, слабой и хрупкой Розочка быстро освоилась и начала находить в нем свои прелести. Например, никто от нее ничего не требовал. В смысле ведения домашнего хозяйства. Бытовой частью заведовала престарелая свекровь и старая домработница. Муж добывал деньги. Сыном, которого она родила как одолжение, «страшно рискуя слабым здоровьем», занимался свекор.

А Роза-Раиса? Она лежала. Точнее — возлежала. На высоких и пышных подушках. Ее постоянно познабливало и всегда, даже летом, в комнате растапливали камин. Розочка жаловалась на плохой аппетит. Капризничала и отказывалась от обедов. Требовала только сладкое — тихим, с дрожью голоском. У нее без конца находились различные болезни, которые лечили лучшие частные доктора. Два раза в год Розочку вывозили в санаторий. А на все лето снимали дом в Крыму.

Роман Борисович быстро понял, как сильно он влип. Но деваться было некуда. Рос Юрик — любимец всей семьи.

Да и как можно оставить болезненную жену? Которая пошла на смертельный риск и родила ему любимого сына, а старикам — обожаемого внука.

От безделья Розочка стала сходить с ума. Начала изводить своих близких. Капризами и необоснованными претензиями. Из серии — дай говна, дай ложку. Роман Борисович завел любовницу и старался пореже бывать дома. Розочка устраивала скандалы и истерики. Требовала, чтобы муж проводил с ней каждую свободную минуту. Грозила суицидом. Роман Борисович не на шутку испугался. Несчастные свекор со свекровью ходили на цыпочках. Юрик заходил к матери, предварительно постучавшись в дверь. В общем, Розочка оказалась профессиональным манипулятором.

Целыми днями она беседовала по телефону и пожирала в огромном количестве сладкое из кондитерской «Север» — пирожные и конфеты.

С возрастом она стала похожа на визгливую и облезлую болонку. Связываться с ней никто не желал. Все тихо вздыхали и молча переглядывались. Она ходила по квартире, держась за стенку, непричесанная, в несвежем кружевном пеньюаре и отдавала приказы.

Иногда запиралась в своей комнате и громко, в голос рыдала. Проклинала свою неудавшуюся жизнь.

Умерли свекор со свекровью. Роман Борисович оставался ночевать в мастерской. У сына была своя жизнь. А Розочка все больше упивалась своими страданиями и именно в этом видела смысл своей, в общем-то, нелепой жизни.

Она могла бы прожить свою жизнь ярко — работать, путешествовать, растить сына, любить мужа. Все возможности и предпосылки для этого были. Но она смогла полюбить только себя. И слышать только себя.

Ольга пришла в дом мужа совсем девчонкой. Поверила искренне в то, что свекровь тяжело больной человек. Мужественно сносила все ее капризы. Потакала всем ее прихотям.

Свекор и муж облегченно вздохнули — их тяжелую ношу взяла на себя она, Ольга.

Теперь, належавшись и «наболевшись», Розочка алкала светской жизни. Короче, лежала, лежала — и очнулась. Как Илья Муромец на печи. Тридцать лет и три года. А потом пошел крушить палицей все, что под руки попадало. Так же и Роза. Требовала, чтобы Ольга выводила ее в свет — рестораны, магазины, увеселительные мероприятия. Ольга говорила, что свою свекровь она очень стесняется — та на старости лет стала одеваться и краситься, как юная девица не самого тяжелого поведения. Короткие юбки, открытые блузки, ажурные чулки и килограммы яркой косметики.

Эдакая девочка-припевочка. Смешное и жалкое зрелище. Но Ольга ее жалела. Понимала, как глупо и бездарно профукала свекровь свою жизнь. Роман Борисович в преклонных годах завел на стороне ребенка и сошелся с той женщиной. Ольгин муж, Юрик, уехал в командировку в Канаду и тоже сошелся там с какой-то дамой. Решил не возвращаться. Развелись через адвоката.

И Ольга осталась с Розой-Раисой один на один. Что делать? Конечно, разменивать квартиру! Делилась она прекрасно — на две полноценные двухкомнатные в центре. Разменять квартиру и зажить своей вольной жизнью. Устроить, наконец, свою женскую судьбу. Перестать быть невольной нянькой и компаньонкой старой и капризной маразматички.

Но... Свекровь стала умолять Ольгу, чтобы та ее не оставляла. Говорила, что одна пропадет. Что жить не станет. Плакала дни напролет.

И сердобольная Ольга ее пожалела. Увидела в свекрови не капризную и вздорную молодящуюся старуху, а несчастную, одинокую, всеми брошенную, нездоровую женщину. И Ольга осталась с ней.

Никто ее не понял — ни бывший муж, ни свекор, ни собственные родители, ни коллеги, ни подруги. Говорили, что Ольга — полная дура и что она бросает псу под хвост свою жизнь.

Конечно, с годами Роза-Раиса чуток подуспокоилась. Но мастерство не пропьешь — временами давала невестке жару, будьте любезны!

Любимым занятием этой страдалицы стали покупки по телевизору «Магазин на диване». Нашла себе развлекуху. Мела все подряд — щетки для окон, швабры для пола, фондюшницы, наборы ножей и супертерок. Кастрюли и скороварки. Пледы и покрывала. Украшения и парфюмерию. Магические амулеты и пищевые добавки. Все знают, что этот бизнес — чистый развод и обман. Цены бешеные. Но как только Ольга начинала свекрови выговаривать, та принималась трястись и плакать. Просить прощения и целовать Ольгины руки. Зрелище не для слабонервных.

А Ольга, святая Ольга, ее жалела и потакала. Говорила, что старуху уже не переделаешь, надо терпеть. И терпела.

Ездила с ней в санатории, водила в театры и на выставки. Уставшая и замученная после рабочего дня. Вывезла ее в Париж и Венецию. Говорила, что та плакала от счастья и что Ольга открыла ей целый мир. И еще свекровь теперь играла роль светской львицы. С успехом, надо сказать.

Ольга говорила, что любить свекровь сложно, а вот жалеть совсем просто. И добавляла, что каждый несет свой крест.

Святая? Дура? Просто приличный и сердечный человек? Или это степень высокой культуры и интеллигентности? Не знаю. Знаю, что *так* могли бы повести себя далеко не все. Лично в себе я, честно говоря, сильно сомневаюсь.

Впрочем, это скорее не о свекровях, а о невестках. Хотя все это очень тесно и неразрывно связано.

Сын звонит пару раз в неделю. Нет, вру. Он звонит один раз в неделю. Дежурные вопросы — как мы, здоров ли Илюшка. На день рождения к сыну он не приехал — был в командировке в Лондоне. Зато были Ивасюки и все мои девчонки.

Когда он звонит, я не спрашиваю, как у него дела. Не хочу. Мне важно одно — он здоров. А в остальном... Я примерно представляю его жизнь. И очень его жалею. За что? Мне сложно объяснить... Просто «не в свои сани не садись». А это не «его сани». Я-то знаю. Правда, что толку...

И вообще — что горевать? У меня есть Илюшка — любимый и обожаемый. Прекрасный муж. Мамочка. Чудесные подруги. Верная Валечка. Ноги носят. Денег хватает. Ну, почти.

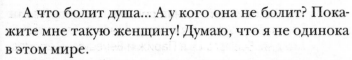

А что болит душа... А у кого она не болит? Покажите мне такую женщину! Думаю, что я не одинока в этом мире.

Мечтаем поехать с внуком на море. Хорошо бы на все лето. Я люблю Крым — сухой, степной воздух. На Кавказе мне тяжело — влажно. Копаемся в Интернете и ужасаемся крымским ценам. Нам это не потянуть. Лалка говорит, что лучше ехать в Болгарию или в Испанию. Деньги те же, а сервис не в пример выше. Не хватает не только на Крым, но и на Испанию с Болгарией.

Что, впрочем, вполне понятно. Мама настаивает, чтобы я позвонила сыну и попросила денег у него. Это правильно и разумно. Я прошу денег на поездку к морю для *его* ребенка. Думаю, что его семейный бюджет от этого не пострадает. Но что-то меня удерживает. Не могу. Идиотка.

Намекаю Даньке по телефону — типа, хотим на море, пусть Илюшка на год оздоровится и т.д., и т.п.

Сын реагирует вяло:

— Ну смотрите. Как вы считаете нужным. Надо — значит, надо.

Я бросаю трубку, меня трясет. Кого я вырастила — сволочь или идиота? Или так, как мне легче считать. Подойдет и то и другое. Или все вместе. Так — вернее.

И опять я всю ночь реву.

Решили ехать в Грецию. Вместе с Танюшкой сняли маленький домик в три комнаты. Танюшка едет с беременной невесткой Машей. Я с Илюшкой. Готовить будем сами, так экономней. Недостающие деньги я заняла у Саньки. Вернее, Санька предложила сама. И единственная, кто меня поддержал не просить денег у сына.

Прилетаем. Все чудесно. Милый чистенький домик в десяти минутах от пляжа. Устраиваемся. С Танюшкой мне комфортно всегда. А вот про Машу — не знаю. Она девочка сложная, росла без матери, с очень жестким отцом и мачехой. Закрытая и молчаливая. Танюшка ее очень жалеет и говорит, что Маша постепенно оттаивает. И что жизнь у нее была — не приведи бог.

Вижу, как моя подруга с ней нежна, и понимаю, что такое хорошая свекровь. Которая из меня не получилась. Может, я сама виновата? Ни в первый раз, ни во второй ситуацию не приняла. Вернее — принять не захотела. Нетерпимость, гордыня. Отсутствие мудрости. А кого жалеть? Убогую Нюсю или Марьяну, которая в моей любви, а уж тем более в жалости и понимании, не нуждается?

Нет. Дело не во мне. Просто мне крупно, фатально не повезло. И нечего изводиться. Хватит страдать. Мне еще очень нужны силы. Кто поднимет Илюшу? Кому он нужен, кроме меня? Если уж разобраться...

Отдыхаем мы замечательно. Готовим по очереди, не заморачиваясь. Море чистое и теплое. Сказочное море. Илюшку из воды не вытащить. Вечером гуляем по поселку, пьем кофе и едим мороженое. Я начинаю потихоньку приходить в себя. По крайней мере, ночью лучше сплю. Чувствую, как прибавляются силы.

За мужа я спокойна. Незаменимая Валечка готовит ему еду и прибирается в квартире. А ему тоже

нужно отдохнуть и прийти в себя. Да и одиночеством он никогда не тяготился. Ему всегда есть чем себя занять. Думаю, что ему без нас неплохо. Хотя говорит, что соскучился.

В общем, живем мы мирно и спокойно. Друг другу не досаждая.

Однажды звоню мужу и чувствую, что что-то не так. Просто уверена в этом. Он долго пытается меня убедить в том, что все в порядке. А потом сознается — вернулся сынок. С вещами. Молчит и ничего не объясняет. На работу не ходит. Лежит в кровати и слушает музыку. Общаться не желает.

Я говорю мужу, чтобы он оставил Даньку в покое. А сама покой теряю. Нет, я рада, просто счастлива, что он ушел от Марьяны. Или его «ушли». Какая разница? Логично, что там он не прижился или не угодил. Корыстным он никогда не был, холуем тоже. А любовь могла и пройти. Да и кто не ошибался по молодости? В Марьяну влюбиться было несложно. В конце концов, у меня же тоже был Терентий!

Просто я очень беспокоюсь, не зная всей ситуации, ведь вход туда рубль, выход — два.

Не съест ли его «кайман»? Отпустит ли с миром? Вот и сходи теперь с ума.

Танюшка без конца повторяет, что я совершенно не умею радоваться жизни и видеть в чем-либо положительное. Разве не об этом я мечтала?

Об этом. Правильно. Но что нас ждет дальше? И я боюсь «каймана». Кто мы против него? Боюсь не за себя, а за сына.

Да и вообще, я — измученная неврозом женщина. Оставьте меня в покое!

Почему у меня не получается быть счастливой? Нет, мне определенно нужен специалист. Психотерапевт. Без него я не справлюсь. В общем, отдых мой, похоже, насмарку. И я опять страдаю.

И опять про свекровей — тема неисчерпаемая. Их даже звали одинаково — Женька и Женька. Впрочем, он сразу ее назвал Женюрой, а она его — Жекой. Встретились они просто потому, что не могли не встретиться. Как говорила Женюрина бабушка — «бог не одну пару лаптей содрал, пока их собрал».

Они и вправду были как два сиамских близнеца. Одинаковые вкусы и пристрастия. Одинаковые взгляды на жизнь. Не было даже повода поругаться — во всем они сходились и были друг с другом согласны. Удивительная гармония! Когда была молодость и бедность, две стипендии на двоих, вместе лепили вареники с картошкой и делали пиццу с дешевым сыром. В доме всегда были гости — просто куча гостей. Двери не закрывались. Он, Жека, был настоящим мужиком и главой семейства. Все вопросы разруливал сам. Она, Женюра, не возражала — раз муж так решил, так тому и быть. Не спорила.

Родился первый сын. Роды были тяжелые. Вернее, не роды — кесарево. У Женюры было плохое зрение, и врачи самой рожать запретили. После больницы Жека не давал ей поднимать ребенка. Сам вставал по ночам. Сам менял подгузники и поил малыша укропной водой. Таскал продукты и готовил обед. Женюра была еще очень слаба, гулять с маленьким ей было тяжело. И гулять приезжала свекровь, Майя Григорьевна. Из Подмосковья, между прочим. Два часа двумя автобусами. Свекровь брала коляску с внуком и наказывала Женюре ложиться спать.

Через три часа она возвращалась с улицы и начинала гладить пеленки и ползунки. Рубашки сыну. Готовила ужин. Протирала влажной тряпкой полы.

Нет, Женюра совсем не была нахалкой! Она тоже старалась как могла. Просто сил было немного — очень болели послеоперационные швы. Да еще мастит, будь он неладен! Поднялась температура — до сорока. Свекровь расцеживала Женюрину грудь и делала ей уколы. В больницу ее не отдала. Ночевала в кухне на раскладушке — квартирка крошечная, однокомнатная.

В мае забрала Женюру с ребенком к себе, за город. Каждое утро наливала в рукомойник теплой воды, чтобы снохе было комфортней умываться. Когда приезжал Жека, забирала внука к себе. Молодые должны побыть вдвоем. Ставила у кровати детей вазочку с полевыми ромашками.

Не подумайте, Майя Григорьевна не была одинока! У нее был муж, с которым она проживала в большой любви и уважении, и еще двое сыновей. И так же, как к Женюре, она относилась и к двум другим снохам. Так же помогала и стремилась участвовать в их жизни. Просто сейчас Женюре требовалось больше помощи и поддержки.

К концу лета пришла в себя и Женюра, и окреп и набрал весу и щек малыш.

Уехали в Москву. Женюра уже справлялась со всем сама. Но Майя Григорьевна продолжала приезжать. Правда, теперь не каждый день. У нее было расписание: день у старшего сына, день у среднего, день у младшего. Два дня святых — с мужем. А на выходные приезжали дети. К ним, в Подмосковье. Семьями, с детьми. Было очень шумно, беспокойно и очень весело. Майя Григорьевна пекла огромные пироги с капустой, картошкой, творогом и повидлом. Чтобы было сытно. Денег-то особенно не было.

Женюрины родители обижались — каждые праздники и выходные дочка рвалась туда, в дом мужниной родни. А Женюре там было хорошо! Никто ни на что не жаловался, никто не канючил и не скулил. Все дружно радовались жизни и друг другу.

Дети возились в саду, мужики парились в бане и пили пиво, а снохи трепались о жизни. И Майя Григорьевна сидела вместе с ними. Не занудствовала и не предъявляла претензий. Называла их «мои девочки». Если и поучала, то ненавязчиво и с юмором. Когда собиралась уходить, «ее девочки» кричали: «Мам, не уходи! С тобой так хорошо!»

С собой она собирала каждому внуку подарки — какие могла. Кулечек леденцов, мандарин или ягоды из сада, смешную открытку или крошечную игрушку. Так, сувенирчик. Но дети всегда этого ждали и кричали: «Бабуля, сюрприз!»

Не потому, что они нуждались или у них не было игрушек. А потому, что сюрпризы любят все. И взрослые, и тем более дети.

Постепенно сыновья встали на ноги. Больше всех преуспел Жека. Появились деньги. Жека и Женюра купили большую квартиру и построили дом. Рядом, на одном участке, построили дом для Майи Григорьевны и ее мужа. Со всеми удобствами — газом и горячей водой. Обставили дом красивой мебелью, повесили шторы и люстры и перевезли родителей.

Майя Григорьевна села на стул и расплакалась.

— Сюрприз! — сказал Жека. — Не все же ты — нам. Пришло время, когда мы — тебе.

Зажили. Как всегда, дружно. Майя Григорьевна посадила фруктовый сад и кусты. Через пару лет собирала урожай и варила Женюре варенье из крыжовника, смородины и сливы.

Женюра родила второго сына. В доме по-прежнему царили любовь, взаимопонимание и уважение.

Прибавилось только финансовое благополучие. Стали ездить по странам и континентам, отовсюду привозили свекрови подарки. Теперь вся большая семья собиралась у Женюры и Жеки.

Дом был просторный, хлебосольный. Куча родных и друзей. Женюра уставала, но говорила, что надо жить так, как живет Жека.

И по-прежнему не перечила мужу ни в чем. А он по-прежнему решал все вопросы. И она ему безгранично и бесповоротно верила.

А зря, как оказалось. Если без подробностей — Жеку занесло. В секту. Он объяснял, что вся эта история — психологические тренинги. Как стать успешней, здоровей, счастливей. Не зацикливаться на пустяках, не заморачиваться на чужих проблемах. Радоваться жизни и пытаться ее продлить.

Короче, забить на вся и всех.

И Жека оказался способным учеником. Да что там — учеником! Он стал рьяным последователем этой хрени. Абсолютным адептом.

Успешно забил на все — бизнес и семью. Бизнес потерял. Семью терять начал.

Женюра понимала — что-то не так. Пыталась с ним объясниться. Все было *бесполезно*.

Он твердил, что хочет радоваться жизни и прожить лет до ста двадцати.

— Зачем? — спрашивала Женюра.

— Чтобы радоваться жизни, — логично отвечал он.

Радоваться, чтобы прожить, и прожить, чтобы радоваться.

Все разговоры были бесполезны. Он продал машину и стал ездить на метро. Донашивал старые вещи и новых не покупал. Говорил, что ему не надо. И это — щеголь и модник Жека. Обожавший красивые тряпки, хорошие машины и французские сыры.

Из общей спальни ушел и спал в кабинете на полу. Друзья из дома исчезли. Кому охота общаться с ненормальным? Слушать идиотские проповеди и постулаты? Занудные речи о том, что они все живут неправильно.

К тому же какие гости? Не на что стало просто жить. И Женюра пошла работать. И стала — кто бы подумал — зарабатывать.

Мужа не попрекнула ни разу. Приняла его таким, каким он стал. Сказала: «Что поделаешь, несчастный случай!» От него не отказалась. Пахала как конь и обеспечивала семью.

А потом Жека ушел. К бабе. Такой же отмороженной, как и он сам, — из той же премилой компании.

Женюре сказал, что она его не понимает. Не разделяет его взглядов. Осуждает и посмеивается.

А *там* его понимают. И во всем с ним согласны. И очень ему рады. Искренне. А она, Женюра, неискренне.

Та баба, к которой он ушел, оскорбляла любой, самый не эстетский взгляд. Страшна была, как сто чертей в аду. Просто огородное чучело! И это — у Жеки, поклонника всего самого прекрасного! Прежнего обладателя красивой жены, симпатичных детей, уютного дома и хорошей машины!

Но он объяснил, что внешние данные, как и атрибуты прежней, успешной и красивой жизни, его вовсе не волнуют. Главное — душевный покой и гармония с самим собой. И гармония у него, судя по всему, была.

И с собой, и с тем крокодилом — новой подругой жизни.

И покой тоже был — с детьми он не общался. То, как они растут, как учатся и на что кормятся, его не заботило. Жил он со своей дылдой на хлипкой дачке, топил печурку, ходил в лес.

Правда, подруга его жизни все-таки работала. Жить-то на что-то надо! Наверное, у нее мозги отказали не на сто процентов, как у ее возлюбленного. А только на девяносто.

Женюра проплакала три года. Потом взяла себя в руки — надо поднимать детей. Надо просто жить. Не загонять себя в могилу. И все увидели, что слабая и безвольная, покорная Женюра оказалась сильной и умной женщиной. У нее успешный бизнес. Правда, пашет она — будь здоров. А сил не так уж много — годы все-таки.

Но все это — прелюдия. Главная героиня этой истории не Женюра, а Майя Григорьевна.

Которая не отказалась от бывшей невестки. Помогала ей поднимать детей. Когда была нужда, помогала и своей бедняцкой отложенной копейкой. Жалела Женюру и поддерживала — во всем.

Сына осуждала. И, конечно, жалела. Говорила: «Пропал человек». Его новую пассию не приняла и общаться с ней отказалась. Сказала, что у нее одна невестка и одна мать ее внуков. Жили они по-прежнему вместе. В смысле, на одном участке.

Уговаривала Женюру устроить свою жизнь. Женюра отстрадала свое и устроила. Замуж, правда, не собиралась, сказала, что семейной жизни наелась досыта. А друг сердечный появился. Майя Григорьевна приняла его с открытым сердцем. Уговаривала Женюру родить девочку. Говорила, что поможет ее поднять.

Женюрин «друг сердечный» удивился и смутился:

— Как так? Бывшая свекровь!

А Женюра объяснила:

— Какая разница, как она называется? И потом, она — не бывшая. Муж бывший. А свекровь — настоящая. На все времена. Просто родня. Нет, родня — это другое. А здесь родной человек. Родной и близкий. Ближе нет.

И, смеясь, добавляла:

— Не повезло с мужем и Родиной, повезло со свекровью!

Согласитесь — редкое везенье! Не у всех бывает!

Но не будем завидовать, Женюра это заслужила.

Мы вернулись домой. Илюшка — просто богатырь, загорелый и крепенький, как свежий и румяный персик. Болтает без умолку. Вижу, как муж по нему соскучился.

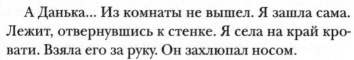

А Данька... Из комнаты не вышел. Я зашла сама. Лежит, отвернувшись к стенке. Я села на край кровати. Взяла его за руку. Он захлюпал носом.

Я гладила его по голове и приговаривала:

— Ничего, сынок, все обойдется. Человек на многое способен. Да и потом, что страшного произошло? Все, слава богу, живы и здоровы.

Он повернулся. Глаза, полные слез. Сердце оборвалось. Бедный мой ребенок! Нелепый и бестолковый! Самый родной и любимый на свете! Я все ему простила в ту же секунду.

Какие обиды? Он страдает. Остальное не имеет никакого значения!

Обстановочка в доме — врагу не пожелаешь. Муж бурчит, что ему надоели Данькины капризы. Что пора, наконец, становиться мужиком. Что во всем виновата, разумеется, я и только я. Всю жизнь баловала, жалела и во всем потакала.

Он врывается в комнату к сыну и требует объяснений. Кричит, чтобы тот встал с постели и устроился на работу. Занялся ребенком. Прибрал в комнате.

Данька сначала молчит, а потом начинает хамить. Кричит, чтобы отец закрыл дверь с другой стороны. Говорит, что сам во всем разберется. Чтобы все оставили его в покое.

Мужа, естественно, это только распаляет, и скандал набирает силу. Илюшка рыдает и прячется за диван.

Я пытаюсь объяснить мужу, что так действовать нельзя. Что Илюша превращается в неврастеника,

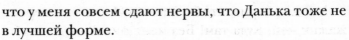

что у меня совсем сдают нервы, что Данька тоже не в лучшей форме.

Он не слушает. Говорит, что это я создаю в доме невозможную обстановку. Я!!!

Ох, мужики! Самые умные из вас... Какие же вы толстокожие, право слово! Не могут они прочувствовать ситуацию, не могут усмирить собственную гордыню. Не могут принять то, что без всяких объяснений нужно просто *принять*. Как факт. И смириться. Два мужчины в доме — наверняка конфликт.

Нет, конечно, муж во многом прав. По сути. А по форме? Но он говорит, что форму искать не собирается. Много чести. И продолжает свои «наезды».

Я боюсь, что Данька уйдет из дома. Куда?

Муж отвечает:

— Пусть катится на все четыре стороны. И учится быть мужиком и отвечать за свои поступки.

А я боюсь, что Данька окончательно сорвется и наделает глупостей. Начнет поддавать. Куда его занесет? Кто знает?

Я прошу мужа пожалеть сына. Он говорит, что я — полная дура и лучше бы мне пожалеть себя.

— Посмотри на себя в зеркало! — кричит муж. — Ты превратилась в старуху!

Неужели это правда? В зеркало смотреть боюсь.

Но я гну свое. В который раз призываю сына пожалеть и поддержать.

Здесь его дом. Родители, которые должны ему помогать. В конце концов, детей любят любых. И неудачных тоже. Даже больше, чем удачных. Но все мои увещевания — мимо.

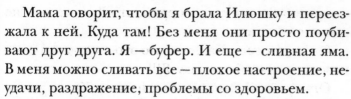

Мама говорит, чтобы я брала Илюшку и переезжала к ней. Куда там! Без меня они просто поубивают друг друга. Я — буфер. И еще — сливная яма. В меня можно сливать все — плохое настроение, неудачи, раздражение, проблемы со здоровьем.

Я все обязана вынести. Все выслушать, успокоить, убедить, что все не так страшно. Утешить. Примирить. Расставить по своим местам.

Я обязана. Потому что я — женщина. Я мудрее, сильнее, терпеливее. Я все могу. А что не могу, все равно — смогу. И никого не волнует, чего все это мне стоит!

Я пытаюсь объяснить сыну, что ему нужна помощь специалиста, что у него депрессия. Пытаюсь объяснить мужу, что у него невроз и ему нужно попить что-нибудь успокоительное.

В ответ получаю: «Пей сама. У меня все в порядке». Это от них обоих. Слово в слово.

А что? Они правы — мне нужны и специалист, и успокоительное. Только у меня на это нет ни времени, ни сил.

Дальше — больше. Данька начинает по вечерам исчезать из дома. Приходит под утро. Я опять не сплю. Стою у окна.

Выясняется все довольно быстро — доносят соседи. Он ходит к Ларисе Моргуновой во второй подъезд. Лариса — мать-одиночка. Разведенка. Работает кассиром в ближайшем магазине.

Я пошла в магазин. За кассой сидит белая мышь. Или моль. Как угодно. Блеклое, бледное немолодое лицо без косметики. Хвост на затылке. Неухоженные руки. Взгляд как у снулой рыбы. На вид — лет под сорок. Знаю, что тридцать шесть. Эмоций — ноль. Бьет по клавишам кассы, как автомат. Ни на кого не смотрит.

Боже! Что он в ней нашел? Если Нюся была черный хлеб, Марьяна — пирожное, то эта — тухлое яйцо.

Я в ужасе, но мужу ничего не говорю. Представляю, что из этого получится! Подруги и мама успокаивают меня и говорят, что это от безысходности. Скоро пройдет. Остается только надеяться. А что мне еще остается?

Соседка Алевтина предлагает мне пойти к этой Лариске и устроить скандал. Обещает свою подмогу. Алевтина торгует на рынке турецким тряпьем. В ней я уверена. А вот в себе — нет. Я на такое не способна. Пока. А дальше — кто знает?

Даже я не знаю, до чего меня доведет эта жизнь.

* * *

На улице меня окликнули, я обернулась. Кристина. Бывшая Данькина подружка, та, что из кубанской станицы. Сразу ее не узнала — Кристинка здорово поправилась. Объясняет, что это после родов и еще — в бакинской семье ее мужа царит культ еды. Просто нереальный. И свекровь, и золовка часами стоят у плиты. Я спрашиваю, как ей живется. Она вздыхает и отвечает не сразу:

— По-разному, теть Лен. Очень по-разному.

Приняли ее настороженно, не сразу. Русской невестке обрадовались, мягко говоря, не очень.

Подозревали в корысти. Когда родился мальчик, понемногу смягчились. Рождение мальчика — большое и серьезное событие. Но ей непросто. Разница в воспитании, другая культура. Права голоса практически нет, все решает муж. А это и хорошо, и не очень. Достаток есть, нужды нет ни в чем, но... Свекровь для сына — главный авторитет. Ее слово — закон. Свекровь — женщина неплохая, но абсолютно чужой человек. Резкий и жесткий. Авторитарный. Все дети — взрослые и женатые — слушаются ее безоговорочно.

И она, Кристинка, там чужая.

Счастливой Кристинка не выглядела. Вздохнула и сказала, что поняла одно — замуж надо выходить по любви. Одного уважения недостаточно и сытой жизни тоже. Это ее выводы. Но у каждого по-своему. Помним и другие примеры. Хотя не согласиться с ней трудно.

Мы расцеловались, и я пожелала ей удачи. Очень искренне пожелала.

Ася называла свою свекровь «Тоня, Поджатые Губки». И вправду выражение лица у Антонины Михайловны было... Ну, всем человек недоволен! Никогда не видела ее не то чтобы смеющейся, а даже просто с улыбкой. Ей не нравилось абсолютно все — кино, книги, передачи по телевизору. Мода — ну, это вообще кошмар и ужас! А современные песни! А реклама на улице! А продукты в магазине! А отсутствие морали в современном обществе! А товарно-денежные отношения? Короче говоря, мир зол, беспросветен и катится в тартарары. Люди алчны, бесстыдны и безнравственны.

Короче, типичная брюзга и ханжа.

Нет, разумеется, она была во многом права. Очень во многом. Но нельзя же воспринимать все так безысходно! Нельзя же во всем видеть один негатив! Нельзя же, в конце концов, так не любить все то, что тебя окружает!

Ведь остались на свете семья. Друзья. Природа. Хорошая музыка. Старые книги. Картины в Пушкинском. Море осталось, осенний лес. Пение птиц по утрам. Первый снег и первый невзрачный цветок мать-и-мачехи, говорящий о том, что пришла весна.

Нет. Для нее не осталось. Все было плохо и очень плохо.

Работала она педиатром в детской поликлинике. Говорила, что врачи — идиоты, мамашки — придурошные, а дети — так те вообще вырожденцы. Куда катится мир? Катастрофа!

Соседки, все как одна, сплетницы. Подруги — завистницы. Ну их! Все родственники неискренны и корыстны. Читать нечего, смотреть нечего, есть невкусно.

Аську она разглядывала с брезгливой миной на лице — что это? Грудь слишком напоказ. Брюки сильно обтягивают задницу. Цвет платья — признак абсолютной безвкусицы. Купальник — верх неприличия. Мелирование? Обычные седые пряди. Наращенные ногти — уродство и удел бездельниц.

Вспоминаю Сонькину девяностолетнюю бабушку. Та восхищалась рваными джинсами, голубым лаком на ногтях и разноцветными прядями в голове правнучки. Сетовала, что в ее юности такого не было. И просила Соньку привезти ей яркую помаду и крупную бижутерию в уши.

Холодец у Аськи застыл плохо. Мясо пересолено. Картошка пересушена. Торт — сплошной крем.

Обои слишком мрачные. Картины, что висят на стене, рисовал явно шизофреник. Кухонный гарнитур — как в больнице. Зачем белый? Ковер маркий. Люстру давно пора помыть. Пластиковые окна вредны для здоровья. И бу-бу-бу. Без остановки. Попробуй вынеси такого человека! Один сплошной негатив. Из всех щелей.

Но Сережа, Аськин муж, мать любил и жалел. Говорил, что она — обиженный богом человек. Не понимающий прелесть и вкус жизни. И что растила его одна, отец сбежал через два месяца после рождения Сережи.

Аська говорила, что вообще странно, что Тоня когда-то легла под мужика. Наверное, и было-то всего пару раз. «Потому что мерзко и противно. Все мужики — похотливые и наглые животные. Ну, кроме ее сына».

Еще Тоня часто повторяла, что она — человек глубоко порядочный. Не идущий на сделки с совестью и не бравший ни разу в жизни взятку. Наверняка это правда. Насчет взятки.

А кто часто говорит о своей порядочности и кристальной честности и неподкупности, тот, наверное, сам в этом сильно сомневается. Или пытается в этом убедить себя. И окружающих, видимо, тоже.

Кстати, когда заболевали ее внуки, она их принципиально не лечила. Говорила, что не хочет портить с ними отношения. Вызывайте врача! Внуков она ни разу не приласкала и не поцеловала. Дарила им только книжки про пионеров-героев, еще Сережины, и развивающие игры. Внуки ее не любили. Что вполне понятно. Аська терпела. До поры. Потом она влюбилась и ушла от Сережи. Вернее, Сережа ушел сам — у него уже давно был роман с коллегой. Так что развелись они мирно и одновременно устроили свои судьбы. Антонина Михайловна требовала размена квартиры. Сережа ей отвечал, что у него есть где жить и что квартиру он оставил детям. Она считала, что это несправедливо.

Когда Аська уехала с детьми на море, эта глубоко порядочная женщина, открыв своими ключами Аськину квартиру, вывезла из квартиры все, что посчитала нужным и что, по ее мнению, заработал непосредственно Сережа.

Когда Аська вернулась с югов, было обнаружено, что из квартиры вывезены микроволновая печь, соковыжималка, электрическая мясорубка, кофеварка, утюг, гладильная доска, телевизор, магнитофон, видеомагнитофон. Стиралка и холодильник. Две телефонные трубки с базой. Ковер из гостиной и палас из детской. Хрустальные бра и торшер. Два сервиза. Бокалы богемского стекла. Три вазы. Два подсвечника. Керамические настенные тарелки. Французский сотейник и сковородка. Мельхиоровые ложки и вилки. Ну, и так далее.

Аська, войдя в квартиру, впала в ступор и потеряла дар речи. Решила, что ее ограбили. Вызвала милицию. Милиция сказала, что замки не повреждены и что дверь открывали «родным» ключом. Аська позвонила Сереже. Он долго молчал, а потом сказал Аське, что, кажется, понимает, чьих это рук дело. Поняла и Аська. И у нее началась истерика. Ржала она как безумная. Говорила, что слава богу, Тоня оставила унитаз. Иначе бы Аська описалась в штаны. От смеха. Спасло ее, как всегда, отменное чувство юмора.

Конечно, Аськин новый муж все купил. Кое-что купил Сережа. Вещи — дело наживное. Чувство юмора — черта врожденная. Или оно есть, или нет. Так же как и порядочность.

Аськины дети с бабушкой Тоней больше не общались. Просто не хотели. А новая Сережина жена ее не привечала. В гости не звала, по телефону ее жизнью не интересовалась. Говорила, что отрицательные эмоции ей ни к чему. На работе хватает. И Сережа ездил к матери один. Потому, что приличный человек и хороший сын. И еще — не дурак. Все про свою мамашу понимал.

Страдал, раздражался, стыдился, гневался. Но не отказывался. Мать есть мать. Даже такая. Выбирать-то ему не дали. Как говорится, что бог послал.

Муж капитулировал первым. Съехал к матери. Сказал, что больше смотреть на «этот ужас и моральное падение сына» не в силах.

Хорошо мужикам! Собрал вещички, компьютер под мышку — и был таков! Нервы, видите ли, не выдержали! Какие же мы нежные! Вот я выдержу все. Деваться мне некуда. Ни от внука, ни от сына. И нервы у меня — канаты. Кто ж сомневается! Вот с этими-то «канатами» — прямиком на Канатчикову дачу. Думаю, пристроят меня там быстренько. Я — их клиент. Если не сейчас, то в обозримом будущем.

Но в доме стало тише. Спокойней стало. Надо честно признаться. Вот и моя семья под угрозой. Отдохнет муженек от скандалов, послушает маменьку, как жена глупая плохо сына воспитала, и задумается мой милый. А на фига ему она? Вон сколько див прелестных и юных! И ребеночка ему еще вполне родят с удовольствием. И будет тот ребеночек не такой, как мой сынок — нелепый неудачник и разгильдяй. Позор и разочарование папаши.

И проживет он еще вторую жизнь с новыми действующими лицами. С молодой и крепкой женой. Со здоровыми нервами.

А я останусь «при своих». Проблемах в том числе. Никому не нужная и замученная тетка. Дерганая и нервная. Короче, то еще добро.

Выводы: все мужики — беженцы и трусы. А мы, как всегда, на своих местах. И по-прежнему за все отвечаем.

На мужа я обиделась, что вполне понятно. Хотя в душе, честно говоря, рада. Теперь я пытаюсь общаться с сыном. Получается не сразу. Но я осторожна и терпелива. В конце концов, он действительно плод моего воспитания, ошибок и комплексов. Все от него отвернутся, а я — никогда. Потому что я — мать. И таков мой удел.

Постепенно он приходит в себя, я это вижу. Подаем резюме в агентства по трудоустройству. Он ходит в магазин и пропылесосил квартиру. Попросил испечь пирог с курагой. Посадил Илюшку на колени и почитал ему «Тараканище». Взял билеты в цирк — три штуки. Я сказала, что у меня болит нога, и осталась дома. Они пошли вдвоем. Пришли, полные эмоций и впечатлений. Не знаю, кто порадовался больше. У цирка катались на аттракционах и фотографировались с удавом. Илюшка попросил повесить фото над его кроваткой.

Осторожно заходит в его комнату и спрашивает:

— Дань, можно я у тебя посижу?

Я это слышу и реву в кухонное полотенце.

Однажды Данька мне сказал:

— Мам, а он прикольный!

Это он про Илюшку. В воскресенье поехал с ним в зоопарк. Потом обедали в «Макдоналдсе». Я не ругала — пусть даже эта чертова вредная закусочная. Главное, чтобы они общались.

Перед сном Илюшка крикнул:

— Пап! Почитай мне книжку!

Данька покраснел и растерянно посмотрел на меня. Я кивнула:

— Нормально, сынок. Вперед!

К Моргуновой он больше не ходит. Ура! Ура! Ура!

С мужем я разговариваю сухо. Он со мной тоже не рассиропливается. Переживем. Главное сейчас — это Илюшка с Данькой.

Данька пошел на собеседование. Назавтра перезвонили и сказали, что берут. Он принес бутылку шампанского и торт. Илюшке какого-то уродского монстра-трансформера. Илюшка совершенно счастлив.

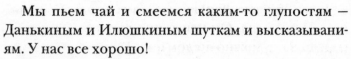

Мы пьем чай и смеемся каким-то глупостям — Данькиным и Илюшкиным шуткам и высказываниям. У нас все хорошо!

И у меня лучший на свете сын! Ну а про внука я вообще не говорю. Таких детей просто на свете больше нет.

Муж попросился домой. Сказал, что очень скучает. Я ехидно спросила:

— Что, отпуск закончился? Мама притомила? Мамины постные супчики поперек горла встали? На работу ехать далеко?

Высказалась. Стало легче. Не надо себе отказывать в таких удовольствиях.

Мужчины приходят с работы, и мы садимся ужинать. Обычный разговор обычной семьи. Бытовой, семейный. Конечно, семейный. Ведь у нас семья. И мы все очень любим друг друга. Несмотря ни на что. Мы — близкие люди. А близким людям можно простить все на свете.

Илюшка — главная радость в нашей семье. У него самый любопытный возраст, и он без остановки выдает перлы. Я записываю в тетрадь — на память.

Догадываюсь, что у Даньки кто-то появился. Во-первых, чувствую, во-вторых, и так все понятно. Не надо быть особенно проницательной. Задерживается по вечерам и купил себе новые джинсы, ботинки и одеколон. Франтит. Нежно воркует по телефону. Полночи стучат эсэмэски — как азбука Морзе. Мне по голове. Я ни о чем не спрашиваю — боюсь. Вижу, что муж тоже на нерве. Но мы ничего не обсуждаем. Наверно, у меня уже фобия.

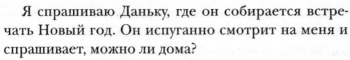

Я спрашиваю Даньку, где он собирается встречать Новый год. Он испуганно смотрит на меня и спрашивает, можно ли дома?

Господи! Нашел что спрашивать! Я счастлива. Потом он осторожно интересуется, как я посмотрю на то, что он будет не один?

Сердце падает и стучит на всю комнату. Я киваю. А что мне еще делать?

Наверное, опять даю слабину. Не уверена, что права. Боюсь сказать об этом мужу. Он вздыхает и пожимает плечами:

— Может, на этот раз повезет? Все-таки есть надежда, что у этого дурачка мозги, наконец, встали на место? — шутит он. И грустно добавляет: — Если у него они в принципе есть. В смысле, мозги.

Валечка забрала Илюшку к себе. Я танцую у плиты. Варю, жарю, пеку. Стараюсь вовсю. Для своих же!

Тридцать первого Данька звонит и сообщает, что застрял «в дичайшей пробке». Ничего удивительного — такой день.

Потом добавляет, что Полина стоит возле нашего дома и боится зайти.

Конечно, пусть заходит! Что за глупости!

Полина. Ее зовут Полина. Поленька, Поля, Полиша! Какое чудесное имя! Господи! Как я хочу ее полюбить! Как я хочу, чтобы она оказалась нормальным человеком! Стала родной и близкой для нашей семьи! Мое сердце устало страдать. Я хочу открыть его, свое сердце. Я боюсь открыть его. Очень боюсь! Но я открыта для любви. Я хочу быть хорошей свекровью! Честное слово! Я устала быть стервой. Потому что я — не стерва.

На пороге стоит существо с бирюзовыми глазами. Она растеряна и смущена. К ней подбегает Илюшка, и она подхватывает его на руки.

Потом достает из пакета пожарную машину. Илюшка визжит от восторга.

Я говорю ей:

— Входи, Полиша, не стесняйся.

Она кивает и спрашивает, чем мне помочь.

Я не хочу ничего говорить! Ни с кем и ничего обсуждать! Я боюсь сглазить! Боюсь спугнуть свои ощущения. Потому, что верю им. Материнское сердце — вещун!

Ведь оно меня ни разу не подводило! И потом, надеюсь, что судьба притомилась испытывать меня. Хватит. Хорошего понемножку. Я вполне заслужила то, на что так горячо надеюсь. Ведь я же прошла все испытания? Не знаю, правда, достойно ли...

Еще новость! Да какая! Вот уж никто не ожидал! Тамара Аркадьевна разменивает свою трехкомнатную квартиру. В кирпичном доме на Ленинском. На двухкомнатную и однокомнатную. Внуку — двушку, чтобы у Илюшки была детская. Говорит, что Даньке пора иметь *свое* жилье. Иначе счастливую семейную жизнь не построить. Да и ей большая трешка ни к чему — тяжело убираться и высокая квартплата.

А я, оказывается, плохо знала свою свекровь! Не думала, что она способна на жертвы. Вот и еще одно откровение...

Не знаю, что получится. Как Илюшке будет с новоявленными родителями. Но Полина говорит, что ребенок должен жить с отцом и матерью. Ну а на выходные — пожалуйста, работайте бабушкой и дедушкой. На здоровье!

Ну, не знаю... Психую, конечно. Что поделаешь, такая натура. От себя не уйдешь!

И еще — мне очень хочется на работу! Одеться, накраситься, сделать новую стрижку. Я очень соскучилась по своим девчонкам... Ведь я еще совсем нестарая женщина...

Полина и Данька загадочно переглядываются и торжественно объявляют нам...

Что они ждут ребенка! Господи!!!

Полина тревожно на меня смотрит и с испугом спрашивает:

— Вы считаете меня легкомысленной?

Помните, как в «Иронии судьбы»? Когда учительница Наденька спрашивает немолодую и усталую женщину, мать главного героя: «Вы считаете меня легкомысленной?»

А та ей отвечает, мудро и со вздохом: «Поживем — увидим!»

И мы тоже. Поживем — увидим!

А куда мы денемся...

Я понимаю, что Страна Советов давно канула в Лету, да и вообще, к советам прислушиваться все мы не очень-то любим...

Но я считаю, что имею на это какое-то право — у меня большой и, увы, не очень удачный опыт в этом вопросе. А неудачный опыт, как считается, куда важнее и ценнее удачного.

Проповеди сама ненавижу, советы — почти не приемлю. А тут — решилась. Взяла на себя, так сказать, смелость и ответственность. В общем, без обид!

Итак. Советы свекровям.

1. У нее (невестки) тоже иногда болит голова и бывают критические дни. Как когда-то были у тебя.

2. Она — чья-то дочь. Чей-то ребенок. Воспитанный другой женщиной и, возможно, в других устоях и традициях. Не всегда совпадающих с устоями и традициями твоей семьи.

3. Помни свои косяки и ошибки! Это сейчас ты печешь трехслойные кулебяки и квасишь капусту с клюквой и антоновкой. А свою первую курицу ты сварила с кишками и горлом!

4. Кстати, не все считают, что пылесосить надо каждый день и что сдавать сорочки в прачечную — такой уж большой грех!

5. Помни — твой сын далеко не идеал! Ты же сама об этом рассказываешь подружкам и маме! Он — ленив, гневлив, не очень аккуратен (засохшие огрызки и носки под кроватью).

И к тому же порядком избалован. Тобою, кстати.

6. Ты тоже всегда хотела, чтобы твой муж зарабатывал больше. И не боялся неурочных. (И это тоже не нравилось твоей свекрови.)

7. Ты — будем откровенны — тоже манипулируешь мужем. Как и все умные женщины.

8. Не приезжай к ним без предупреждения. Разве ты любишь, чтобы тебя заставали врасплох?

9. Не спрашивай, что она приготовила на ужин. С голоду не помрут, не сомневайся. Даже

если сварят пельмени. Как вы в молодости, бывало.

10. Делай ей комплименты, восторгайся ее прической, новыми туфлями и платьем. Говори ей почаще, что она хорошо выглядит. Для сына ты первейший авторитет, и он всегда прислушивается к твоим словам.

11. Хвали ее готовку, спроси рецепт нового салата. Учиться новому никогда не поздно. Даже такой отменной кулинарке, как ты. И ты всегда будешь желанным гостем в ее доме.

12. Не поддерживай ее критику в адрес твоего сына. Разведи руками — сама выбирала! Я его тебе не навязывала. Короче, «видели очи, що покупалы...».

13. Не дари ей то, что понравилось тебе. Вы из разных поколений, и ваши вкусы не обязаны совпадать. Помни, деньги — лучший подарок. Пусть купит то, что понравится ей, и вспоминает тебя с благодарностью. И будь благодарна за ее подарок — любой. Повторяю, ваши вкусы не обязаны совпадать. А она наверняка старалась.

14. Восхитись голубым лаком на ее ногтях и джинсам с дырками. (Вспомни свои клетчатые брюки с бахромой и заплатками и фиолетовые тени на веках.)

15. Не будь безапелляционна. Все имеют право на свое мнение. Ты же, в конце концов, терпимый и интеллигентный человек. Или очень к этому стремишься.

16. Ты — деликатная и корректная женщина. Если хочешь дать ей совет, начни со слов: «Знаешь, а мне кажется...»

17. Все имеют право на плохое настроение. Не только ты и твой сын.

18. Делай скидку на ее молодость. Не будь злопамятна — в этом главная мудрость жизненного опыта, которого у тебя в избытке. Помни, обиды разрушают!

19. Не критикуй ее сыну. Пока он в обиде, он подхватит твои слова. А потом они помирятся. И его будут раздражать твои критические и резкие высказывания в ее адрес.

20. Дай ей возможность на самоопределение и идентификацию. Она — личность. И имеет на это право.

21. В любом конфликте не занимай ничью сторону. Только сторону справедливости. Так будет честнее.

22. Постарайся ее полюбить. Ведь она — родной человек. Часть твоей семьи. И мать твоих обожаемых внуков!

23. Подумай о своих перспективах. О старости, например. Ведь все возвращается бумерангом и окупается сторицей. Корысть? Нет, благоразумие! Кривить душой я вовсе не предлагаю.

24. Расставляй приоритеты. Как когда-то не делала твоя свекровь. И очень, кстати, осложнила этим твою с мужем жизнь. Главное — точно важнее. Не занудствуй! Ведь ты ненавидишь зануд! У каждой из нас свой костер инквизиции и, долгий, как товарный состав, список претензий и обид друг к другу. Пусть ее список будет короче твоего. И женская доля — полегче.

25. Ты просто обязана быть с ней в хороших отношениях! Ведь от этого зависит душевное и физическое здоровье твоего сына! Долой амбиции! Ты — благородный человек. Так считают все окружающие.

26. Не требуй назвать внучку в честь твоей бабушки. У твоей снохи была своя бабушка. Кстати,

своего сына ты назвала вопреки просьбам родни мужа, помнишь?

27. Все мы — непростые люди. Со своими привычками, воспитанием, образованием, происхождением, уровнем культуры. Со своими вкусами, пристрастиями, здоровьем и наличием «тараканов» в головах. Гражданки свекрови! И гражданки невестки! Уважайте друг друга! Если уж не смогли полюбить...

Ведь все мы — если не свекрови, то непременно невестки.

И еще. Помни! Любая невестка может стать «бывшей». Плохая невестка — еще не приговор и не конец жизни! Кому-то повезло не с первого раза. Бывает.

И — последнее. «Пока мы недовольны жизнью, она, как известно, проходит», — сказал один мудрец. «И еще насмехается над тобой», — добавляю я.

Литературно-художественное издание

ЗА ЧУЖИМИ ОКНАМИ. ПРОЗА М. МЕТЛИЦКОЙ

Метлицкая Мария

ДНЕВНИК СВЕКРОВИ

Ответственный редактор *О. Аминова*
Литературный редактор *Н. Любимова*
Ведущий редактор *Ю. Раутборт*
Выпускающий редактор *А. Дадаева*
Художественный редактор *П. Петров*
Технический редактор *Г. Романова*
Компьютерная верстка *Г. Ражикова*
Корректор *В. Назарова*

ООО «Издательство «Эксмо»
127299, Москва, ул. Клары Цеткин, д. 18/5. Тел. 411-68-86, 956-39-21.
Home page: **www.eksmo.ru** E-mail: **info@eksmo.ru**

Өндіруші: «ЭКСМО» АҚБ Баспасы, 127299, Мәскеу, Клара Цеткин көшесі, 18/5 үй.
Тел. 8 (495) 411-68-86, 8 (495) 956-39-21.
Home page: www.eksmo.ru . E-mail: info@eksmo.ru.
Қазақстан Республикасындағы Өкілдігі: «РДЦ-Алматы» ЖШС, Алматы қаласы,
Домбровский көшесі, 3«а», Б литері, 1 кеңсе. Тел.: 8(727) 2 51 59 89,90,91,92,
факс: 8 (727) 251 58 12 ішкі 107; E-mail: RDC-Almaty@eksmo.kz
Қазақстан Республикасының аумағында өнімдер бойынша шағымды Қазақстан
Республикасындағы Өкілдігі қабылдайды: «РДЦ-Алматы» ЖШС,
Алматы қаласы, Домбровский көшесі, 3«а», Б литері, 1 кеңсе.
Өнімдердің жарамдылық мерзімі шектелмеген.

Подписано в печать 06.12.2012.
Формат 84×108^1/$_{32}$. Гарнитура «NewBaskerville».
Печать офсетная. Усл. печ. л. 16,8.
Доп. тираж 5000 экз. Заказ 3808.

Отпечатано с электронных носителей издательства.
ОАО «Тверской полиграфический комбинат». 170024, г. Тверь, пр-т Ленина, 5.
Телефон: (4822) 44-52-03, 44-50-34, Телефон/факс: (4822) 44-42-15.
Home page – www.tverpk.ru Электронная почта (E-mail) sales@tverpk.ru

ISBN 978-5-699-60480-7

9 785699 604807 >

В книгах я пишу о **чувстве**, без которого у меня ничего бы не получилось...

Маша Трауб

МАША ТРАУБ

Любовная аритмия

Приобрести иммунитет к любовной аритмии так же невозможно, как и вылечиться от нее!

2011-697

Иосиф
ГОЛЬМАН

Авторская серия

мужской + взгляд

Галина
АРТЕМЬЕВА

Авторская серия «ЛАБИРИНТЫ ДУШИ»

**Впечатляющее сочетание любовного романа
и психологической драмы**

**Лишь любовь и надежда
помогут найти выход
из лабиринтов страха и отчаяния.**